Dominique Gaucher

www.exerciseur.editionsavantage.com

... pour un apprentissage réussi

SES PARTICULARITÉS

- *Exerciseur auto correcteur*
- *Allocation d'une note pour chaque réponse*
- *Évaluation à la fin de chaque exercice*
- *Possibilité de refaire un exercice*
- *Suivi d'apprentissage possible par le professeur*

SES CHOIX D'EXERCICES

- *Questions à deux choix (vrai ou faux)*
- *Questions à choix multiples*
- *Exercices d'association*
- *Phrases à compléter*
- *Autres types d'exercices*

D1473729

Pour accéder à l'exerciseur

1. *Allez sur :* **www.exerciseur.editionsavantage.com**
2. *Cliquez sur :* **Inscription**
3. *Complétez le formulaire d'inscription*
4. *Pour faire un exercice, suivez les instructions à l'écran.*

Pour accéder aux exercices, votre professeur doit y avoir inscrit votre groupe/classe.

Code d'accès

8QVY-PX9B-Y0Z1-VQZ1

(non valide si utilisé)

Code d'accès de remplacement disponible à la librairie de votre institution

Vivre la découverte
de la dynamique de
l'entreprise avec
Logivélo

PARTICULARITÉS

- *Simulation de groupe (équipe)*
- *Utilisation en ligne*
- *Utilisation facile (friendly user)*
- *Simulation pédagogique*
- *Processus d'apprentissage complet*
- *Documents de travail et de support pour l'animateur et les participants*
- *Évaluation à chaque période de jeu*
- *Produit utilisé par les participants*
- *Produit écologique en évolution*
- *Simulation emballante et reconnue*

FONCTIONNEMENT GÉNÉRAL

La simulation reflète fidèlement la réalité de l'industrie du vélo. La classe doit être divisée en équipes (compagnies). Une fois les équipes formées, elles devront créer leur compagnie respective et les étudiants devront s'y inscrire comme actionnaire.

Cette étape complétée, le déroulement de la simulation pourra débuter. À chaque période de jeu, qui représente une année financière, un actionnaire désigné saisira à l'écran les décisions discutées par tous les actionnaires. Les saisies des décisions une fois complétées, l'animateur les traitera et le logiciel produira les rapports de compagnie de même que les rapports de support pour l'animateur.

La simulation opère en ligne sur : www.simaxion.com

Découverte de la dynamique de l'entreprise

STRUCTURE ET FONCTIONNEMENT DANS UNE APPROCHE GLOBALE

Pierre Fillion

4e édition

LES ÉDITIONS
AVANTAGE

DÉCOUVERTE DE LA DYNAMIQUE DE L'ENTREPRISE

Pierre Fillion

Les démarches nécessaires ont été entreprises pour l'obtention des droits d'auteur. L'Éditeur acceptera avec plaisir toute suggestion visant l'amélioration du contenu du volume.

Les Éditions Avantage
C.P. 8563, Succ. Sainte-Foy
Québec, QC
G1V 4N5

4e édition – août 2011

Dépôt légal – 3e trimestre 2006
Bibliothèque et Archives nationales du Québec
Bibliothèque et Archives du Canada
ISBN   978-2-9804758-7-0

Courriel : info@editionsavantage.com
Site Web : www.editionsavantage.com

Exerciseur Web :   www.exerciseur.editionsavantage.com

Présentation du volume

Ce volume est le fruit de réflexions, de vie pédagogique, d'expérience d'affaires, de recherche et de connaissances relatives à la vie et aux activités de l'entreprise d'aujourd'hui.

Ce volume, conçu dans une approche pédagogique (sujets, texte et mise en page), présente chacun des chapitres d'une façon systématique de manière à faire découvrir, tout au long du volume, la synergie et la dynamique dans le fonctionnement de l'entreprise.

Ce volume a été écrit dans un style simple, facile lire et à comprendre avec un choix de caractère approprié dans une structure de texte où les paragraphes sont le plus courts possible pour favoriser une concentration soutenue et continue. Afin de maximiser la réussite de l'apprentissage, des tableaux et figures complémentaires aux sujets ont été insérés là où cela était à tout le moins souhaitable sinon nécessaire.

Ce volume se complète, à la fin de chaque chapitre, par des sujets complémentaires optionnels, des études cas et lectures en plus des questions de fin de chacun des chapitres sans oublier le Guide du maître complet, l'exerciseur web et la simulation Logivélo. Pour plus de détails, veuillez consulter notre site web: www.editionsavantage.com.

Remerciements

La réalisation de cet ouvrage n'aurait pu être possible sans la contribution particulière de collaborateurs. Je tiens à remercier notamment:

- monsieur Louis Garneau de *Louis Garneau Sports inc.* pour sa collaboration particulière;
- monsieur Martin Bouchard de *Copernic.com*, pour l'entrevue qu'il m'a accordée;
- monsieur Alain Carron, rédacteur en chef au *Magazine PME*, pour les articles repris à la fin de certains chapitres;
- monsieur Laurent Lapierre de *Gestion, revue internationale de gestion*;
- *Procycle inc.* pour l'information qui a servi à la conception de la simulation Logivélo;
- *Provigo*, pour leur contribution;
- monsieur Pierre Bellavance pour la conception et la réalisation de la page couverture;
- madame Karine Lelièvre pour la mise en page;
- madame Geneviève Solasse pour la correction des textes;
- monsieur Pierre Lachance pour la réalisation du document de présentation PowerPoint;
- monsieur Marc-André Paquin pour la réalisation de l'exerciseur web;
- madame Christiane Éthier, professeur au Collège de Maisonneuve, pour sa collaboration;
- monsieur Benoit Lachance de Keyrus Canada pour sa collaboration spéciale.

LOUIS GARNEAU
Président designer
Louis Garneau Sports inc.

Officier de l'Ordre
du Canada
Chevalier de l'Ordre
national du Québec

Cher étudiant, chère étudiante,

À la demande de monsieur Fillion, c'est avec plaisir que j'ai accepté d'apporter ma contribution à la réalisation de ce manuel par les entrevues que je lui ai accordées. La rédaction simple et concise ainsi que la mise en page particulière de ce volume vous permettra de découvrir toute la dynamique des fonctions et activités de l'entreprise et de vous familiariser avec sa vie passionnante que je vis à tous les jours, semaine après semaine et année après année.

J'ai constaté que cet ouvrage avec ses photos, ses figures et tableaux, son style, ses lectures, ses mises en situation et sa simulation expose, d'une façon simple et réelle tout le dynamisme de la vie de l'entreprise dans une approche globale.

Il ne fait nul doute qu'à sa lecture vous développerez un grand intérêt pour la vie des affaires et de l'entreprise. Je considère ce volume comme une référence de tout premier ordre à conserver dans votre bibliothèque.

Je vous souhaite bon succès dans vos études et bonne lecture.

Louis Garneau

Objectifs du volume

Objectif principal

L'objectif principal recherché par l'atteinte des différents objectifs rattachés à l'étude de ce volume est celui de faire découvrir et comprendre dans une vision globale toute la dynamique des fonctions et activités de l'entreprise pour en développer le plus grand intérêt, autant pour les défis qu'elles offrent que pour le programme d'étude du domaine où vous avez choisi de faire carrière.

Objectifs spécifiques du contenu

CHAPITRE 1   L'entreprise et son milieu

Connaître et comprendre l'importance des composantes de l'environnement complexe dans lequel évolue l'entreprise et leur influence sur ses différentes activités et fonctions. Connaître et comprendre l'importance des différentes contraintes avec lesquelles l'entreprise doit composer au cours de son évolution.

CHAPITRE 2   L'entreprise et son encadrement juridique

Connaître et comprendre le cadre des formes juridiques dans lequel évoluent nos entreprises et son adaptation à leur type d'activités ainsi qu'à leur évolution.

CHAPITRE 3   L'entreprise et la dynamique de la gestion

Connaître et comprendre toute l'importance de la gestion et du processus de prise de décisions dans toutes les activités de l'entreprise.

CHAPITRE 4   L'entreprise et l'information

Comprendre la très grande importance du rôle de l'information dans les prises de décisions autant routinières que stratégiques que prennent les dirigeants d'entreprise.

CHAPITRE 5   L'entreprise et la production

Connaître et comprendre toute la complexité de la production autant dans l'entreprise manufacturière que dans l'entreprise de services et sa relation avec les autres fonctions de l'entreprise.

CHAPITRE 6   L'entreprise et le marketing

Connaître et comprendre l'importance du marketing autant dans l'entreprise manufacturière que dans l'entreprise de services et sa relation avec les autres fonctions de l'entreprise dans la réalisation de la mission de l'entreprise.

CHAPITRE 7   L'entreprise et la distribution

Connaître et comprendre l'importance de la distribution et des intermédiaires ainsi que celle du commerce électronique dans l'acheminement des produits aux divers types de consommateurs.

CHAPITRE 8 L'entreprise et la gestion financière

Connaître et comprendre la très grande importance de la gestion financière dans l'évolution de l'entreprise et sa relation avec les autres fonctions de l'entreprise.

CHAPITRE 9 L'entreprise et la gestion des ressources humaines

Connaître et comprendre l'importance d'une gestion des ressources humaines dynamique dans l'évolution d'une entreprise et sa relation avec les autres fonctions de l'entreprise.

CHAPITRE 10 L'entrepreneurship et le démarrage d'entreprise

Connaître et comprendre toute l'importance de l'entrepreneurship dans notre économie.

CHAPITRE 11 L'entreprise et la mondialisation du commerce

Connaître et comprendre l'importance de la croissance de la mondialisation du commerce autant dans l'activité économique du Canada et du Québec que dans celle de nos entreprises et leur développement futur.

CHAPITRE 12 La visite d'une entreprise

Cette annexe a pour objectif de vous permettre de préparer dans tous ses détails votre projet de visite d'entreprise ainsi que les entrevues que vous aurez à y réaliser dans le cadre d'un travail exigé dans votre plan de cours. Elle comporte tous les éléments nécessaires à l'élaboration de votre plan de visite et la feuille de route à suivre tout au long de l'évolution du projet. Si toutes les directives et suggestions sont minutieusement suivies, toutes les garanties de succès sont alors réunies.

CHAPITRE 13 La simulation LOGIVÉLO

Après avoir participé à la simulation, vous aurez bien saisi et compris toute la globalité du fonctionnement d'une entreprise et l'interrelation de ses quatre grandes fonctions que sont la production, le marketing, la gestion financière et la gestion des ressources humaines ainsi que toute l'importance du processus de gestion et de la prise de décisions dans une gestion efficace.

TABLE DES MATIÈRES

Partie *1* L'entreprise et l'économie

Chapitre 1

L'entreprise et son milieu

Chapitre 2

L'entreprise et son encadrement juridique

Partie 2 L'entreprise et l'administration

Chapitre 3

L'entreprise et la dynamique de la gestion

Chapitre 4
L'entreprise et l'information

Partie 3 — L'entreprise et la dynamique de ses fonctions

Chapitre 5

L'entreprise et la production

Chapitre 6

L'entreprise et le marketing

Chapitre 7

L'entreprise et la distribution

Chapitre 8

L'entreprise et la gestion financière

Chapitre 9

L'entreprise et la gestion des ressources humaines

Partie 4 L'entreprise et les défis

Chapitre 10

L'entrepreneurship et le démarrage d'entreprise

Chapitre 11

L'entreprise et la mondialisation du commerce

Partie 5
L'entreprise et l'étudiant

Chapitre 12
La visite d'une entreprise

Chapitre 13

La simulation Logivélo

Plan du VOLUME

PARTIE 1 • L'ENTREPRISE ET L'ÉCONOMIE

L'entreprise et son milieu	Ch. 1
L'entreprise et son encadrement juridique	Ch. 2

PARTIE 2 • L'ENTREPRISE ET L'ADMINISTRATION

L'entreprise et la dynamique de la gestion	Ch. 3
L'entreprise et l'information	Ch. 4

PARTIE 3 • L'ENTREPRISE ET LA DYNAMIQUE DE SES FONCTIONS

L'entreprise et la production Ch. 5	L'entreprise et le marketing Ch. 6	L'entreprise et la distribution Ch. 7	L'entreprise et la gestion financière Ch. 8

L'entreprise et la gestion des ressources humaines Ch. 9

PARTIE 4 • L'ENTREPRISE ET LES DÉFIS

L'entrepreneurship et le démarrage d'entreprise	Ch. 10
L'entreprise et la mondialisation du commerce	Ch. 11

PARTIE 5 • L'ENTREPRISE ET L'ÉTUDIANT

La visite d'une entreprise et les fonctions de travail	Ch. 12
La simulation LOGIVÉLO	Ch. 13

Partie *1*

L'entreprise et l'économie

- L'entreprise et son milieu
- L'entreprise et son encadrement juridique

Plan du **VOLUME**

PARTIE 1 • L'ENTREPRISE ET L'ÉCONOMIE

L'entreprise et son milieu	Ch. 1
L'entreprise et son encadrement juridique	Ch. 2

PARTIE 2 • L'ENTREPRISE ET L'ADMINISTRATION

L'entreprise et la dynamique de la gestion	Ch. 3
L'entreprise et l'information	Ch. 4

PARTIE 3 • L'ENTREPRISE ET LA DYNAMIQUE DE SES FONCTIONS

L'entreprise et la production Ch. 5	L'entreprise et le marketing Ch. 6	L'entreprise et la distribution Ch. 7	L'entreprise et la gestion financière Ch. 8
L'entreprise et la gestion des ressources humaines Ch. 9			

PARTIE 4 • L'ENTREPRISE ET LES DÉFIS

L'entrepreneurship et le démarrage d'entreprise	Ch. 10
L'entreprise et la mondialisation du commerce	Ch. 11

PARTIE 5 • L'ENTREPRISE ET L'ÉTUDIANT

La visite d'une entreprise et les fonctions de travail	Ch. 12
La simulation LOGIVÉLO	Ch. 13

Un milieu dynamique

PLUS QU'UN STIMULANT POUR L'ENTREPRISE

Chapitre 1

L'ENTREPRISE ET SON MILIEU

Objectif global

Connaître et comprendre l'importance des composantes du milieu complexe dans lequel évolue l'entreprise et leur influence sur ses différentes activités et fonctions. Connaître et comprendre l'importance des différentes contraintes avec lesquelles l'entreprise doit composer au cours de son évolution.

Objectifs spécifiques

Après avoir étudié les éléments de ce chapitre, vous serez en mesure :

- d'expliquer ce qu'est l'entreprise privée ;
- de décrire et expliquer les principales responsabilités sociales de l'entreprise vis-à-vis de ses différents intervenants ;
- d'expliquer le rôle de l'État dans la vie des entreprises ;
- d'expliquer l'effet des politiques économiques sur les entreprises ;
- d'expliquer l'impact des différentes contraintes auxquelles les entreprises doivent se soumettre ;
- d'expliquer les systèmes économiques.

Aperçu du chapitre

1.1 L'environnement de l'entreprise

Les activités économiques d'une région, d'une province, d'un état ou d'un pays sont fondamentalement basées sur la nécessité de satisfaire les multiples besoins des individus, ces besoins étant d'importance diverses et extrêmement variés. Ces activités sont réalisées par des entreprises appartenant à un individu ou à un groupe d'individus qui ont investi dans ces entreprises des capitaux provenant de leurs économies. Cette façon de faire a donné naissance au système «de libre entreprise» basé sur le système de l'économie de marché que nous appelons aussi «système capitaliste».

L'entreprise et sa mission

Tout au long de l'évolution du système capitaliste, toute entreprise quelle qu'elle soit, est née du désir de ses fondateurs de réaliser un objectif à travers une mission qu'elle s'est donnée. Cette mission, constituée d'une tâche globale, est composée de tâches spécifiques intégrées et agencées de façon à pouvoir réaliser l'objectif établi à partir des composantes de la mission. Cette mission repose fondamentalement sur la satisfaction des besoins de consommateurs par la production et la diffusion de produits et services.

Une seconde mission résultant de la mission première s'ajoute par phénomène de conséquence soit celle du développement d'abord économique et ensuite culturel ainsi que social des communautés où les entreprises opèrent.

L'entreprise artisanale

De tous temps et où qu'ils soient, les hommes ont toujours produit ce qu'il fallait pour satisfaire leurs besoins de se nourrir et de se loger. Au fur et à mesure de l'évolution des moyens de fabrication, certains d'entre eux ont mis à profit leur habileté manuelle combinée à leur imagination créative dans la fabrication d'outils et ensuite de produits, alors de nécessité, autant pour leur propre usage que pour les gens de leur entourage. C'est à partir de ce moment qu'est apparu le premier artisan.

L'artisan est devenu entrepreneur au moment où, avec l'augmentation de son volume de production, il a été en mesure de vivre du revenu généré par sa production, ce qui a fait naître l'entreprise artisanale, le premier type d'entreprise privée du système capitaliste. Sa dimension est minimale, ne comptant généralement que les membres de sa famille immédiate.

L'entreprise privée

Bien qu'il y ait plusieurs définitions de l'entreprise privée, nous la définirons comme étant une activité d'affaires précise, animée et encadrée par une ou plusieurs personnes, dans une entité juridique dont le but est de réaliser des profits.

Dans notre système économique, l'entreprise privée est légitimée par quatre droits fondamentaux garantis par nos législations : le *droit à la propriété*, le *droit de conclure des transactions commerciales*, le *droit au profit* et le *droit à la concurrence*.

LE DROIT À LA PROPRIÉTÉ

Au Canada, comme dans d'autres pays capitalistes, le droit à la propriété est garanti par des lois et statuts protégés par un système judiciaire bien structuré. Ainsi, le paiement de taxes mis à part, les individus sont libres de disposer de leurs biens comme bon leur semble. Ils peuvent choisir d'accumuler de la richesse ou d'investir dans une activité commerciale pour leur propre enrichissement, contribuant du même coup à l'amélioration du bien-être de la communauté par la mise en marché de biens et services.

LE DROIT DE CONCLURE DES TRANSACTIONS COMMERCIALES

Du droit à la propriété découle le droit de pouvoir disposer des biens que l'on possède et ainsi faire des transactions commerciales avec des tiers. Cet énoncé permet à l'entreprise de conclure toute entente en vue de réaliser des activités précises et d'atteindre ses objectifs. Ces activités se concrétisent entre autres par :

- l'achat de bâtiments, d'équipements et de fournitures ou services ;
- l'engagement de ressources productives, soit humaines, soit financières, soit informatives et techniques ;
- la vente de produits achetés ou fabriqués ou d'actifs de l'entreprise.

LE DROIT AUX PROFITS

Le profit en économie représente l'excédent de revenus sur les dépenses dans une activité d'affaires précise. La possession et la disposition du profit découlent du droit de propriété : c'est le droit d'usufruit. Ce droit permet à son propriétaire de jouir des fruits produits par le bien objet du droit de propriété.

Le profit comporte plusieurs autres aspects. Il constitue :

- la récompense pour avoir pris un risque financier dans la concrétisation d'efforts de créativité et d'ingéniosité, exprimée à travers des activités commerciales ;
- un outil financier qui permet d'accumuler de la richesse ;
- le moyen de faire grandir l'entreprise par son réinvestissement dans l'entreprise en totalité ou en partie ;
- une source de revenus pour l'État lui permettant d'accroître par des services améliorés ou nouveaux le mieux-être des citoyens et des entreprises.

LE DROIT À LA CONCURRENCE

Le droit à la propriété n'est pas réservé qu'à certaines personnes ; il s'applique à tous les individus sans exception. Le droit à la concurrence est donc un droit légitime d'un individu désireux d'intervenir dans une activité économique déjà existante. Une telle situation aura comme conséquence de profiter au consommateur en favorisant une baisse de prix, une meilleure qualité de produits et de services ainsi que de favoriser la croissance de l'économie par la venue de nouveaux investissements et, de surcroît, la création de nouveaux emplois et son effet multiplicateur.

La responsabilité sociale de l'entreprise

Le concept de responsabilité sociale de l'entreprise ne semble pas, de prime abord, se marier très bien avec ses activités routinières et le but qu'elle poursuit. Sans avoir à se préoccuper jusqu'à maintenant de leur propre impact dans le milieu, la majorité des propriétaires et dirigeants d'entreprise se satisfaisaient de prétendre que le seul fait de créer de l'emploi dans la localité constituait déjà une implication sociale importante.

De nos jours, cette affirmation n'a plus d'écoute. Une attitude beaucoup plus ouverte se manifeste parmi les hommes d'affaires et le concept de responsabilité sociale prend maintenant une tout autre dimension. L'entreprise se voit confrontée désormais à un environnement à multiples facettes où son rôle est de plus en plus vital.

On pourrait donc aujourd'hui définir la responsabilité sociale de l'entreprise comme étant la responsabilité qui lui incombe de contribuer globalement au mieux-être à la fois de ses clients et de la communauté plus ou moins immédiate où elle évolue. Comment ce concept trouve-t-il son application?

Cette nouvelle responsabilité sociale de l'entreprise doit nécessairement transparaître dans ses activités où les employés, le consommateur et la communauté seront à même de la constater directement ou indirectement. Les éléments suivants constituent les points de référence pour cette implication.

LA RESPONSABILITÉ ENVERS LES CONSOMMATEURS

L'implication sociale de l'entreprise envers le consommateur n'est pas une chose évidente en soi. Toutefois, le fait qu'une entreprise prenne en considération les éléments suivants permet de percevoir son désir de traiter son client de la meilleure façon possible, à savoir le souci:

- de vendre ses produits au meilleur prix possible (juste prix);
- d'offrir la meilleure qualité possible dans ses produits (meilleur rapport qualité-prix);
- d'avoir une publicité honnête;
- d'avoir un service à la clientèle adéquat.

LA RESPONSABILITÉ ENVERS LES EMPLOYÉS

Pour les employés de l'entreprise, cette implication est plus visible puisqu'elle se manifeste dans:

- les politiques salariales (juste salaire pour le travail accompli);
- les avantages sociaux offerts par l'entreprise;
- la flexibilité de la tâche (temps partagé, horaire de travail flexible, programme de perfectionnement);

- l'équité dans la promotion à des postes supérieurs (homme–femme);
- l'équité salariale entre hommes et femmes.

LA RESPONSABILITÉ ENVERS LA COMMUNAUTÉ

L'implication sociale de l'entreprise dans la communauté immédiate ou un peu plus éloignée est nettement plus perceptible. Elle se manifeste par:

- l'apport d'aides financières à des organismes culturels, communautaires ou sportifs;
- la contribution à l'éducation par des visites ou stages dans l'entreprise;
- des contributions financières aux organismes de charité;
- des gestes concrets de respect de l'environnement.

L'entreprise et l'État

Le capitalisme, tel que nous l'avons expliqué précédemment, se présente comme un système économique où l'État, en principe, n'a pas sa place. L'entreprise privée, base du système capitaliste, a connu son succès jusqu'à tout récemment grâce à l'absence quasi totale de l'État dans son activité commerciale. Mais cet état de fait disparaît de plus en plus. L'État, du moins dans l'ensemble des pays industrialisés, s'est vu obligé d'intervenir, modestement d'abord, tantôt à des fins de protection des individus, tantôt à des fins de développement et tantôt à des fins de services à la communauté. Le Canada avec ses provinces est un pays capitaliste qui a établi beaucoup de mesures socialisantes. Mentionnons, entre autres, au niveau du gouvernement fédéral, le régime des pensions de vieillesse et le régime d'assurance-emploi. Au niveau du provincial, il y a le régime d'assurance-maladie, le régime des rentes, le régime d'aide sociale, le régime d'assurance-automobile, pour ne nommer que les principales mesures.

Toutefois, aujourd'hui, l'État, tant du côté fédéral que du côté provincial, reconsidère dans bien des programmes son implication financière, son déficit ou sa dette lui imposant cette démarche. Ainsi, le régime d'assurance-emploi est en pleine modification alors que bien d'autres seront révisés si ce n'est pas déjà commencé.

L'État providence est en train de disparaître. L'État reprendra graduellement sa place de simple législateur pour laisser au secteur privé les domaines qui l'ont amené au déficit qu'il connaît. Ainsi, nous avons assisté et nous assisterons probablement encore à des privatisations de services importants ou d'entreprises appartenant à l'État. Pétro-Canada, Air Canada, Téléglobe Canada, le Canadien National (CN) et Via Rail ont été privatisées partiellement ou en totalité.

Il semble donc évident que ces mesures socialisantes seront réduites au minimum dans les années qui viennent.

L'ENTREPRISE ET LES POLITIQUES ÉCONOMIQUES

Le volume d'affaires et la rentabilité des entreprises dans notre système économique sont conditionnés, dans une proportion importante, par les politiques économiques de nos gouvernements, que ce soit relativement à la fiscalité des entreprises et des individus, au taux d'intérêt de base (taux d'escompte), à la valeur de la monnaie, ou encore aux taxes à l'importation.

C'est donc en tenant compte de ces politiques que les entreprises doivent élaborer leur planification pour arriver à atteindre les objectifs fixés.

Ainsi, la politique monétaire du gouvernement fédéral et les politiques fiscales des gouvernements fédéral et provinciaux sont les éléments fondamentaux qui exercent des influences sur la rentabilité des entreprises. Voyons comment.

1. LA POLITIQUE MONÉTAIRE

La politique monétaire consiste à régir le flux de l'activité économique de l'intérieur du pays par la variation à la hausse ou à la baisse du taux d'intérêt, comme nous le voyons à chaque semaine dans les médias d'information. Un taux d'intérêt à la hausse aura pour effet de ralentir la consommation provoquant une baisse certaine des revenus provenant des taxes indirectes. Par contre, pour relancer une économie devenue stagnante, l'État abaissera alors le taux d'intérêt de façon à redémarrer la consommation. Il faut considérer encore la dette très élevée du gouvernement fédéral dont le financement sur les marchés financiers canadiens et étrangers est très coûteux en frais d'intérêt. Ainsi, se voit-il obligé, par suite de l'augmentation de son déficit, de hausser son taux d'intérêt pour pouvoir empêcher la fuite des capitaux et maintenir la valeur de sa monnaie.

Depuis quelques années, cette situation en inquiète plusieurs et, devant une consommation stagnante, à cause de l'endettement du consommateur, combinée à des hausses de taxes et d'impôts, les entreprises se retrouvent devant des choix difficiles. Certaines, dans une situation financière précaire en raison de leur endettement, déclarent faillite alors que d'autres en meilleure santé financière, qui recherchent de nouveaux marchés ici au pays ou à l'étranger, choisissent de déménager dans un autre pays où la main-d'œuvre est moins coûteuse.

Quoi qu'il en soit, la politique monétaire du pays aura une influence de plus en plus importante sur l'activité économique tant pour l'entreprise que pour le consommateur.

2. LA POLITIQUE FISCALE

La politique fiscale consiste à établir les principes à partir desquels est élaborée toute la taxation tant directe qu'indirecte des citoyens et des entreprises. Elle permet aux ministres des Finances d'élaborer leur budget de fonctionnement respectif année après année.

Les gouvernements tirent la très grande partie de leurs recettes de la taxation directe et indirecte des individus. Les entreprises y contribuent peu et jouissent de nombreuses exemptions grâce à des programmes de recherche ou d'autres supposément générateurs d'emplois. À cet égard, un nombre croissant de citoyens, de syndicats et d'économistes remettent maintenant en question le bien-fondé de ces programmes qui, dans le passé, ont pu avoir des effets bénéfiques sur la création d'emplois.

Les politiques fiscales des gouvernements sont aujourd'hui de plus en plus contestées car elles ne correspondent plus à la réalité économique et sociale de notre siècle. La surutilisation des facilités d'emprunt a favorisé le surendettement des citoyens. Toutefois, bien que certaines baisses de taxes à la consommation soient accordées, ces mesures fiscales ne pourront tout de même pas permettre aux citoyens de réduire d'une façon significative leur endettement. En bout de ligne, c'est encore l'impôt direct sur le revenu des individus, jumelé idéalement à des baisses d'impôts sur les profits des entreprises qui généreront l'effet le plus important sur la croissance des entreprises et de l'économie.

L'impact de la politique fiscale est donc de premier ordre sur la performance financière des entreprises dont le marché principal est composé de consommateurs canadiens, bien que celui de l'exportation soit en croissance.

L'évolution de l'entreprise québécoise

L'évolution de l'économie canadienne, et surtout québécoise, s'est déroulée de façon particulière depuis ses débuts sous le Régime français d'abord et, par la suite, sous le régime anglais après la Conquête en 1760. Bien que l'économie du Québec connaisse aujourd'hui un développement sans pareil, jetons un bref coup d'œil sur son histoire.

SOUS LE RÉGIME FRANÇAIS

Sous le régime colonial français du XVIe et du XVIIe siècle, le développement économique d'une colonie comme le Canada, à cette époque Nouvelle-France, était totalement lié aux activités d'exportation vers la métropole. Au pays, à cette époque, la seule richesse à valeur économique exploitable et exportable vers la France et l'Europe était celle de la fourrure, la majorité des commerçants y étaient engagés. Après la Conquête en 1760 par l'Angleterre, la classe d'affaires canadienne française qui contrôlait ce commerce extérieur disparut, ayant été coupée de ses marchés d'une part et de ses fournisseurs d'autre part. Ce fut la classe d'affaires anglaise qui prit la relève et qui désormais allait contrôler et développer ce commerce qui devint florissant. L'agriculture demeura la seule activité commerciale des Canadiens français se limitant à produire pour eux-mêmes et leur environnement immédiat.

À L'ÈRE DE LA PRODUCTION

Bien que la révolution industrielle ait débuté en Angleterre vers 1760 et que le mode de production appartenant aux artisans autonomes ait été remplacé par un système de fabrication en série nécessitant l'embauche d'un grand nombre de travailleurs, le Canada n'a suivi cette évolution que tardivement. Ce n'est qu'entre la fin des années 1800 et le début des années 1900 que cette évolution fit son apparition. Ce fut aussi à cette époque que commença cette migration des paysans des régions rurales vers les villes, qui connurent alors une grande croissance, Montréal en particulier. Il faut ajouter que Québec et Montréal ont développé une industrie de construction navale particulièrement élaborée avec une main-d'œuvre nombreuse et spécialisée.

Deux secteurs industriels firent l'objet d'un développement au-delà de l'ordinaire : le secteur primaire, en particulier les pâtes et papiers et les mines, et le secteur secondaire dans la production de biens de consommation courante, entre autres le vêtement et la chaussure. L'Ontario, de son côté, a connu une évolution industrielle différente avec le développement de l'industrie lourde. Mentionnons entre autres les secteurs de l'automobile, de la machinerie industrielle et agricole ainsi que celui des appareils ménagers. Cette évolution en a fait au Canada une région économique de toute première importance.

À L'ÉPOQUE D'APRÈS GUERRE

Cet état de fait a donné nécessairement naissance à une nouvelle philosophie de gestion commerciale, "le marketing", dans laquelle le consommateur est devenu la préoccupation première des chefs d'entreprises. Cette croissance, qui s'est poursuivie sans arrêt pendant plus de 40 ans, a provoqué la création d'une multitude d'entreprises dont plusieurs sont devenus des géants dans leur industrie respective.

En support à ce phénomène, on a assisté à la construction par les états d'infrastructures, particulièrement routières pour supporter l'industrie du camionnage en plein essor, à la construction de plusieurs aéroports et à la construction ainsi qu'à l'agrandissement des nombreux ports de mer, la croissance fulgurante des échanges commerciaux l'obligeant.

L'ENTREPRISE D'AUJOURD'HUI

L'entreprise d'aujourd'hui est bien différente de celle d'il y a à peine dix ans. Elle est maintenant gérée par une génération d'entrepreneurs innovateurs mieux formée et au fait des nouvelles technologies qui leur permettent de pouvoir faire face à la concurrence dans ce phénomène qu'est la globalisation des marchés. Pour pouvoir survivre et même se développer face à cette situation, l'entreprise peut aujourd'hui compter sur de multiples supports au développement autant financier que technologique alors qu'ils étaient presqu'inexistants auparavant.

Toutefois, la vie de nos entreprises au vingt-et-unième siècle n'est pas sans la rencontre de difficultés nouvelles relatives à des "contraintes" diverses apparues au fil de l'évolution de l'économie mondiale avec les nouveaux contextes qu'on peut qualifier maintenant de géopolitique, géoéconomique, géo-légal, géo-écologique, géo-technologique etc., tous engendrés par la mondialisation de l'économie, la protection de l'environnement et maintenant le réchauffement de la planète.

Dans les lignes qui suivent, nous nous attarderons en premier lieu sur l'étude de l'environnement externe de l'entreprise pour ensuite poursuivre avec l'étude de son environnement interne.

L'entreprise et son environnement externe

Tout comme l'individu, l'entreprise opère dans un environnement complexe qui impose à son fonctionnement de multiples contraintes particulières qui influencent et conditionnent autant ses opérations routinières que ses activités de développement. Nous ne traiterons que les principales contraintes que nous avons regroupées sous l'appellation généralement utilisée: PESTE

- contraintes relatives à l'environnement politique et légal (P);
- contraintes relatives à l'environnement économique et concurrentiel (E);
- contraintes relatives à l'environnement social et culturel (S);
- contraintes relatives à l'environnement technologique (T);
- contraintes relatives à l'environnement écologique (E).

Dans les lignes qui suivent, nous traiterons de ces cinq sujets.

LES CONTRAINTES RELATIVES À L'ENVIRONNEMENT POLITIQUE ET LÉGAL

Ces deux types de contraintes ont un certain lien entre eux puisque ce sont les gouvernements qui conçoivent les lois et qui les votent. C'est pourquoi nous les avons groupés sous un même titre.

1. LES CONTRAINTES RELATIVES À L'ENVIRONNEMENT POLITIQUE

Pour l'entreprise, l'environnement politique est le moins contraignant. L'entreprise étant en soi un citoyen non votant, pour autant que les politiques gouvernementales ne s'ingèrent pas trop dans ses affaires, les dirigeants d'entreprise se préoccupent en principe peu de l'environnement politique. Quel que soit le parti politique au pouvoir, les entreprises canadiennes et québécoises ont été favorisées par les gouvernements jusqu'à présent, ayant profité de généreux programmes de support à la recherche et au développement ainsi qu'à la création d'emplois.

Les entrepreneurs et dirigeants d'entreprise commencent cependant à se soucier de plus en plus de la qualité de gestion des gouvernements. Mentionnons le dédoublement des programmes fédéraux et provinciaux, la remise en question du bien-fondé de certains programmes de soutien à l'emploi et, dans bien des cas, à des fins plus ou moins partisanes.

Le vérificateur général du Canada et celui du Québec, dans leur rapport annuel respectif, font état année après année de faits précis corroborant ces dires.

2. LES CONTRAINTES RELATIVES À L'ENVIRONNEMENT LÉGAL

Alors que le comportement du citoyen n'est assujetti qu'au droit civil, l'entreprise est par contre assujettie à plusieurs législations tant au point de vue de sa constitution qu'au point de vue de ses opérations. Les principales lois concernées sont: le *Code civil*, la *Loi des compagnies*, *les différentes lois fiscales relatives à ses opérations commerciales*, la *Loi sur la qualité de l'environnement*, *les lois touchant les opérations internes des entreprises*, la *Loi sur la protection du consommateur* et la *Loi sur la concurrence et les cartels*.

■ LE CODE CIVIL, LA LOI DES COMPAGNIES ET LES DIFFÉRENTES LOIS FISCALES RELATIVES AUX OPÉRATIONS DE L'ENTREPRISE

L'implication du code civil est relative uniquement aux contrats commerciaux passés par des entreprises non incorporées soit les associations de personnes et l'entreprise à propriétaire unique. La loi des compagnies de son côté, tant fédérale que provinciale, traite principalement des éléments relatifs à la fondation de la compagnie ainsi que des relations permanentes de la compagnie avec ses actionnaires. Quant aux différentes lois fiscales tant fédérales que provinciales, elles traitent principalement des types et montants de dépenses admissibles aux états financiers pour fins de prélèvement d'impôt sur les profits. À cela s'ajoute les lois relatives à la TPS et la TVQ (ou TVH pour les autres provinces) ainsi que les différentes taxes à l'importation pour certaines catégories de produit.

■ LA LOI SUR LA QUALITÉ DE L'ENVIRONNEMENT

Cette loi provinciale récente a pour but de contraindre les entreprises à prendre les dispositions nécessaires pour ne pas compromettre la qualité de l'environnement, que ce soit le sol, l'eau ou l'air.

Les gouvernements sont de plus en plus vigilants et n'hésitent pas à punir les contrevenants. Nos médias font de plus en plus état de cas d'entreprises prises en défaut presque quotidiennement.

■ LES LOIS TOUCHANT LES OPÉRATIONS INTERNES DES ENTREPRISES

Plusieurs lois particulières touchent les entreprises dans leurs opérations routinières internes. Il y a, entre autres :

- la Loi des relations de travail ;
- la Loi des normes du travail ;
- la Loi sur les poids et mesures et sur la standardisation des produits de vrac vendus en contenant ;
- la Loi sur la santé et la sécurité au travail et la Loi sur les maladies professionnelles et les accidents de travail (CSST) ;
- la Loi fédérale et ses règlements sur les matières dangereuses ;
- la Loi sur l'assurance-emploi.

Les lois qui suivent ont une application plus restreinte. Il y a la Loi sur la protection du consommateur et la Loi sur la concurrence et les cartels.

■ LA LOI SUR LA PROTECTION DU CONSOMMATEUR

Elle touche plusieurs aspects des contrats entre les entreprises et le consommateur. Cette loi s'étend à presque la totalité des contrats que le consommateur passe avec les entreprises. Depuis le 1er janvier 1994, une partie de cette loi est maintenant incluse dans le nouveau Code civil. Il faut mentionner encore tous les permis essentiels qui offrent aux consommateurs des garanties de gestion honnête, dont les permis d'exploitation de restaurants, d'épiceries, de pharmacies, de courtage mobilier et immobilier, d'agences de voyages pour ne mentionner que ceux-là.

■ LA LOI SUR LA CONCURRENCE ET LES CARTELS

Cette loi réglemente certaines activités de marketing afin de garantir aux consommateurs une meilleure protection et une concurrence plus honnête. Elle vise à empêcher le regroupement d'entreprises qui désireraient exercer un monopole pour fixer les prix comme bon leur semble.

LES CONTRAINTES RELATIVES À L'ENVIRONNEMENT ÉCONOMIQUE ET CONCURRENTIEL

1. LES CONTRAINTES RELATIVES À L'ENVIRONNEMENT ÉCONOMIQUE

L'économie d'un pays ou d'une province est constituée de l'activité économique générée par les dépenses des consommateurs, des gouvernements et par les opérations des entreprises. Ce sont les consommateurs qui ont le dernier mot avec leurs dépenses à la consommation.

L'entreprise, quel que soit son domaine d'activité, est toujours affectée par une perturbation, si minime soit-elle, de l'activité économique en général. Pensons à l'inflation, au mouvement à la hausse ou à la baisse des taux d'intérêt, aux taxes à la consommation, aux hausses d'impôt direct des particuliers, à la valeur du dollar ainsi qu'à l'endettement des individus et des gouvernements. Il faut mentionner en ce début du 21e siècle les restructurations et les mesures de réduction des dépenses des gouvernements qui se traduiront par des mises à pied importantes tant au gouvernement fédéral qu'aux gouvernements provinciaux. Enfin, rappelons ces mises à pied massives dans les multinationales et dans nos grandes entreprises nationales, pour diverses raisons qui ont toutes trait à la rentabilité en regard des grands combats concurrentiels déjà engagés à l'échelle mondiale.

Ces éléments constituent l'environnement économique qui affecte, à un moment ou à un autre, les ventes des entreprises et oblige ces dernières à s'ajuster pour survivre et demeurer concurrentielles et efficaces.

2. LES CONTRAINTES RELATIVES À L'ENVIRONNEMENT CONCURRENTIEL

La concurrence est l'ennemi numéro 1 des entreprises. Quel propriétaire ou directeur d'entreprise ne rêve pas de voir un jour la concurrence disparaître. Malheureusement ce rêve ne se réalisera jamais. La concurrence constitue donc une contrainte présente à tous les jours. Elle est la plus importante.

Toutefois, il faut mentionner que la vitalité de notre économie repose en grande partie sur le phénomène de la concurrence. Elle est le moteur premier de la création d'entreprises et d'emplois. Elle a fait naître le marketing, fait développer la production en série, fait informatiser la gestion et fait évoluer les pratiques de gestion de personnel entre autres.

Cette contrainte évolutive impose à tous les jours aux dirigeants d'entreprise l'obligation de devoir innover ou, à tout le moins, améliorer les composantes fonctionnelles et opérationnelles de leur entreprise qui sont affectées directement ou indirectement par la performance de la concurrence. Elle interpelle tous les gestionnaires dans leur créativité et leur gestion. Par contre, contrairement aux autres contraintes, elle un stimulant sans égal pour tout gestionnaire, surtout ceux de première ligne soit ceux du marketing et de la production qui travaillent obligatoirement en collaboration.

LES CONTRAINTES RELATIVES À L'ENVIRONNEMENT SOCIAL ET CULTUREL

Que l'entreprise le veuille ou non, il demeure que le comportement de l'employé et du consommateur repose sur une culture propre et que l'entreprise, pour assurer son succès, doit s'adapter à cet état de fait.

L'entreprise étrangère qui désire s'installer au Québec doit nécessairement comprendre ce comportement et orienter sa stratégie opérationnelle en conséquence. Les facteurs composant cet environnement sont : *l'héritage religieux*, *l'héritage éducationnel*, *l'héritage des traditions*.

1. L'HÉRITAGE RELIGIEUX

La religion a constitué, jusqu'au début des années quatre-vingts et peut-être encore maintenant, un facteur déterminant du comportement du Québécois autant comme employé que comme consommateur. Comme travailleur, il a développé la particularité d'être vaillant, consciencieux et imaginatif. À cet égard, les dirigeants de General Motors et de IBM considèrent leurs employés québécois comme les meilleurs de toutes leurs entreprises à travers le monde. Comme consommateur, il garde une certaine fidélité au produit et aussi, d'une façon générale, au fabricant, conséquence immédiate de son conservatisme cultivé par l'influence marquée de l'Église sur la société québécoise. Toutefois, cette influence est à peu près disparue chez le jeune consommateur. Tout comme le jeune consommateur nord-américain, il choisit d'expérimenter plutôt que de demeurer fidèle.

2. L'HÉRITAGE ÉDUCATIONNEL

L'héritage éducationnel comporte deux volets : le volet familial et le volet institutionnel. Jusqu'à maintenant, l'éducation familiale a permis de transmettre, de génération en génération, des valeurs relatives à la culture propre à l'origine française de la société québécoise qui se confondent avec celles de l'héritage religieux. Quant à l'éducation institutionnelle, depuis les années soixante-dix elle a transmis un héritage peu perceptible puisque notre enseignement, depuis la réforme de l'éducation avec le Rapport Parent (1965) qui a amené la création des cégeps, est beaucoup plus québécois et nord-américain que français.

3. L'HÉRITAGE DES TRADITIONS

L'héritage des traditions est sans doute le plus perceptible. Il se manifeste dans la créativité, l'ingéniosité et l'ardeur au travail des Québécois ainsi que dans la consommation, entre autres dans l'alimentation et la restauration traditionnelle et dans les activités sociales tant estivales qu'hivernales. Le slogan « la joie de vivre » illustre bien cette particularité qui singularise le Québécois dans l'environnement nord-américain.

L'entrepreneur qui saura faire siennes ces particularités en combinant à un projet d'affaires viable, une gestion des ressources humaines axée sur la reconnaissance du travail bien fait et l'encouragement, est assuré d'un succès plus que certain.

LES CONTRAINTES RELATIVES À L'ENVIRONNEMENT TECHNOLOGIQUE

Pour un grand nombre d'entreprises dans le domaine manufacturier en particulier, le développement technologique actuel devient une préoccupation de plus en plus importante de leur évolution. Les principaux éléments de cette préoccupation concernent : la *productivité*, la *qualité des produits*, les *coûts d'investissement* et la *rentabilité*.

1. LA PRODUCTIVITÉ

La productivité se décrit comme étant simplement le degré de rapidité et de qualité d'exécution d'une tâche par une ressource (humaine ou technique) en regard d'une référence relatif à un résultat attendu. Ce terme devient maintenant omniprésent dans l'environnement de l'entreprise. Face une concurrence de plus en plus féroce non seulement locale mais maintenant surtout asiatique suite à la mondialisation des marchés, la productivité constitue un élément de préoccupation permanent chez tous les gestionnaires autant dans les activités administratives de l'entreprise que dans les activités de production des produits et services.

2. LA QUALITÉ DES PRODUITS

Depuis l'arrivée en masse des produits européens et asiatiques, surtout japonais, la notion de haute qualité de produit est devenue une exigence nouvelle du consommateur nord-américain. Maintenant, nos entrepreneurs doivent offrir au moins l'équivalent, sinon une qualité encore supérieure pour s'imposer dans leur marché respectif. Cette réalité oblige nos manufacturiers à revoir leurs standards de qualité et leurs procédés de fabrication.

3. LES COÛTS D'INVESTISSEMENT

La mise sur pied d'une usine de fabrication ou la modernisation de l'équipement d'une usine de fabrication représente aujourd'hui un investissement extrêmement important et très coûteux. À cela il faut ajouter la formation, l'entraînement du personnel spécialisé et les coûts de mise à jour périodique, le progrès technologique l'exigeant, tout cela pour devenir ou demeurer concurrentiel. Il faut tenir compte également des coûts de mise à jour des systèmes de gestion informatisés.

4. LA RENTABILITÉ

La prise en considération des trois éléments précédents n'a sa raison d'être que s'ils contribuent à rehausser, selon une planification préalablement établie, la rentabilité de l'entreprise, c'est-à-dire générer des profits suffisants pour assurer la poursuite de sa mission. La rentabilité demeure le point de référence premier des décisions à prendre sur ces trois éléments.

Pour les entreprises qui ne sont pas déjà concurrentielles, parce qu'elles ont un endettement élevé, cette préoccupation se transforme en cauchemar, car les investissements deviennent difficilement réalisables. Les domaines les plus touchés sont :

- l'équipement de gestion informatisé ;
- les équipements reliés à la recherche, à la conception et au développement de produits ;
- l'automatisation et la robotisation des opérations manufacturières des entreprises ;
- le développement de logiciels pour des besoins spécifiques de l'entreprise.

Enfin, mentionnons que chaque jour de nouveaux matériaux arrivent sur le marché rendant les matériaux traditionnels désuets. Pensons à la fibre optique, au kevlar, fibre de carbone et les matériaux composites, pour ne citer que ceux-là.

LES CONTRAINTES RELATIVES À L'ENVIRONNEMENT ÉCOLOGIQUE

L'environnement écologique constitue une nouvelle source de contraintes environnementales de plus en plus importantes pour l'entreprise, en particulier l'entreprise manufacturière. Bien que certains pays soient toujours réticents à emboîter le pas, tels que la Chine et les États-Unis entre autres, beaucoup d'autres ont adopté des lois et règlements pour forcer les industries polluantes à se conformer aux nouvelles exigences environnementales.

Cette contrainte nouvelle est d'une préoccupation particulière car elle affecte directement la rentabilité de l'entreprise par ces nouveaux coûts très élevés soit de mises à jour des équipements existants soit d'achat de nouveaux équipements très coûteux sans oublier l'utilisation, dans plusieurs cas, de nouvelles matières premières plus écologiques, mais par contre plus coûteuses et ces coûts d'opération supplémentaires de contrôle imposés par les nouvelles législations.

Lorsque la grande majorité des pays industrialisés, incluant les pays en émergence, auront adopté ces nouvelles normes environnementales, l'effet contraignant deviendra moins lourd et les entreprises verront leur rentabilité s'améliorer dans une concurrence devenue plus équitable.

La mondialisation des marchés: nouvel environnement économique complexe

Faire des affaires au Canada anglais et aux États-Unis est la première option "d'expansion des affaires" qu'envisagent nos entrepreneurs, la langue anglaise étant pratiquement la seule contrainte facile à maîtriser. Mais faire des affaires dans des pays en dehors de l'Amérique du Nord est une option qui signifie dans certains cas "de partir à zéro" tellement les contraintes peuvent être nombreuses et variées dans ce nouvel environnement économique complexe malgré la découverte de possibilités d'affaires intéressantes dans un développement continu de forte concurrence maintenant planétaire. Elles peuvent toucher plusieurs éléments qui conditionnent obligatoirement les plans et stratégies d'affaires de l'entreprise.

Parmi ces contraintes, mentionnons les plus importantes soit les contraintes relatives aux politiques d'affaires des régimes politiques et législations en place, à l'état des structures industrielles locales (fabrication et distribution), au pouvoir d'achat des populations qui détermine le volume potentiel d'affaires, au style de vie parfois lié à la religion qui conditionne les coutumes de consommation des populations ainsi qu'à la langue des populations qui affecte la communication avec les intervenants locaux. C'est donc un pensez-y bien (recherches, consultations et analyses diverses obligent) avant d'y aller car, dans certains cas, l'échec pourrait être désastreux pour l'entreprise. Le chapitre 11 revient sur ce sujet et le traite plus en profondeur.

L'entreprise et son environnement interne

L'environnement interne de l'entreprise est composé d'un environnement matériel et physique ainsi que d'un environnement humain, l'efficacité de l'entreprise étant principalement conditionnée par la performance de l'environnement humain. La performance de l'environnement humain repose essentiellement sur quatre éléments soit: la structure opérationnelle qui répartie et détermine les tâches, la culture d'entreprise (organisationnelle) qui dicte l'éthique de comportement et les relations interpersonnelles, les conditions de travail en place ainsi que le style de direction exercé par les gestionnaires. Si ces éléments sont mal conçus, mal définis, mal implantés ou mal gérés, des problèmes de fonctionnement se manifesteront affectant sérieusement l'efficacité de l'entreprise, constituant alors des contraintes dont voici les principales causes.

STRUCTURE OPÉRATIONNELLE INADÉQUATE

Une entreprise ayant une structure opérationnelle inadéquate fait obligatoirement face à de l'inefficacité causée par des problèmes d'autorité, de communication et de responsabilisation qui génèrent alors des problèmes opérationnels sérieux.

CULTURE D'ENTREPRISE INEXISTANTE

La culture d'entreprise est la base subconsciente du fonctionnement de l'entreprise faite d'attitudes et de valeurs choisies par la haute direction. Elle dicte une éthique de comportement dans toute la communauté du personnel. Son absence fait la naître un climat de suspicion, de méfiance, de non entraide et d'un manque de respect certain de l'autorité constituant ainsi une contrainte opérationnelle d'importance.

CONDITIONS DE TRAVAIL INADÉQUATES

Les conditions de travail établies par la direction peuvent s'avérer inadéquates et parfois même néfastes au climat de travail si elles ne sont pas basées sur la compréhension du facteur humain. Elles sont très souvent une cause majeure de problèmes de productivité qui se répercutent nécessairement, sur la qualité du produit, sur le service à clientèle et parfois même sur les délais de livraison sans oublier un roulement de personnel conséquent très élevé avec ses coûts référents, constituant alors une contrainte opérationnelle majeure préoccupante.

STYLE DE GESTION INADÉQUAT

La haute direction d'une entreprise, qui ne s'impose pas de style de direction adéquat pour favoriser l'efficacité des autres éléments de base, vivra inévitablement un problème opérationnel généralisé certain dans un climat de travail non idéal. Il est de loin la première contrainte et la plus facile à maitriser puisqu'elle interpelle directement de la haute direction. Ce style doit être élaboré en fonction des composantes de la culture d'entreprise établie.

1.2 *La classification des entreprises*

Les types de classification

La classification des entreprises n'est pas un exercice nécessaire au gestionnaire d'entreprise. Toutefois, elle peut s'avérer utile dans certaines circonstances, entre autres pour connaître le rendement et la dimension de son entreprise en regard de celles de ses concurrents. Enfin, elle peut servir de référence à la prise de décisions, entre autres, sur l'expansion de l'entreprise ou le lancement d'un nouveau produit.

Il y a plusieurs façons de classifier les entreprises. Nous en retiendrons quatre. Nous les classifierons selon le *secteur d'activités*, la *propriété*, la *forme juridique* et la *taille*.

SELON LE SECTEUR D'ACTIVITÉS

1. LE SECTEUR PRIMAIRE

Le secteur primaire regroupe les entreprises dont les activités se limitent à l'extraction et à la transformation très sommaire du produit; par exemple, le blé transformé en farine. Il comprend, entre autres, l'agriculture, les pêcheries, les mines, la foresterie, l'exploitation du pétrole et du gaz naturel.

2. LE SECTEUR SECONDAIRE

Le secteur secondaire englobe les entreprises qui transforment des matières premières en produits semi-finis ou finis par des opérations de fabrication ou de raffinage ; par exemple, le bois qui est utilisé dans la fabrication de meubles ou de maisons, le pétrole brut qui est transformé en gazoline et en lubrifiant.

3. LE SECTEUR TERTIAIRE

Le secteur tertiaire rassemble les entreprises qui fournissent un service au grand public et aux entreprises. On y retrouve l'activité gouvernementale, le tourisme, la restauration, les assurances, la consultation, l'éducation, les loisirs, les communications, le transport, les services financiers et les soins hospitaliers.

SELON LA PROPRIÉTÉ

1. L'ENTREPRISE DU SECTEUR PRIVÉ

Ce type d'entreprise est caractérisé par le fait qu'il peut appartenir à un individu seul ou un groupe d'individus réunis en association ou incorporation.

2. L'ENTREPRISE DU SECTEUR PUBLIC

Ce type d'entreprise est caractérisé par le fait qu'il appartient entièrement à l'État. Il est de plus en plus rare et les États tentent de s'en départir pour régler leurs problèmes de déficit. Hydro-Québec en est un bel exemple.

3. L'ENTREPRISE MIXTE

Ce type d'entreprise est caractérisé par le fait que la propriété est détenue en partie par des intérêts privés qui peuvent être des individus ou des corporations, et en partie par l'État. Pétro Canada est en ce moment une entreprise mixte.

SELON LA FORME JURIDIQUE

Cette classification comprend quatre principales formes juridiques et toutes les entreprises relèvent de l'une de ces formes. Il y a : *l'entreprise à propriétaire unique non incorporée*, la *société de personnes*, la *société par actions (compagnie)* et la *coopérative*. Cette classification sera traitée au chapitre 2.

SELON LA TAILLE

Cette classification peut s'effectuer sous plus d'un aspect. Dans le milieu des affaires, la classification porte en général sur :

- la valeur de l'actif (ses biens) ;
- le volume des ventes (son chiffre d'affaires) ;
- le nombre d'employés.

Cette classification n'est pas le propre d'un organisme unique. Plusieurs organismes qui offrent des services aux entreprises, généralement des prêts ou des données statistiques, ont établi leur propre classification en fonction de leur propre mode de fonctionnement et en regard des besoins des entreprises. Les trois tableaux qui suivent en sont des exemples.

1. LA VALEUR DE L'ACTIF

Taille	MICT[1]	DUNN & BRADSTREET[2]	BDC[3]
Petite	0 – 3 000 000 $	–	–
Moyenne	3 000 000 $ – 12 000 000 $	–	–
Grande	12 000 000 $ et plus	–	–

2. LE VOLUME DE VENTES

Taille	MICT	DUNN & BRADSTREET	BDC
Petite	0 – 2 000 000 $	0 – 10 000 000 $	–
Moyenne	2 000 000 $ – 20 000 000 $	10 000 000 $ – 50 000 000 $	–
Grande	20 000 000 $ et plus	50 000 000 $ et plus	–

3. LE NOMBRE D'EMPLOYÉS

Taille	MICT	DUNN & BRADSTREET	BDC
Petite	1 à 49	1 à 49	1 à 200
Moyenne	50 à 199	50 à 199	201 à 500
Grande	200 et plus	200 et plus	501 et plus

Statistiques Canada et Le Bureau de la statistique du Québec possèdent leurs propres classifications relatives aux secteurs industriel et commercial. Ces classifications sont très complexes et très détaillées. Elles ont, en soi, peu d'utilité pour les gestionnaires d'entreprises, si ce n'est pour des fins de recherche.

1.3 *L'entreprise et les autres systèmes économiques*

Bien que le système capitaliste que nous venons d'exposer précédemment à travers l'entreprise privée soit le système le plus répandu actuellement sur notre planète, il y a d'autres systèmes qui ont cours dans plusieurs pays, dont certains avec des économies très importantes. Ces systèmes sont : le socialisme, le communisme et l'économie mixte.

---

1. MICT : Ministère de l'Industrie, du Commerce, de la Science et de la Technologie du Québec.
2. DUNN & BRADSTREET : entreprise de services statistiques et informations financières de Toronto.
3. BDC : Banque de développement du Canada.

Le socialisme

Le système socialiste est un système qui, tout comme le capitalisme, reconnaît la place de l'entreprise privée dans l'économie mais limite son intervention à certains secteurs jugés non névralgiques pour le maintien de l'activité économique. La propriété privée est limitée à la petite et moyenne entreprise. Les socialistes croient que, du fait que la grande industrie est le moteur de l'économie, elle ne doit pas être laissée entre les mains du secteur privé. Selon les socialistes, les industries appartenant à l'État satisfont mieux les besoins de la population. Dans l'économie socialiste, les travailleurs disposent d'une certaine liberté dans le choix de leur emploi ; par contre, l'État les incite à se diriger vers les industries desservant les domaines les plus importants, amenant une forte concentration de travailleurs dans les entreprises gouvernementales. Tout comme dans nos entreprises gouvernementales, il y a un degré significatif d'inefficacité et une motivation au travail tout au plus minimale, le leadership et les défis à relever étant pratiquement inexistants. Enfin, mentionnons que ces économies sont caractérisées par beaucoup de mesures sociales qui obligent l'État à prélever de forts impôts pour financer ses nombreux programmes sociaux.

Le communisme

Le philosophe allemand Karl Marx a été le penseur du système communiste basé sur la théorie du système socialiste. Selon Marx, les capitalistes de son temps étaient des exploiteurs de la classe ouvrière. Devant cette situation, il appréhendait comme inévitable une lutte des classes où la classe dirigeante et bourgeoise serait éliminée pour faire naître un nouvel ordre social, composé d'une seule classe de citoyens, qu'il désigna sous le nom de «communisme». Marx affirme que cette nouvelle classe doit contrôler tous les moyens de production. Il croit de plus que l'État ne doit prendre la direction des entreprises que pour le temps de l'instauration de cette société à classe unique. Enfin, il prétend que chaque citoyen ne doit recevoir de biens et services qu'en fonction de ce dont il a besoin et de ce qu'il peut produire. On serait porté à croire que dans l'ancienne Union Soviétique de même qu'en Chine, ce système était en vigueur selon sa formulation intégrale, mais au contraire, des dirigeants comme Staline et Mao Tsé-toung ont exercé une dictature et une tyrannie sans précédent et terrorisé leur peuple pendant plus de 30 ans. Dans la réalité, l'État est propriétaire des unités de production et les citoyens sont des travailleurs de l'État n'ayant aucune liberté de choix quant à l'emploi et la consommation.

Dans le système communiste, il n'y a pas de notion de profit. Il n'y a guère de reconnaissance pour le travail bien fait, bien qu'on ait accordé au temps de l'ancienne Union Soviétique et en Chine des primes pour les gestionnaires et les travailleurs qui avaient dépassé leurs quotas de production. Enfin, les tenants de la pensée communiste croient que la gestion de la production par l'État élimine le gaspillage, ce qui n'est pas le cas selon eux dans le système capitaliste.

Les économies mixtes

L'économie mixte n'est pas, à proprement parler, un système économique. Elle désigne un système où la propriété des entreprises est partagée entre le secteur privé et le gouvernement. À l'analyse des systèmes économiques nord-américains, plus particulièrement au Canada, nous constatons que notre système économique se situe ou du moins se situait jusqu'à maintenant très près de celui de l'économie mixte. Les économies mixtes sont-elles des systèmes économiques temporaires ou transitoires? Seul l'avenir et l'histoire pourront nous donner la réponse.

NOTE

Vous trouverez à l'Annexe de ce chapitre à la page 33a un tableau comparatif des systèmes économiques exposant les caractéristiques de chacun d'eux en regard de différents facteurs de comparaison.

1.4 *L'entreprise : un système*

Ce qui fait fonctionner une économie, quelle que soit sa dimension (région, province ou pays), c'est la nécessité de devoir satisfaire les besoins des individus ou d'une collectivité. La satisfaction de besoins engendre par conséquent une activité économique plus ou moins complexe selon les différents types de besoins à satisfaire.

La réalisation de cette activité exige la mise sur pied d'un ou plusieurs systèmes selon l'ampleur des besoins à satisfaire et la couverture régionale à desservir. Voyons tout d'abord la définition d'un système.

Qu'est-ce qu'un système?

Un système est généralement défini comme étant un ensemble d'éléments fonctionnels, appelés intrants, dont les actions coordonnées et exécutées selon un

Figure
1.1

Principe du fonctionnement d'un système

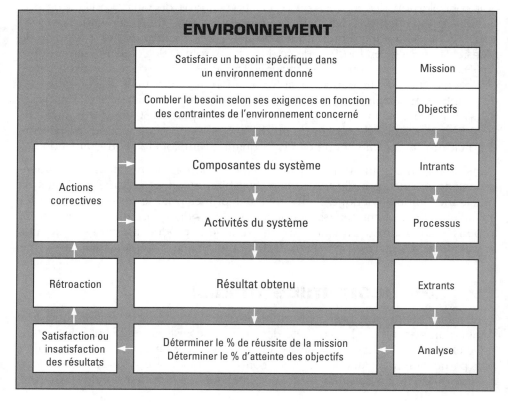

processus défini dans un environnement donné, visent à atteindre un résultat attendu, appelé extrants, en fonction d'une mission, avec objectifs, préalablement déterminée. Si la mission est remplie d'une façon insatisfaisante, cela engendrera une réaction qui permettra d'avoir une rétroaction afin de pouvoir mieux remplir la mission dans l'avenir. La figure 1.1 illustre le principe du fonctionnement d'un système.

Prenons par exemple le système de chauffage à l'huile d'une maison. Les intrants sont : l'huile, le réservoir, la fournaise et ses composantes, les conduits d'air chaud et d'air froid ainsi que le thermostat. Les activités du système se résument au fonctionnement du brûleur et de la soufflerie de la fournaise ainsi que du thermostat. L'extrant est constitué de l'air chaud distribué dans chaque pièce de la maison procurant ainsi le confort et remplissant ainsi la mission et ses objectifs.

LE SYSTÈME ENTREPRISE

À partir de cette définition nous pouvons démontrer que l'entreprise est aussi un système. En effet l'entreprise est un système dont les composantes fonctionnent dans une structure organisationnelle ordonnée dans laquelle la combinaison et l'agencement de leurs activités d'exploitation résultent en une action précise.

Le système entreprise est alimenté par plusieurs intrants. Ainsi il aura besoin, d'une façon constante, de capitaux, de personnel gestionnaire et exécutant avec connaissances et compétences, de matières premières, de bâtiments, d'équipements ainsi que de ressources informatives pour pouvoir remplir sa mission et

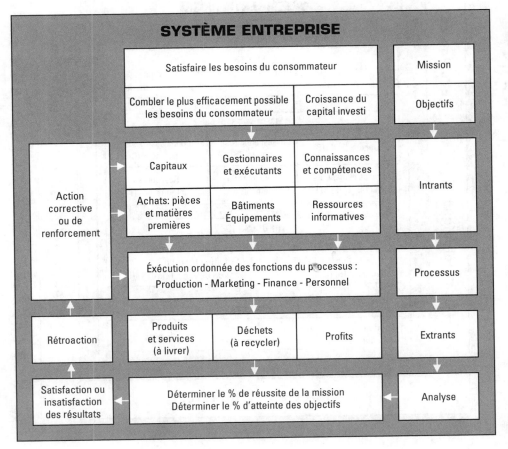

Figure

1.2

Illustration du fonctionnement du système entreprise

atteindre ses objectifs à travers ses activités d'exploitation. À cet effet, le système entreprise regroupe ces activités sous quatre grandes fonctions constituant ses sous-systèmes qui sont : la production, le marketing, la finance et le personnel (gestion des ressources humaines). Ces quatre fonctions seront étudiées dans la partie 3 dans les chapitres 5, 6, 8 et 9. La figure 1.2 montre la complexité du fonctionnement du système entreprise.

Contrairement aux autres systèmes plus statiques, le système entreprise est en perpétuel changement. L'évolution du monde économique, avec sa concurrence maintenant mondiale conjuguée aux contraintes environnementales et leur influence auxquelles le système est confronté, lui impose cette constante auto transformation au niveau de ses composantes (intrants et processus) pour améliorer ses extrants et ainsi demeurer concurrentiel. La figure 1.3 expose cet état de fait.

Mentionnons enfin que le système entreprise, en plus de sa mission de production de biens, vise aussi à procurer à ses promoteurs un rendement (le profit) sur le capital investi pour lui permettre d'assurer sa survie et sa croissance.

Figure
1.3

Contraintes et influences de l'environnement externe (PESTE) sur le sytème entreprise

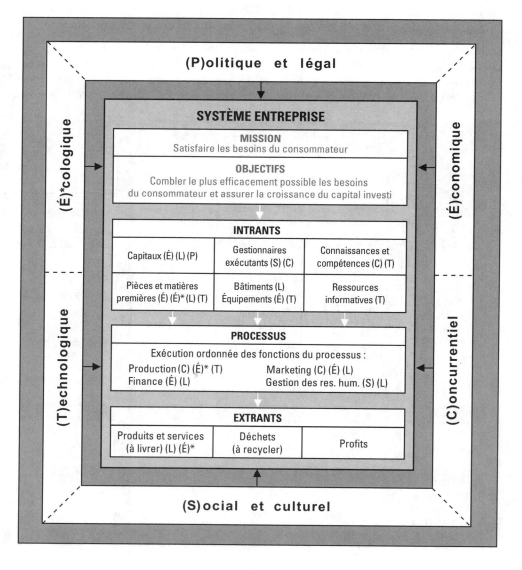

(P)olitique et légal

(É)*cologique

(É)conomique

SYSTÈME ENTREPRISE

MISSION
Satisfaire les besoins du consommateur

OBJECTIFS
Combler le plus efficacement possible les besoins du consommateur et assurer la croissance du capital investi

INTRANTS

| Capitaux (É) (L) (P) | Gestionnaires exécutants (S) (C) | Connaissances et compétences (C) (T) |
| Pièces et matières premières (É) (É)* (L) (T) | Bâtiments (L) Équipements (É) (T) | Ressources informatives (T) |

PROCESSUS

Exécution ordonnée des fonctions du processus :
Production (C) (É)* (T)   Marketing (C) (É) (L)
Finance (É) (L)   Gestion des res. hum. (S) (L)

EXTRANTS

| Produits et services (à livrer) (L) (É)* | Déchets (à recycler) | Profits |

(T)echnologique

(C)oncurrentiel

(S)ocial et culturel

Questions
de RÉVISION

1. Comment peut-on définir l'entreprise artisanale?

2. Comment peut-on définir l'entreprise privée?

3. Quels sont les droits fondamentaux qui légitiment l'entreprise?

4. Dans notre système économique, qu'est-ce qui garantit le droit à la propriété?

5. De quel droit découle le droit au profit?

6. Donnez quatre aspects sous lesquels on peut considérer le profit.

7. Comment définissez-vous le droit à la concurrence?

8. Autrefois, à quoi se limitait la responsabilité sociale des entreprises?

9. Aujourd'hui, sous quels aspects se présente la responsabilité sociale des entreprises?

10. Décrivez trois aspects de la responsabilité sociale des entreprises.

11. Nommez et expliquez brièvement les principales législations adoptées par l'État destinées à réglementer les activités des entreprises.

12. Quel effet un taux d'intérêt à la hausse peut-il avoir sur les ventes des entreprises? Expliquez votre réponse.

13. Les politiques fiscales des gouvernements sont aujourd'hui contestées. Pourquoi? Expliquez brièvement.

14. Quelles sont les contraintes environnementales externes de l'entreprise?

15. Quelles sont les principales lois qui touchent les opérations internes des entreprises?

16. Quels sont les domaines dans l'entreprise les plus touchés par le développement technologique?

17. De quoi est composé l'environnement social et culturel?

18. Quels sont les éléments qui composent l'environnement économique?

19. Qu'est-ce que la concurrence a amené dans le développement économique?

20. Pourquoi l'environnement politique ne constitue-t-il pas une contrainte aussi importante que les autres?

21. Nommez trois contraintes relatives à la mondialisation des marchés.

22. Pourquoi la vie de l'entreprise ne fonctionne-t-elle pas dans l'harmonie et l'efficacité comme celle de l'individu?

23. Quelle est la principale source des problèmes de fonctionnement de l'entreprise?

24. Quels sont les quatre éléments constituant des contraintes opérationnelles qui affectent les activités internes de l'entreprise?

25. En quoi l'absence d'une culture d'entreprise peut-elle affecter la stabilité opérationnelle des activités de l'entreprise?

26. Classez les entreprises selon:
   a) leur secteur d'activités;
   b) la propriété;
   c) la forme juridique;
   d) la taille.

27. Donnez les principales caractéristiques:
   a) du système socialiste;
   b) du système communiste.

28. Expliquez ce qu'est une économie mixte.

29. Qu'est-ce qu'un système?

30. Expliquez brièvement le système entreprise.

ÉTUDE DE CAS

CAS 1.1
PROJET DE PATRICK LANDRY

Patrick Landry, 31 ans est gérant d'un dépanneur COUCHE-TARD. Il adore son travail et est très bien considéré par l'administration de COUCHE-TARD à cause de son leadership et son sens de l'organisation. Patrick est un homme ambitieux qui désire posséder sa propre entreprise. En mars 2008, il a contacté Shell Canada pour explorer la possibilité d'acquérir une station de service située dans l'arrondissement Ste-Foy à Québec, fermée depuis deux ans, pour y ouvrir avec un associé un restaurant de la chaine Tim Horton. Selon Patrick, l'emplacement est idéal. Le bâtiment et le stationnement sont assez grands pour rentabiliser l'entreprise.

Suite à ce premier contact, Shell Canada lui a répondu deux semaines plus tard qu'elle était intéressée à lui vendre la station de service au prix de 150 000$. Sur le conseil de son père, Patrick décide de consulter un évaluateur agréé en immeuble commercial et industriel pour évaluer la propriété. Lors de leur rencontre, ce dernier a sensibilisé Patrick aux divers éléments et facteurs à considérer sérieusement avant d'aller plus loin dans son projet et avant même de consulter un expert financier pour évaluer la rentabilité du projet.

QUESTION

Quels sont d'après vous les différents éléments et facteurs relatifs au contenu du chapitre que Patrick doit considérer et analyser avant de présenter une offre d'achat à Shell Canada?

CAS 1.2
CANADA PAPER INC

Canada Paper inc est une compagnie qui existe depuis cinquante quatre ans et qui possèdes six usines au canada. Soixante cinq pourcent de sa production est vendue aux États-Unis. Lors d'une assemblée spéciale du conseil d'administration de la compagnie tenue le 27 mars 2009 à Toronto, le président de la compagnie a annoncé aux douze membres du conseil présents à l'assemblée que la compagnie fermerait trois de ses usines de papier journal, dont deux situées au Québec, pour une période indéterminée.

QUESTION

Quels sont d'après vous les éléments du chapitre qui sont en cause derrière la décision de la compagnie?

Lecture

LOUIS GARNEAU :

Déjà la « pôle position » en affaires

**Entrevue exclusive réalisée le 17 mars 1998 avec Louis Garneau,
Président de Louis Garneau Sports inc.**

MONSIEUR GARNEAU, QUELS ÉTAIENT VOS RÊVES À L'ÂGE DE 10 ANS ?

Sans avoir eu des rêves bien précis, j'avais un goût instinctif pour le commerce. À l'âge de 10 ans, je me suis mis à vendre le journal le Dimanche matin sur le perron de l'église, un journal qui n'existe plus aujourd'hui. Cette expérience a duré cinq ans. Après chaque messe, mon père m'aidait à compter l'argent et m'encourageait à continuer. On trouvait ça amusant parce qu'après la messe les gens aimaient rentrer à la maison, prendre un café et lire le journal. Ça a bien marché, ce fut ma première expérience en affaires. Je n'avais vraiment pas de grandes ambitions si ce n'était que de me faire un petit peu d'argent de poche. Ce fut une initiation à l'entrepreneurship sans le savoir. Je me rappelle même que les dernières années, j'étais devenu un peu plus « businessman ». J'avais commencé à faire de la compétition à vélo et j'estimais que ma « run de journal » valait quelque chose. Lorsque je partais faire des courses le dimanche, je prêtais ma « run » qui rapportait 5 $ et je disais à mon ami, tu me remettras 2,50 $ parce que la « run » m'appartient. Je jouais à la franchise. C'est curieux, aujourd'hui je réalise que cette vision m'est restée.

À QUEL MOMENT PRÉCIS AVEZ-VOUS EU LE DÉSIR DE VOUS LANCER EN AFFAIRES ?

Pour répondre à cette question, il faut se remettre dans le contexte d'alors. J'ai été coureur cycliste et j'ai fait de la compétition sérieusement pendant 13 ans. J'ai couru ma dernière course en 1984 aux Jeux Olympiques de Los Angeles, j'avais 25 ans et pas de job en revenant. Antérieurement, j'avais obtenu un bac à l'Université Laval en Arts plastiques avec bourse de mérite. Curieusement pendant mes études j'ai fait plein de choses. Durant l'année scolaire, je gérais déjà plusieurs « chantiers » en même temps : les études, la production de jouets en bois que j'avais commencée, l'entraînement, la rénovation de ma maison ancienne et la vie familiale et affective. Pendant les vacances je rénovais à temps plein la maison et le soir tard je m'entraînais avant de me coucher. Je regarde aujourd'hui la vitesse à laquelle je roulais à ce moment-là, j'étais une vraie girouette. C'est encore la même chose aujourd'hui, c'est-à-dire que je travaille sur plusieurs dossiers et on doit parfois changer la cassette rapidement.

L'année précédant les Jeux Olympiques de Los Angeles, j'ai dû partir en Europe pour participer à des compétitions. J'avais réalisé que le bois était un matériau trop difficile à travailler. Alors j'ai dit à Monique, mon épouse : on devrait se réorienter et aller dans le secteur du textile, je sens qu'il y a un besoin au niveau des vêtements pour cyclistes. Tu pourrais travailler là-dessus et on communiquerait par téléphone, par fax ou par la poste, pour développer une ligne. À ce moment-là je sentais que ça allait marcher puisque j'avais déjà vendu des vêtements aux membres de l'équipe canadienne. Voyant que je commençais à vendre de plus en plus de produits, j'ai démarré sérieusement la production dans mon garage. Les gens venaient au garage et se faisaient faire un maillot bleu avec une ligne jaune et un cuissard noir. C'était du « sur mesure ». On allait faire coudre les pièces à 10 ou 15 milles de la maison. Monique gérait tout ça.

Après les Jeux Olympiques de 1984, comme il fallait bien que je gagne ma vie, j'ai décidé que toute l'énergie que j'avais mise dans le sport, je la mettrais dorénavant dans les affaires. C'est ainsi qu'à l'automne 1984 j'ai engagé quelqu'un à temps plein pour faire des vêtements avec Monique et moi. Ce fut le début. Le besoin de créer son propre emploi m'a forcé à me lancer en affaires.

EST-CE QUE LE DOMAINE DES ARTS A PU EXERCER UNE INFLUENCE DANS VOTRE DÉCISION DE VOUS LANCER EN AFFAIRES ?

Pas vraiment. Je voulais un jour devenir un artiste à temps plein, sculpteur ou peintre à la Picasso. Je me disais que je pouvais réussir si Picasso et d'autres avaient réussi auparavant. D'autre part, je me rendais compte que j'aimais beaucoup les manufactures. Lorsque j'allais chercher des matériaux dans les usines, je « tripais ». J'aimais beaucoup visiter les usines. Le soir, je me disais « voyons, voyons, tu veux devenir un artiste, t'es pas supposé aimer les grandes usines ». J'ai senti de plus en plus ce besoin de faire plus que de l'art ; j'ai senti ce besoin de fabriquer un produit et de le commercialiser. J'avais toujours cette idée que si je fabriquais un produit, il fallait que je trouve un moyen d'en fabriquer 100, de faire des petites séries, de les vendre pour me faire de l'argent de poche. J'ai passé 13 ans dans le cyclisme, je n'avais aucune sécurité à la sortie de ce sport et pas plus en arts plastiques. Mais mon expérience de sportif et d'artiste mélangée à la petite expérience d'affaires ont contribué au façonnement du « Louis Garneau » d'aujourd'hui.

Je suis attitré surtout par le design et la recherche sur des produits. À l'heure actuelle, je travaille sur un système pour un nouveau casque, c'est mon nouveau job présentement. J'ai engagé il n'y a pas longtemps un directeur général, ce qui me permet de me concentrer sur les produits. Je suis le chef designer : tout ce qui est esthétique, tout ce qui est couleur, tout ce qui est forme, la partie artistique quoi, ça sort de moi. C'est toute cette sensibilité qui a fait la marque « Garneau ». Je ne vends pas mes produits juste parce que je suis connu, je vends mes produits parce qu'ils sont de qualité et aussi parce qu'ils sont esthétiquement beaux.

QUELLE ÉTAIT LA CONCURRENCE DANS LE VÊTEMENT POUR CYCLISTES À VOS DÉBUTS ?

Il y avait déjà de la concurrence à mes débuts mais je fus le premier à commercialiser les vêtements cyclistes au niveau canadien. La course à vélo était quelque chose que j'aimais passionnément. Ma vie c'est le cyclisme, c'est ce que je connais le plus, c'est ce que je pratique le plus aussi. Je le fais par amour et je me rends compte, encore aujourd'hui, que la passion doit être un élément majeur dans l'entrepreneurship. Si j'adore, si j'aime un produit, je vais être très performant. Ne me demandez pas de faire des vestes de chasse ou des vêtements de golf, je n'aime pas ça; je serais donc moins performant et j'aurais moins d'influence sur mon équipe.

Pour revenir à cette concurrence, elle venait d'Europe. C'est évident que la première fois qu'on a sorti nos produits, on a copié et on a amélioré. On a fait du « benchmarketing », on a copié les produits italiens. Ces derniers se vendaient 80$ au Québec alors que je sortais un produit similaire et de meilleure qualité au prix de 25$. J'avais acheté des tissus semblables, du lycra (du tissu à maillot de bain) et j'ai commencé à faire des cuissards. J'allais acheter des peaux de chamois chez Canadian Tire. Je faisais des bénéfices même en le vendant à 25$ parce qu'on éliminait la douane, le transport et le distributeur et bien des frais d'administration. Il y a encore des prix qui depuis 10 ans sont à peu près les mêmes; il n'y a pas eu d'augmentation importante. Par contre, la marge bénéficiaire a diminué par rapport à celle du début.

QUEL A ÉTÉ VOTRE CAPITAL DE DÉPART?

La mise de fonds a été minime. J'ai personnellement investi environ 2 000$ et ma grand-mère m'a prêté 6 000$. Ma mère s'occupait de temps en temps du fonds de roulement en me prêtant 1 000$ ou 2 000$ en avances. En tout, cela a coûté moins de 10 000$. L'année suivante, en 1985, j'ai obtenu, avec le programme Biron du Gouvernement du Québec, un prêt de 25 000$ que j'ai remboursé rapidement. Par la suite, lorsqu'on a déménagé, on aussi obtenu avec le PCEQ (Programme de Création d'Emplois du Québec) une subvention importante pour la création d'emplois et l'acquisition de bâtisses et d'équipements. Maintenant, le Groupe Louis Garneau compte six usines et génère un chiffre d'affaires de plus de 30 millions de dollars annuellement.

EST-CE QUE LA TECHNOLOGIE, QUE CE SOIT POUR LES CASQUES OU LES AUTRES LIGNES, EST UN FACTEUR IMPORTANT?

Absolument. La technologie, ça fait partie de notre stratégie de compagnie. Il y a environ trois ou quatre points importants dans notre stratégie. La technologie qu'on applique sur nos produits, c'est ce qui nous différencie, c'est ce qui fait la valeur ajoutée. Le fait d'avoir une technologie d'impression et d'avoir une technologie spéciale de moulage pour nos casques nous différencie au niveau international. C'est ce qui fait qu'on vend et qu'on est choisi par le consommateur. Le coût d'entrée dans un domaine est important. Si le coût a été dispendieux pour créer une technologie comme les casques et qu'on réussit, ça va éliminer la compétition.

COMMENT VOUS INSPIREZ-VOUS POUR CRÉER DES NOUVELLES MODES, DE NOUVEAUX VÊTEMENTS?

Pour nous une des choses les plus importantes c'est de choisir un créneau très spécialisé; ça fait partie de nos stratégies. On va dans un créneau où il y aura moins de compétition, où ce sera plus pointu: par exemple, le cyclisme et le ski de fond. On ne fait pas de vêtements de baseball ou de hockey parce que ce sont les grandes compagnies qui les font. Depuis quelques années nous avons un laboratoire où on analyse la compétition ; on achète tous les produits des concurrents, on les détruit, on les examine et on essaie de voir comment ils sont fabriqués. C'est important de savoir où on est rendu dans le marché et dans le développement de produits. C'est là qu'on sort nos meilleures innovations.

DANS LA CONCEPTION DE VOS PRODUITS, CONFIEZ-VOUS LES DÉTAILS À QUELQU'UN D'AUTRE OU SI VOUS SUIVEZ LE PRODUIT JUSQU'AU BOUT ?

Dans les casques, je suis le concepteur à 100 %. Je m'y suis impliqué à fond et cela par instinct de survie. Il fallait que je trouve une innovation et je m'étais dit aussi que je voulais devenir le champion du monde au niveau des casques. Il y a aussi des choses qu'il faut se dire lorsqu'on veut réussir et le dire ensuite à son équipe. Si on veut être champion du monde et qu'on est tout seul à le savoir, on aura un problème car l'équipe n'aura pas les mêmes objectifs. Nous, dans notre tête, on veut aller là et on décide comment ça va marcher ; ensuite on implique toute l'équipe et tout le monde embarque avec enthousiasme. Ce fut un objectif aussi pour le vêtement ; j'ai commencé avec ça et je suis toujours impliqué. J'ai toujours eu une personne qui m'assistait. Il va de soi que les gens ici ont de plus en plus d'autonomie ; les gens développent mais, comme on dit dans le métier, c'est moi qui « call les shots » encore, à savoir si on s'enligne dans telle direction vers un tel marché ou si on développe des accessoires, etc. À l'heure actuelle, c'est moi qui garde la haute direction du développement de produits.

Y A-T-IL EU PLUSIEURS ÉVOLUTIONS DEPUIS VOTRE TOUT PREMIER MODÈLE DE CASQUES ?

À l'heure actuelle, on est en phase de maturité. Ça fait plus de 7 ans qu'on fait des casques. Le marché est plus mature, les innovations sont plus difficiles. C'est un domaine qui grandit rapidement et qui devient plus mature. Je dirais que les bonnes années sont passées. Ça va être un marché de remplacement, un marché plus stable. Il va y avoir beaucoup de concurrents qui vont s'éliminer tranquillement. Cette année, on a déposé deux brevets au niveau des casques, peut-être un troisième bientôt. En ce moment, je suis à dessiner un système d'attache pour les casques, mais j'ai beaucoup d'autres projets pour l'avenir.

"Innover ou Mourir!"
LG 91

QUESTIONS

1. Décrivez brièvement le départ en affaires de Louis Garneau.

2. Identifiez les contraintes environnementales auxquelles Louis Garneau a dû faire face.

3. Exposez brièvement l'attitude de Louis Garneau face aux contraintes qui se sont présentées ?

4. Que pensez-vous de l'implication de Louis Garneau dans la responsabilité sociale ?

Annexe *Sujets complémentaires*

Éthique : standard d'une gestion réussie

L'éthique dans notre société est constituée d'un ensemble de principes moraux et de règles de comportement acceptés d'une façon générale par la majorité des citoyens d'une société. L'éthique est basée sur un certain nombre de croyances de l'individu en ce qui lui apparaît correct ou incorrect de faire ou de décider de faire. Les fondements de ces croyances peuvent être autant la tradition, la religion que différents jugements de valeurs personnels en ce qui semble bon ou mauvais pour l'individu et la société. Quant à l'éthique en affaires, elle est par contre spécifiquement fondée sur un ensemble de règles de conduite idéalement basées sur les composantes de la culture d'entreprise (exposée au chapitre 3) appliquées aux différentes situations décisionnelles et opérationnelles.

Ces règles de conduite sont souvent basées sur les valeurs et le vécu du gestionnaire, lorsque les règles de conduite corporative ne sont pas connues ou appliquées. L'éthique corporative est aujourd'hui tributaire du développement trop rapide des entreprises souvent combiné au roulement élevé de personnel gestionnaire de plus en plus jeune dont les valeurs d'éthique sont souvent peu développées.

Le développement et le profit étant les objectifs premiers des entrepreneurs et gestionnaires, l'éthique du décideur devient un élément subordonné à l'efficacité et à la rentabilité opérationnelle de sa gestion en regard des objectifs imposés sans égard aux autres intervenants opérationnels rapprochés ou éloignés que sont le personnel exécutant, la clientèle, les fournisseurs et les créanciers dépendamment du poste de gestion en cause. Malheureusement, trop nombreux sont les gestionnaires qui pratiquent une gestion où la performance personnelle passe avant le comportement éthique et la culture organisationnelle de l'entreprise.

Une gestion harmonieuse et efficace ne peut que passer par des standards d'éthique élevés chez les décideurs qui renforcent automatiquement les valeurs d'éthique organisationnelle, base essentielle à une évolution continue. Cette combinaison de valeurs d'éthique constitue une des bases importantes de la réussite du développement continue de l'entreprise.

L'éthique est donc une composante obligatoire du comportement du gestionnaire qui a pour effet de lui garantir, à tout le moins, l'efficacité dans sa communication et son leadership ainsi que la réussite certaine de sa gestion s'il n'y a pas eu d'erreurs décisionnelles.

QUESTIONS

1) De quoi est constituée l'éthique dans notre société ? Expliquez brièvement.

2) Sur quoi est basée l'éthique dans notre société ? Expliquez brièvement.

3) Sur quoi peuvent être basées les croyances des individus ? Expliquez brièvement.

4) Sur quoi sont basées les règles de conduites en affaires ? Expliquez brièvement.

5) Qu'est-ce qui conditionne trop souvent l'éthique des décideurs ? Expliquez brièvement.

Comparaison entre les systèmes économiques

Tableau comparatif entre capitalisme, socialisme et communisme			
Facteur*	**Capitalisme**	**Socialisme**	**Communisme**
La propriété du terrain et autres actifs productifs	Propriété privée avec certaines garanties de droits de posséder sa production.	L'État possède et opère certaines industries d'utilité publique telle que: électricité, téléphone, transport etc.	L'état possède tous les terrains et les actifs productifs.
Les Incitatifs	Les salaires et profits directement reliés aux habilités de chacun à performer sur le marché.	Salaires reliés à un jugement de valeur sur la contribution de chacun à la société.	Standards de travail publiquement annoncés avec incitatifs au comportement patriotique.
Le travail	Liberté de travail complet pour tout individu.	Libre choix du type d'emploi mais l'état en encourage certains au détriment de d'autres types.	Les travailleurs ont certains choix d'emploi mais l'état détermine le lieu de l'emploi étant le seul employeur.
Le capital	Fourni par des investisseurs privés et institutions prêteuses.	Fourni par les banques à partir des placements en obligation achetés par des individus et par les taxes sur les biens de consommation.	Fourni par l'état provenant des taxes générées par la production.
Le risque et la perte	Responsabilité totale de l'individu, des propriétaires, des investisseurs et des créanciers avec peu ou pas d'aide du gouvernement.	Les risques et pertes dans les industries propriété de l'état sont supportés par des surtaxes ou des hausses de prix.	Le gouvernement et le peuple acceptent tous les risques. Les pertes sont récupérées par une diminution du standard de vie.
La technologie	Générée par l'entreprise privée et stimulée par le support financier de l'état et par la recherche.	Stimulée grandement par l'intervention de l'état et son support financier.	Générée presqu'exclusivement par les actions et le support financier de l'état.
La concurrence gouvernementale	Libre choix de concurrencer, encouragée et régularisée par par certaines lois.	Les services publics de l'état opèrent selon un plan maître. Mais l'entreprise privée, pour concurrencer, doit opérer à l'intérieur du plan maître.	Généralement interdit car elle va contre la philosophie économique et politique dominante de l'état qui impose ses restrictions économiques et politiques rigides.
L'influence	Stimule l'initiative privée de l'individu et régularise les gestes d'affaires qui sont réputées allées contre l'intérêt public.	L'état prépare le plan maître qui décrit l'activité économique dans son ensemble incluant la règlementation.	L'état possède et opère presque tous les actifs productifs selon ses plans économiques et politiques.
Les produits et services	Déterminés grandement par la demande et le profit potentiel pour l'entreprise privée.	Les produits et services de bas sont déterminés par la planification centrale. Les autres produits par le profit potentiel.	Commandés en totalité par le plan économique et politique de l'état.
Le choix du consommateur	Extrêmement vaste et en général sans restriction sauf par le revenu de l'individu.	Généralement sans restriction sauf par le revenu de l'individu.	Limité à l'offre planifiée et restreint par le revenu personnel.

* Facteur de comparaison entre les systèmes

La dynamique de l'entreprise: ce qui la nourrit

L'entreprise naît du désir de son promoteur de monter une activité d'affaires pouvant satisfaire différents besoins tant de développement d'autonomie financière que de réalisation d'ambitions personnelles diverses. Démarrer une entreprise n'est jamais basée sur une décision irréfléchie mais sur des éléments déclencheurs généralement circonstanciels que sont le risque et le défi.

Le risque

Les activités de notre monde des affaires évoluent dans un environnement à la fois dynamique et turbulent soumis d'une façon constante aux changements des conditions économiques et sociales. Prévoir la performance à long terme d'une «activité d'affaires» est chose difficile sinon parfois impossible, l'incertitude au départ, relative au succès anticipé, étant un des éléments importants qui soustend tout projet d'affaires. Cette incertitude, couplée aux facteurs de changement, crée un environnement de «risque» alors qu'en même temps se présentent des opportunités d'affaires intéressantes et potentiellement à succès certain.

Le défi

Une fois le risque du projet d'affaires évalué positivement, quel est l'élément déclencheur qui provoque la décision de démarrer le projet ? Le défi est l'élément déclencheur. Le risque à lui seul ne peut être le déclencheur car il n'est pas partie de l'être humain alors que les défis font partie des activités humaines parmi les plus gratifiantes et enrichissantes avec celui de la création d'une famille. Lancer un projet d'affaires est un des plus grands défis de l'homme car il n'est pas en principe temporaire. Il dure aussi longtemps que son promoteur veut le faire durer et il n'est pas lié habituellement à des qualités ou aptitudes physiques.

Précisons que le défit d'affaires est composé d'un ensemble de défis spécifiques tous interdépendants. Pour relever le défit, le promoteur du projet doit posséder certaines aptitudes et qualités intellectuelles telles que la détermination, la conviction de ses forces pour composer avec le risque, la capacité d'analyse objective et la rigueur dans l'accomplissement des tâches. Ceci étant dit, et une fois le projet d'entreprise démarrée, qu'est-ce qui nourrit à tous les jours le désir de poursuivre le lendemain l'activité d'affaire? C'est la dynamique qui l'anime.

La dynamique

Comment définit-on la dynamique de l'entreprise? La dynamique de l'entreprise est tout simplement la résultante de l'ensemble des forces des individus et des défis internes et externes à l'entreprise qui déclenchent la détermination, l'enthousiasme, la créativité et l'innovation dans la gestion, le développement ainsi que la croissance du projet entreprise. Quels sont ces forces et défis?

LES FORCES

Les forces en affaires sont ces sentiments de puissance dans chaque individu qui permettent la réalisation de tâches exigeantes et parfois difficiles dans un contexte et un environnement donné. On peut diviser les forces en deux catégories: les forces personnelles et les forces d'équipe.

Forces personnelles

Les forces suivantes sont essentielles à la réalisation des défis personnels.

- Forces de rigueur et d'auto discipline;
- Forces de persistance et de ténacité;
- Forces de persuasion: convaincre et stimuler.

Forces d'équipe

Les forces suivantes sont essentielles à la croissance, au développement et à l'harmonie dans l'entreprise.

- Forces de créativités et d'innovation;
- Forces de support au dynamisme personnel;
- Forces d'entraide.

LES DÉFIS

Les défis en affaires sont faits de situations problématiques à résoudre et de projets comportant des obstacles à surmonter dont la réussite devient à tout le moins en un certain exploit si non un exploit comme tel. Il y a des défis internes et des défis externes à l'entreprise. Les défis sont faits d'objectifs. Voici les principaux:

Défis internes

- Défis de gestion: l'efficacité décisionnelle;
- Défis financiers: opérer au meilleur coût;
- Défis de croissance: ventes, développement de produits ou services
- Défis humains: se développer comme gestionnaire, développeur, rassembleur et motivateur;
- Défis de contribution au bien-être de la communauté de l'entreprise;
- Défis de réussite: réussite financière et réussite de vie professionnelle.

Défis externes

- Défis de contribution au bien-être de la communauté environnante;
- Défis de conquête: marché (produits et clients);
- Défis de reconnaissance: notoriété et réputation.

On peut dire en conclusion que les forces des individus et d'équipe, combinés aux différents défis, créent nécessairement une dynamique enthousiasmante constituant l'adrénaline qui anime toute «l'équipe de l'entreprise».

QUESTIONS

1) Pour quelle raison est-il difficile de prévoir la performance à long terme d'une activité d'affaites ?
2) Quel est l'élément déclencheur d'un projet d'affaires ?
3) Quels sont les aptitudes et qualités minimales nécessaires pour réaliser des défis d'affaires ?
4) Comment définit-on la dynamique de l'entreprise ?
5) De quoi sont constituées les forces personnelles ?
6) De quoi sont constitués les défis internes à l'entreprise ?

Sous chaque
raison sociale

Chapitre 2

L'ENTREPRISE ET SON ENCADREMENT JURIDIQUE

Objectif global

Connaître et comprendre le cadre des formes juridiques dans lequel évoluent nos entreprises et son adaptation à leur type d'activités ainsi qu'à leur évolution.

Objectifs spécifiques

Après avoir étudié les éléments de ce chapitre, vous serez en mesure :

- de définir et expliquer les principales formes juridiques d'entreprise ;
- de comparer les avantages et désavantages de chacune d'elles ;
- de décrire les formalités de création et de dissolution de chacune des formes juridiques ;
- de connaître et comprendre les éléments à considérer dans le choix d'une forme juridique.

Aperçu du chapitre

2.1 *Les types de formes juridiques*

Nous avons vu au chapitre précédent l'environnement complexe dans lequel évoluent nos entreprises. La légalité de leur existence est conditionnée par la conformité aux exigences du législateur. Ainsi, au Canada, toute entreprise, pour opérer légalement, doit le faire sous une forme juridique quelconque. Il y a plusieurs possibilités de formes juridiques d'entreprise et chacune d'elles comporte des caractéristiques avec des avantages et des inconvénients. Les quatre formes les plus répandues sont *l'entreprise à propriétaire unique non incorporée* (un seul individu en est propriétaire), la *société de personnes* (partenariat), la *société par actions à responsabilité limitée* (compagnie ou corporation) et la *coopérative*.

Dans le lancement d'une nouvelle entreprise, le choix de la forme juridique constitue une décision importante dont il faut connaître toutes les implications et les conséquences. C'est ce que nous verrons dans les lignes qui suivent.

L'entreprise à propriétaire unique non incorporée

DÉFINITION

L'entreprise à propriétaire unique non incorporée constitue la forme d'entreprise la plus répandue au Canada. Comme dans beaucoup d'autres pays, l'économie repose sur le petit commerce et cette formule s'adapte parfaitement aux petites entreprises, tout particulièrement à leur tout début, alors que la souplesse de gestion joue un rôle très important.

Avec le statut d'entreprise à propriétaire unique, l'individu est propriétaire de son entreprise, en assume tous les risques et l'exploite pour son propre profit. Selon *Statistiques Canada*, les entreprises à propriétaire unique au Canada représentaient plus de la moitié de toutes les entreprises au pays. Cependant, le volume d'affaires de ces entreprises compte pour moins de 30% de l'ensemble de tout le volume d'affaires des entreprises canadiennes. Alors que des lois spéciales, provinciales ou fédérales selon le cas, régissent les corporations, l'entreprise à propriétaire unique au Québec n'est soumise qu'au droit civil relativement à la vente, aux obligations et aux contrats.

Les autorités gouvernementales n'ont créé aucune catégorie spéciale pour ce type d'entreprise où l'individu et son entreprise ne font qu'un aux yeux de la loi, l'État ne faisant ainsi aucune distinction entre l'individu et son entreprise, ce qui constitue sa principale caractéristique. L'entreprise ne produit pas de rapport d'impôt. C'est le propriétaire qui inclut le revenu de son entreprise, le profit, à son propre rapport d'impôt. Toutefois l'État lui impose de déclarer son entreprise en complétant le formulaire de déclaration d'immatriculation et le déposer au bureau du Registraire des entreprises. Ce formulaire est disponible sur: www.registreentreprises.gouv.qc.ca .

LES AVANTAGES ET DÉSAVANTAGES DE CETTE FORME JURIDIQUE

1. AVANTAGES

■ LE NON-PARTAGE DES PROFITS

Dans l'entreprise à propriétaire unique, le propriétaire garde pour lui seul tous les profits réalisés par l'entreprise, puisqu'il en est l'unique propriétaire contrairement aux autres formes juridiques.

■ LA LIBERTÉ ET LA SOUPLESSE DE GESTION

Le propriétaire unique n'a pas à consulter des associés avant de prendre une décision. Il évite ainsi tout problème de discussion ou désaccord et ses décisions sont absolues. Il peut ainsi prendre des décisions rapidement et agir au moment le plus opportun.

■ LES AVANTAGES FISCAUX

L'entreprise à propriétaire unique n'est pas assujettie aux impôts prélevés sur les profits des corporations et, par le fait même, à une double imposition, comme nous le verrons lors de l'étude de la compagnie. Il peut déduire ses pertes d'entreprise de ses revenus d'emploi extérieurs.

■ LA FACILITÉ D'EMPRUNT

Le propriétaire unique engage tout son patrimoine en plus des actifs de son entreprise. Pour cette raison, il représente pour le prêteur un risque moins élevé que la compagnie dont la capacité de payer ses dettes ne repose que sur ses opérations.

■ LA CONFIDENTIALITÉ

Le propriétaire unique n'est pas tenu par la loi de publier sa situation financière ou autres informations confidentielles. Cet avantage lui permet de maintenir une position commerciale très concurrentielle.

■ LA FONDATION ET LA DISSOLUTION SIMPLES ET PEU COÛTEUSES

Le démarrage d'une entreprise sans trop de formalités administratives ni de complications légales représente l'un des principaux avantages de cette forme d'entreprise. Seule une formalité d'immatriculation de la raison sociale est requise. Bien que certains types d'entreprises à propriétaire unique doivent obtenir une licence municipale ou un permis provincial, la plupart d'entre elles peuvent opérer sans de tels permis. On peut également dissoudre facilement une telle entreprise puisqu'aucune procédure légale n'est requise. Seule une demande de révocation ou radiation auprès du Registraire des entreprises est requise.

2. DÉSAVANTAGES

■ LA RESPONSABILITÉ FINANCIÈRE ILLIMITÉE

Comme la responsabilité financière est illimitée, tout bien personnel du propriétaire constituera la garantie des créanciers de l'entreprise. Ce qui signifie que le propriétaire unique est légalement responsable de toutes les dettes de son entreprise. Si sa mise de fonds originale est insuffisante pour rembourser ses dettes, ses créanciers pourront saisir autant ses biens meubles qu'immeubles, sauf exceptions prévues dans la Loi sur la faillite et l'insolvabilité et le Code de procédure civile.

■ LES RESSOURCES FINANCIÈRES LIMITÉES

Étant seul propriétaire de son entreprise, l'individu ne peut compter que sur son propre pouvoir d'emprunt pour en financer l'exploitation. Les banques et autres institutions financières hésitent à prêter de fortes sommes aux entreprises à propriétaire unique à cause des possibilités de volume d'affaires limitées reliées à leur commerce. Il en est de même pour les fournisseurs qui hésiteront peut-être à vendre, au départ, de grandes quantités de marchandise à une entreprise exploitée par *un seul* individu.

■ LES DIFFICULTÉS DE GESTION

Étant donné que son entreprise est modeste, le propriétaire doit assumer seul plusieurs tâches administratives (les achats, la gestion des ventes, le marketing, la gestion financière, la gestion du personnel, etc.). La plupart des faillites de ces petites entreprises résultent de l'incapacité pour le propriétaire, due à son manque de connaissances en gestion, de pouvoir remplir toutes ces tâches administratives avec efficacité.

■ LE MANQUE DE CONTINUITÉ

La mort, l'aliénation mentale, l'emprisonnement ou la faillite du propriétaire entraînera généralement la fin de ce type d'entreprise. Même s'il a créé une entreprise bien établie, dans bien des cas le propriétaire en mauvaise santé ne peut continuer son exploitation, d'où la nécessité de fermer l'entreprise.

■ La société de personnes

DÉFINITION

La société de personnes est l'association de deux ou plusieurs personnes qui exploitent une entreprise dans le but d'en retirer un profit. Des trois principales formes juridiques d'entreprise au Canada, la société de personnes, en particulier la société en nom collectif, se classe troisième quant au nombre; il y a beaucoup plus d'entreprises à propriétaire unique et de compagnies.

Tout comme l'entreprise à propriétaire unique, la société de personnes ne convient pas aux grandes entreprises à forte capitalisation. Elle ne compte habituellement que deux ou trois associés, bien qu'elle puisse en avoir un nombre illimité. Les sociétés de personnes sont en principe exemptes de réglementation et restriction gouvernementales particulières, sauf celles incluses dans le Code civil, bien qu'il puisse exister certaines autres règles à suivre. Cependant, à ses débuts, la société de personnes n'a pas besoin d'autorisation gouvernementale et n'est pas obligée, non plus, de faire approuver ses conditions d'existence contrairement à la compagnie. Toutefois les fondateurs doivent compléter le formulaire d'immatriculation pour sociétés et le déposer au bureau du Registraire des entreprises. Ce formulaire est disponible sur: www.registreentreprises.gouv.qc.ca

LE CONTRAT DE SOCIÉTÉ

Le contrat de société constitue le document de référence pour la fondation et le fonctionnement de la société. Il n'est soumis à aucune règle gouvernementale si ce n'est d'être conforme aux articles du Code civil.

1. LE CONTENU D'UN CONTRAT DE SOCIÉTÉ

Le contenu d'un contrat de société doit être le plus complet possible afin d'éliminer les risques de mauvaise gestion ou de gestion déficiente pouvant causer préjudice à la société et aux associés. Bien que chaque association soit particulière au type d'entreprise et aux caractéristiques propres à chacun des associés signataires du contrat ainsi qu'aux circonstances entourant la fondation de la société, certaines clauses fondamentales doivent y apparaître. Les principales clauses sont énoncées au tableau 2.1.

Tableau **2.1**

Principales clauses d'un contrat de société	
clause 1	Nom, statut civil et adresse de chacun des associés
clause 2	Dénomination sociale et adresse de la société
clause 3	But de la société (activité d'affaires de la société)
clause 4	Description des apports de chacun des associés et établissement de leur valeur respective
clause 5	Dispositions relatives au partage des bénéfices (et des pertes) ainsi qu'à la rémunération des associés
clause 6	Établissement des montants d'assurance que la société doit prendre sur la vie de chacun des associés lorsque c'est nécessaire
clause 7	Dispositions relatives au retrait ou décès d'un associé
clause 8	Dispositions relatives à la non-concurrence de la part d'un associé désireux de quitter la société ou expulsé de la société
clause 9	Dispositions relatives à l'admission d'un nouvel associé
clause 10	Dispositions relatives à l'engagement de dépenses par un ou des associés pour la société et à la signature des chèques
clause 11	Dispositions relatives à la prise de décisions nécessitant l'accord unanime de tous les associés concernant la gestion des opérations courantes de la société ainsi que son développement
clause 12	Dispositions relatives aux sanctions à prendre contre un associé outrepassant les clauses du contrat
clause 13	Toute autre disposition particulière et nécessaire au fonctionnement de la société.

LES TYPES DE SOCIÉTÉS DE PERSONNES

Il y a trois types de sociétés de personnes qui peuvent être formées selon le désir des fondateurs : la *société en nom collectif*, la *société en commandite* et la *société en participation*.

1. LA SOCIÉTÉ EN NOM COLLECTIF

La société en nom collectif est le type de société de loin le plus répandu et où les associés ont tous les mêmes droits et obligations les uns envers les autres et envers les tiers, qu'ils soient clients, fournisseurs, prêteurs ou employés de la société. La responsabilité financière des associés est alors conjointe et solidaire, c'est-à-dire qu'ils sont tous responsables autant collectivement qu'individuellement des dettes de la société.

Ce type de société est, en principe, surtout utilisé dans les entreprises exigeant peu de capitalisation, plus particulièrement celles qui opèrent dans le domaine du commerce de détail et dans celui des services.

2. LA SOCIÉTÉ EN COMMANDITE

La société en commandite est un type de société qui, utilisé dans des situations particulières, permet à un individu de fournir un capital dont il espère obtenir un rendement normal sans supporter une responsabilité dans les dettes provenant des opérations de la société comme c'est le cas dans la société en nom collectif.

Ainsi, dans ce type de société, il y a deux catégories d'associés. D'une part il y a les associés investisseurs, appelés commanditaires, et d'autre part il y a les associés gérants, appelés commandités. Le contrat d'une société en commandite doit spécifier qui sont les associés commandités et commanditaires, à défaut de quoi tous les associés seront tous considérés comme associés gérants. Les commanditaires ne participent pas à la gestion de la société, mais ils ont droit à la part de profit que leur garantit le contrat. L'associé commanditaire ne sera responsable devant les tiers des dettes de la société que jusqu'à concurrence de son investissement. Voilà pourquoi sa responsabilité est limitée.

La société en commandite est très fréquemment utilisée pour le financement d'entreprises évoluant dans des secteurs d'activités à risque élevé et qui, de ce fait, font l'objet d'intéressantes déductions fiscales. Nous retrouvons ce type de société dans les secteurs de l'exploration minière ou pétrolière, des sports professionnels, des gros projets immobiliers, de la production et la distribution de films, etc. Les commanditaires, par leur investissement, visent avant tout un abri fiscal car ils ont le droit de déduire, à titre de perte d'entreprise, le montant total des pertes éventuellement subies au cours d'un exercice financier donné, jusqu'à concurrence de leur mise de fonds dans l'entreprise.

Ce type de société est avantageux puisque les mises de fonds additionnelles des commanditaires en augmentent le capital et le crédit d'impôt, tout en permettant de limiter leur responsabilité financière personnelle.

3. LA SOCIÉTÉ EN PARTICIPATION

Il arrive souvent que des professionnels ou des gens d'affaires se regroupent sous un même toit pour offrir des services variés et multiples. Pour diverses raisons, ces personnes ne peuvent ou ne désirent pas former une société en nom collectif ou en commandite.

Elles s'associent soit pour louer un local à partager ou subdiviser, soit pour s'offrir des services administratifs. Elles forment alors une société en participation (ou de dépenses).

Chacun des associés conserve sa clientèle et la société lui fournit des services moyennant un coût mensuel pour les dépenses qui s'y rapportent. De nombreux bureaux de services professionnels et de nombreuses cliniques médicales fonctionnent selon ce principe.

Dans ce type de société, il n'y a pas partage des profits, mais seulement un partage des dépenses pour les services communs fournis par la société. Tout comme les autres types de société, son immatriculation au bureau du Registraire des entreprises est requise.

LES AVANTAGES ET DÉSAVANTAGES DE CETTE FORME JURIDIQUE

1. AVANTAGES

■ LA FACILITÉ DE MISE SUR PIED

Bien que la société de personnes soit plus difficile à organiser qu'une entreprise à propriétaire unique, sa création ne requiert que la rédaction d'un contrat entre les associés et l'immatriculation obligatoire de sa raison sociale auprès de l'Inspecteur général des institutions financières. Il est, bien entendu, préférable de préparer par écrit les articles du contrat de société, mais ceci n'est pas obligatoire et un accord de principe verbal est valable, quoique non recommandable.

■ PLUS DE DISPONIBILITÉ DE CAPITAL

Ayant plusieurs propriétaires, la société dispose de plusieurs sources de fonds au départ. Les associés peuvent ajouter du capital ou faire appel à de nouveaux associés lorsque le développement des affaires requiert des nouvelles compétences ou uniquement du capital additionnel avec des associés qui ne participent pas à la gestion de la société.

■ LA FACILITÉ D'EXPANSION

Dans certains cas, grâce à ses capitaux plus élevés, la société peut se développer plus rapidement que l'entreprise à propriétaire unique. On remarquera aussi que plusieurs propriétaires peuvent diriger un plus grand nombre d'employés et utiliser des installations plus vastes.

■ LES FACILITÉS D'EMPRUNT

La société jouit habituellement d'une meilleure facilité d'emprunt que l'entreprise à propriétaire unique. La société peut offrir en garantie l'avoir de deux propriétaires ou plus.

■ LES AVANTAGES LIÉS À LA GESTION

Comme la société est composée d'au moins deux associés, il y a moins de risque que l'un d'entre eux ait à accomplir seul les diverses tâches administratives. Les associés se partagent les différentes tâches importantes de l'entreprise comme la gestion des opérations, la gestion du personnel, la gestion du marketing, la gestion financière, etc. Cette association de spécialistes représente un avantage considérable sur l'entreprise à propriétaire unique.

▨ LES AVANTAGES FISCAUX

Le revenu de la société n'est soumis à aucun impôt spécial contrairement à la compagnie. Tout comme le propriétaire unique, les associés ne paient l'impôt qu'à titre personnel provenant des revenus qu'ils tirent de la société selon le partage prévu au contrat de société. La société n'est donc pas frappée d'une double imposition comme le sont les compagnies. Les pertes de la société sont déductibles des salaires des associés, si ces derniers ont un revenu d'emploi à l'extérieur de la société.

2. DÉSAVANTAGES

▨ LA RESPONSABILITÉ FINANCIÈRE CONJOINTE ET SOLIDAIRE

En cas de difficultés financières, si les actifs de la société sont insuffisants pour faire face à ses obligations, les créanciers peuvent poursuivre en justice un ou tous les associés. Les associés sont non seulement responsables des dettes provenant de décisions collectives, mais aussi de toute dette contractée par un seul associé agissant pour la société. Ce désavantage pourrait être un sérieux handicap pour un associé dont le patrimoine serait considérable, car il pourrait se trouver dans l'obligation d'acquitter toute la dette de la société à cause de la responsabilité solidaire prévue au Code civil. Toutefois, ce dernier peut, avec son contrat de société, exiger le remboursement de la part de dette des autres associés qu'il a payée.

▨ LES DIFFICULTÉS DANS LES PRISES DE DÉCISIONS

La société étant composée de deux associés ou plus, la prise de décisions demande plus de temps. Une discussion ardue et un désaccord bloquant une décision fondamentale pourraient même mener jusqu'à la dissolution de la société.

▨ LA CONTINUITÉ

La société n'est pas, en soi, une forme d'entreprise permanente. Légalement, elle peut être dissoute, soit par les associés eux-mêmes, soit par décision judiciaire, soit par suite de la mort, de la faillite ou de l'aliénation mentale de l'un des associés. En réalité, mise à part la dissolution par les associés eux-mêmes et par décision judiciaire, les autres causes de dissolution n'affectent pas l'existence de la société pendant la transition contractuelle.

▨ La compagnie (société par actions)

DÉFINITION

La troisième forme juridique d'entreprise est la *compagnie* ou société par actions. Sa structure est tout à fait différente de celle de l'entreprise à propriétaire unique ou de la société de personnes. La loi définit la compagnie comme étant une personne morale, créée par l'État sur demande de ses fondateurs, ayant des droits et des obligations comme une personne physique.

Ce type d'entreprise a été créé par des législations pour répondre au besoin d'entrepreneurs qui désiraient monter de grandes entreprises, sans devoir éventuellement mettre en péril leurs biens personnels comme c'est potentiellement le cas pour l'entreprise à propriétaire unique et la société de personnes. L'État a donc créé une forme juridique sur mesure qui donne à l'entreprise une entité juridique propre et distincte de celle de ses propriétaires, qui sont les actionnaires.

Les investisseurs achètent des actions qui sont chacune des minimes parties de propriété du capital monétaire autorisé (capital-actions) de la compagnie à un prix qui est déterminé soit dans sa constitution, soit par les administrateurs avant leur vente aux investisseurs. Ce capital monétaire servira aux investissements de départ et aux dépenses de démarrage de la compagnie.

LA FONDATION D'UNE COMPAGNIE

Le choix de la province de constitution d'une compagnie dépend du choix des propriétaires fondateurs. Des entrepreneurs qui désirent faire affaires au Québec ont évidemment avantage à incorporer leur entreprise au Québec. Mais, dans le cas d'une grande entreprise appelée à opérer au niveau national, les propriétaires pourraient décider qu'il est plus avantageux d'incorporer la compagnie avec des statuts fédéraux. Ces deux niveaux de gouvernement possèdent des lois qui diffèrent, entre autres, quant au nombre d'actionnaires, aux restrictions sur la dette de la compagnie, aux types d'actions mises en vente, aux impôts, aux restrictions sur les transactions commerciales, aux pouvoirs généraux de la compagnie, à la requête en incorporation ainsi qu'à la production de documents et même des statuts de constitution.

Pour constituer une compagnie sous la Loi des compagnies du Québec, il faut compléter le formulaire «Statuts de constitution» qui deviennent, une fois acceptés, les statuts écrits de la compagnie en authentifiant son existence et sa légalité. Dans ce formulaire il faut y inscrire entres autres :

1) le nom de la compagnie ;
2) le nom du district judiciaire où la compagnie a établi son siège social ;
3) le nombre d'administrateurs ;
4) la date du début des opérations de la compagnie ;
5) la description du capital-actions ;
6) les limites imposées aux activités de la compagnie (le cas échéant) ;
7) les noms des fondateurs de la compagnie.

Une fois les statuts approuvés, un des fondateurs désigné doit compléter le formulaire de Déclaration initiale (d'immatriculation) dans laquelle des informations complémentaires sont demandées dont entre autres l'adresse du siège social. Ces formulaires sont disponibles sur: www.registreentreprises.gouv.qc.ca .

LA STRUCTURE DE LA COMPAGNIE

La compagnie, pour le législateur, se compose de trois groupes distincts : les *actionnaires*, le *conseil d'administration* et les *directeurs*.

1. LES ACTIONNAIRES

Tel que mentionné précédemment, les actionnaires sont les propriétaires de la compagnie ayant acheté des actions du capital-actions dont les certificats font la preuve de leur droit de propriété. Ils sont, en assemblée générale, l'autorité suprême de la compagnie.

Légalement, la propriété des actionnaires n'est pas exactement la même que celle du propriétaire unique ou des associés dans les autres formes d'entreprise. L'actionnaire ne possède aucun titre de propriété ou de créance dans les biens de la compagnie, bien qu'en cas de liquidation (fermeture) il ait un droit direct sur l'actif de la compagnie, une fois les créanciers remboursés.

Quel que soit son nombre d'actions, l'actionnaire est un copropriétaire de la compagnie. Les actionnaires réunis en assemblée générale décident de la composition du conseil d'administration qui choisit à son tour les différents directeurs de la compagnie. Les actionnaires votent aussi pour adopter tout amendement aux statuts de constitution et tout changement à la structure de l'organisation comme la fusion ou la dissolution de la compagnie.

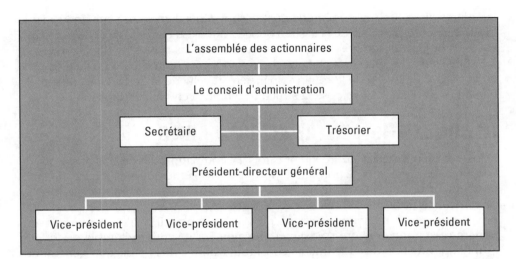

Figure
2.1

Structure type de la haute direction d'une grande compagnie

Chaque actionnaire a droit à un vote pour chaque action ordinaire (avec droit de vote) qu'il détient. La compagnie étant souvent très étendue, des dizaines de milliers d'actionnaires y ont un droit de vote, mais la plupart d'entre eux n'assistent pas aux assemblées annuelles. La compagnie permet à l'actionnaire absent de voter par procuration, c'est-à-dire qu'elle lui donne un droit de représentation. Cette procuration transmet à un autre actionnaire le droit de vote de l'actionnaire absent. Ainsi, ceux qui sont dans l'impossibilité d'assister aux assemblées peuvent faire valoir leur vote sur des questions importantes.

2. LE CONSEIL D'ADMINISTRATION

Le conseil d'administration est l'organe de la plus haute direction de la compagnie. Il est composé d'actionnaires, appelés administrateurs, qui ont reçu le mandat de gérer le destinée de la compagnie. Ses responsabilités consistent à décider:

- du choix du président du conseil d'administration;
- des différents moyens de développement l'entreprise: ex: agrandissement et ou achat d'une autre entreprise, etc.;
- du lancement ou du retrait d'un produit;
- du choix de nouveaux administrateurs pour remplacer ceux qui ont quitté;
- du choix des principaux directeurs (des opérations) de la compagnie, dont le PDG (président-directeur-général);
- de l'établissement de la rémunération du PDG;

- de la déclaration de dividendes (partie des profits) remis aux actionnaires;
- de la nomination d'un vérificateur des livres comptables de la compagnie à la fin de l'année financière.

3. LES DIRECTEURS

Tels que mentionné précédemment, les directeurs sont nommés par le conseil d'administration. Deux d'entre eux seront désignés pour occuper les postes suivants: l'un, nommé secrétaire, s'occupera entre autres de la communication avec les actionnaires alors que l'autre, nommé trésorier, verra à la bonne gestion comptable de la compagnie. Tous deux répondront de leur gestion directement au président du conseil d'administration.

Les autres directeurs, au nombre de quatre, sont généralement recommandés par le PDG premier responsable de la gestion quotidienne de la compagnie et du personnel sous ses ordres. Ils seront ses adjoints et occuperont les postes de directeur (ou de vice-président) des grandes fonctions de la compagnie soit celle du marketing, celle de la production, celle de la gestion financière et celle de la gestion des ressources humaines. La Figure 2.1 expose la structure type de cette haute direction.

LA CONVENTION ENTRE ACTIONNAIRES

Nous serions portés à croire qu'une fois la compagnie créée et les statuts de constitution remis aux actionnaires, tous les problèmes de gestion et de fonctionnement de la compagnie auront été réglés par la seule production de ces documents constitutifs. Eh bien, ce n'est pas le cas! Aussitôt qu'une compagnie privée possède deux actionnaires ou plus, il est impératif qu'il y ait une convention entre actionnaires qui soit signée. Idéalement il serait préférable de le faire avant la production des documents constitutifs auprès de l'Inspecteur général des institutions financières pour régler, avant même la naissance de la compagnie, tous les problèmes potentiels de gestion.

Une convention entre actionnaires est une sorte de «contrat d'association» dont le contenu traite de sujets d'importance, autant pour la sécurité de l'actionnaire que pour la saine gestion de la compagnie. Bien qu'une convention entre actionnaires soit élaborée en fonction des particularités relatives à la composition de l'actionnariat, c'est-à-dire en fonction du nombre d'actionnaires, du nombre d'actions détenues par chacun des actionnaires et du type d'opération de la compagnie, il n'en demeure pas moins que certains éléments reviennent dans chaque convention. Habituellement nous retrouvons les dispositions suivantes:

- dispositions relatives au transfert d'actions à un tiers;
- dispositions relatives autant au partage des responsabilités et pouvoirs de gestion avec ses limites qu'aux salaires versés à des actionnaires qui sont désignés gestionnaire permanent de la compagnie;
- dispositions relatives à la non-concurrence de la part d'un ou des actionnaires qui désirent quitter la compagnie;
- dispositions relatives à la protection des actionnaires minoritaires contre un exercice abusif du contrôle du droit de vote par le ou un groupe d'actionnaires détenant la majorité des actions;
- dispositions relatives à la protection du caractère privé de la compagnie.

Il n'y a pas de formule toute faite pour la rédaction d'une convention entre actionnaires; c'est du cas par cas. À cet effet la consultation auprès d'un spécialiste en la matière constitue une démarche essentielle pour, à la fois, la sécurité des actionnaires et pour assurer le bon fonctionnement de la compagnie.

LES AVANTAGES ET DÉSAVANTAGES DE CETTE FORME JURIDIQUE

1. LES AVANTAGES

LA RESPONSABILITÉ FINANCIÈRE LIMITÉE

Le propriétaire de l'entreprise à propriétaire unique et les associés de la société de personnes ont une responsabilité financière illimitée qui engage leurs biens meubles et immeubles au cas où l'entreprise ne pourrait faire face à ses obligations. Pour la compagnie (société par actions), ce désavantage est éliminé par le fait que l'actionnaire ne peut perdre plus que la valeur de son investissement. Les créanciers ne peuvent saisir que les biens de la compagnie, car elle est une entité distincte et responsable de ses dettes. Cet avantage n'est réel que pour les compagnies publiques inscrites en bourse. Les créanciers, dans le cas des petites compagnies privées, demandent souvent des garanties personnelles.

LE TRANSFERT DU DROIT DE PROPRIÉTÉ

Dans le cas d'une compagnie publique ayant un très grand nombre d'actionnaires, le droit de propriété peut être transféré dans un court délai. Un actionnaire peut acheter ou vendre ses actions par l'entremise d'un courtier en valeurs mobilières sur des marchés connus sous le nom de *Bourse* (Bourse de Toronto, Bourse de New-York, etc.).

Pour une compagnie privée qui ne compte que quelques actionnaires, le processus est plus lent. L'actionnaire qui désire se départir de ses actions doit d'abord les offrir aux autres actionnaires. S'il y a refus, il peut alors les offrir à un étranger avec l'accord des actionnaires détenant au moins les 2/3 du nombre des actions votantes.

LA CONTINUITÉ ASSURÉE

Contrairement à l'entreprise à propriétaire unique ou à la société de personnes, la compagnie, avec son identité distincte, a une durée illimitée. Sauf si c'est prévu autrement dans ses statuts, elle peut toutefois se dissoudre de trois façons :

1) par décision de la cour ;
2) sur décision de la majorité des actionnaires ;
3) par l'expiration des statuts de la compagnie.

À la mort d'un actionnaire ses actions, faisant partie de son patrimoine, passent à ses héritiers, ou à un autre légataire désigné dans une convention entre actionnaires, tout comme ses biens personnels. La compagnie, par principe, est théoriquement éternelle. Elle survit donc à la mort de ses propriétaires.

LA CONSTITUTION DU CAPITAL

La compagnie peut se procurer beaucoup plus de capitaux que l'entreprise à propriétaire unique ou la société de personnes. En effet, l'émission d'actions à un nombre pratiquement illimité d'investisseurs permet de constituer un capital potentiellement illimité. L'histoire de Bombardier en est un bel exemple.

2. LES DÉSAVANTAGES

▨ LE COÛT DE CONSTITUTION

Le coût de constitution d'une compagnie est plus élevé que celui de l'entreprise à propriétaire unique et de la société de personnes. Ce coût inclut les frais d'incorporation et les honoraires d'avocats pour :

1) la préparation de l'incorporation ;
2) la préparation des règlements, des registres légaux et, pour les compagnies publiques, la préparation des prospectus pour l'émission d'actions par les courtiers en valeurs mobilières.

▨ LE MANQUE DE CONFIDENTIALITÉ

La compagnie publique doit rendre publics ses rapports financiers. Elle n'a donc pas le droit de dissimuler certaines informations confidentielles relatives à des pertes ou des profits d'opération, à des bonis de toutes sortes ou salaires exagérés remis à des hauts dirigeants. Les concurrents se retrouvent donc en mesure de modifier leurs plans à la suite de l'étude des états financiers de leurs congénères.

LES DIFFÉRENTES SORTES DE COMPAGNIES

Au Canada, les compagnies sont généralement classées selon :

- le secteur d'activités ;
- le nombre d'actionnaires ;
- le caractère de leurs activités d'affaires ;
- le partage de la propriété.

1. LA COMPAGNIE DU SECTEUR PUBLIC OU PRIVÉ

Une compagnie du *secteur public* est mise sur pied par le gouvernement fédéral ou un gouvernement provincial dans le but de mener des affaires pour le bénéfice de l'ensemble des citoyens. Radio-Canada et Hydro-Québec en sont des exemples et sont des sociétés dites d'État. Ces compagnies ont été créées dans le but de procurer à la population des biens et services essentiels. Par contre, une compagnie du *secteur privé* est possédée et exploitée par des individus dans le but de réaliser un profit.

2. LA COMPAGNIE PUBLIQUE OU PRIVÉE

Une compagnie privée est une compagnie dont le capital-actions est détenu par des individus dont le nombre ne peut excéder 50. Ses actions ne peuvent être vendues dans le public. Toutefois, une entreprise qui prend de l'expansion peut décider de vendre des actions dans le public, ce qui l'oblige à avoir au moins 51 actionnaires. La quasi totalité des compagnies publiques ont décidé alors de faire appel au marché boursier pour attirer ces nouveaux actionnaires. Voilà pourquoi la compagnie est inscrite en bourse.

3. LA COMPAGNIE À BUT LUCRATIF OU À BUT NON LUCRATIF

La compagnie à but lucratif possède un statut légal lui permettant de remettre des profits à ses actionnaires sous forme de dividende. Cependant, les gouvernements permettent la mise sur pied de compagnies à but non lucratif pour autant que leurs activités soient à caractère éducatif, religieux ou charitable. Tout revenu provenant de l'exploitation de la compagnie est réinvesti dans son programme ; il n'est jamais distribué aux fondateurs ou administrateurs de la compagnie.

4. LA COMPAGNIE MIXTE

La compagnie mixte est une compagnie dont la propriété est partagée entre l'État d'une part et les individus ou compagnies privées d'autre part. Au Québec, la Société générale de financement (SGF) est une compagnie mixte.

La coopérative

DÉFINITION

La coopérative se définit comme étant un regroupement de personnes exerçant une activité d'affaires ayant pour but de faire réaliser à ses membres des économies et non des profits en leur fournissant des biens ou des services. À cet effet, elle est soumise à une réglementation gouvernementale stricte.

Il existe plusieurs types de coopératives dont, entre autres :

- les coopératives agricoles (regroupement d'agriculteurs pour la culture et le commerce des produits agricoles) ;
- les coopératives de production (regroupement d'artisans autonomes) ;
- les coopératives de consommateurs (regroupement d'individus pour distribution aux membres de biens et services divers ; ex. : coopérative étudiante) ;
- les coopératives d'habitation (regroupement d'individus pour l'achat ou la location de maisons ou logements) ;
- les coopératives de crédit et d'épargne (caisses populaires).

LA FONDATION

Pour fonder une coopérative, il est nécessaire de regrouper douze personnes, appelées fondateurs, qui doivent compléter des statuts de constitution et les faire parvenir au ministère de l'Industrie, du Commerce, de la Science et de la Technologie. La déclaration mentionne, entre autres :

- la dénomination sociale (nom de la coopérative) ;
- le siège social (adresse officielle) ;
- le but ;
- les noms, adresses et occupations des requérants ;
- le nombre et le coût des parts sociales.

La coopérative doit, dans les soixante jours après l'émission de ses statuts de constitution, tenir une assemblée de fondation convoquée par le secrétaire provisoire où elle élira un conseil d'administration, un vérificateur comptable et procédera à l'adoption de ses règlements de régie interne.

LE FONCTIONNEMENT

Le fonctionnement d'une coopérative ressemble à celui d'une compagnie. Les membres, en assemblée générale, élisent un conseil d'administration permanent composé d'un minimum de cinq et d'un maximum de quinze administrateurs. Les *membres* achètent des *parts sociales* et n'ont qu'un seul droit de vote aux assemblées. Leur responsabilité financière est limitée à leur mise de fonds et le partage de l'excédent des revenus sur les dépenses, qu'on appelle «trop-perçu», se fait sous forme de *ristournes* équivalentes aux dividendes de la compagnie. Ce partage se fait selon le pourcentage du volume d'affaires généré par le membre sur le volume d'affaires total de la coopérative.

La coopérative n'est pas, au départ, une forme juridique qui favorise le développement et l'expansion d'une entreprise où le profit est le premier stimulant, mais plutôt la recherche d'économies au niveau des achats faits en commun et des dépenses de promotion des produits de chacun des membres regroupés sous des fédérations.

Les fondateurs de la coopérative, comme ceux des autres types d'entreprise, doivent aussi compléter le formulaire d'immatriculation pour société et le déposer au bureau du Registraire des entreprises. Ce formulaire est aussi disponible sur le site: www.registreentreprises.gouv.qc.ca.

Tableau **2.2**

Tableau comparatif des avantages et désavantages de chacune des formes juridiques

Formes juridiques	Avantages	Désavantages
Entreprise à propriétaire unique non incorporée	• Non partage des profits • Liberté et souplesse de gestion • Avantages fiscaux • Facilité d'emprunt • Confidentialité • fondation et dissolution simples et peu coûteuses	• Responsabilité financière illimitée • Ressources financières limitées • Difficultés de gestion • Manque de continuité
Société de personnes	• Facilité de mise sur pied • Plus de disponibilité de capital • Facilité d'expansion • Facilités d'emprunt • Avantages liés à la gestion • Avantages fiscaux	• Responsabilité financière conjointement et solidairement illimitée • Difficultés dans les prises de décisions • Manque de continuité
Compagnie	• Responsabilité financière limitée • Transfert du droit de propriété • Continuité assurée • Constitution du capital	• Coût de constitution • Manque de confidentialité • Double taxation

2.2 Les éléments à considérer dans le choix d'une forme juridique

Lorsqu'arrive le moment de choisir une forme juridique au démarrage d'une entreprise, il n'y a pas de réponse toute faite car il y a plusieurs éléments et facteurs à considérer. Il faut entre autres tenir compte:

- du coût de fondation;
- de l'ordre de grandeur de l'investissement;
- de la nature de la future entreprise;
- du volume d'affaires prévu;
- de la venue éventuelle de nouveaux propriétaires;
- de la continuité de l'entreprise;
- de la protection des biens personnels des propriétaires;
- de l'impact fiscal personnel des revenus versés aux propriétaires;

■ LE COÛT DE LA FONDATION

Le coût de fondation est à considérer avant d'entreprendre les démarches légales de fondation. Pour la petite et moyenne entreprise, ces coûts sont peu élevés si vous faites les démarches vous-mêmes. Toutefois, ces coûts deviennent importants si l'entreprise sera constituée d'un nombre important de propriétaires qui nécessitera l'élaboration des documents complémentaires à la fondation comme telle pour établir les droits et obligations des propriétaires les uns envers les autres et envers l'État en plus d'une convention d'actionnaires. Cette tâche est généralement confiée à des firmes d'avocats spécialisées dans ce domaine. Dans ces cas, il n'y a pas de formule toute faite. Les honoraires à payer sont calculés en fonction des particularités relatives à chaque cas et qui sont habituellement très élevés.

■ LA NATURE DE LA FUTURE ENTREPRISE

La dimension de l'entreprise et la sorte de produits et services qui seront fournis influenceront le choix de la forme juridique de l'entreprise. Lorsqu'il s'agit d'une activité de «service» à la personne ou à un organisme qui requiert peu de support matériel ou que du matériel peu coûteux et que l'entreprise prévoit être de petite taille avec une seule place d'affaires, habituellement la forme juridique retenue sera celle de l'entreprise à propriétaire unique non incorporée appartenant à une seule personne ou la société de personne en nom collectif.

Lorsque les activités requièrent l'utilisation d'immeubles avec équipements et mobiliers coûteux, ce qui est généralement le cas pour des activités de fabrication de produits en grande quantité, la forme juridique retenue est celle de l'entreprise incorporée (la compagnie).

Pour les activités du domaine de la distribution (commerce de détail ou de gros), la forme juridique à retenir dépend généralement de l'importance des activités et des actifs immobiliers et en équipement requis.

L'ORDRE DE GRANDEUR DE L'INVESTISSEMENT

L'ordre de grandeur de l'investissement est le premier élément à considérer. Selon son importance, l'état a prévu différentes formes juridiques qui correspondent aux besoins et exigences des propriétaires, au type d'entreprise et à l'encadrement juridique nécessaire que doivent avoir les opérations de l'entreprise.

LE VOLUME D'AFFAIRES PRÉVU DE LA FUTURE ENTREPRISE

Le volume d'affaires prévu au démarrage de l'entreprise est à considérer lorsque l'on prévoit qu'il sera d'une importance certaine. Les impôts payés par les compagnies sur les bénéfices réalisés sont beaucoup mois élevés que les impôts payés par les particuliers. Avec l'aide d'un comptable ou d'un fiscaliste, il sera relativement facile de choisir la forme appropriée soit d'opter pour la compagnie ou une autre forme soit celle de l'entreprise à propriétaire unique ou la société de personnes s'il y a plus d'un propriétaire.

LA VENUE ÉVENTUELLE DE NOUVEAUX INVESTISSEURS

La venue de nouveaux investisseurs doit pouvoir être prévue si les circonstances relatives à la situation financière de l'entreprise l'exigent. Il faut donc choisir la forme juridique la plus appropriée aux circonstances dans lesquelles cette éventualité pourrait être nécessaire et qui, dans certains cas, ne met pas en péril le contrôle de l'entreprise par les propriétaires fondateurs.

LA CONTINUITÉ DE L'ENTREPRISE

Cet élément est surtout considéré dans les entreprises de fabrication et de distribution. Il s'applique dans les cas de départ de propriétaires (départ volontaire, expulsion ou décès). Dans les entreprises de petite taille et de taille moyenne cet élément doit être considéré sérieusement autant dans le choix des sa forme juridique que pour assurer une relève de gestion en cas de décès. La compagnie est la forme juridique toute désignée.

LA PROTECTION DES BIENS PERSONNELS DES PROPRIÉTAIRES

Tout investisseur qui démarre sa propre entreprise à titre de propriétaire unique ou comme partenaire, doit choisir la forme juridique qui permet la protection de ses biens personnels en cas de difficulté financière où les créanciers peuvent saisir les biens personnels pour se payer. Seule la compagnie permet cette protection.

L'IMPACT FISCAL PERSONNEL DES REVENUS VERSÉS AUX PROPRIÉTAIRES

Si les bénéfices versés aux propriétaires, en plus de leurs salaires, deviennent substantiellement élevés, la compagnie, qui permet de verser des revenus provenant des bénéfices par le paiement de dividendes, est la forme juridique toute désignée, les impôts prélevés sur dividendes étant moins élevés que ceux prélevés sur les salaires. De plus dans l'E.P.U.N.I. les montants prélevés sur les profits sont considérés comme du salaire et non comme dividende. Ils sont alors imposé à titre de salaire avec des impôts très élevés.

2.3 | *Les formalités de fondation des entreprises*

Tel que mentionné précédemment, la fondation d'une entreprise requiert une inscription aux registres de l'État et de chaque province canadienne. Dans les lignes qui suivent, nous exposerons le contenu des différents formulaires concernant l'inscription des entreprises aux registres des entreprises du Gouvernement du Québec. Ces formulaires sont relatifs à: La loi sur la publicité légale des entreprises individuelles, des sociétés de personnes et des personne morales. Nous examinerons les formulaires de :

- fondation de l'entreprise à propriétaire unique (non incorporée);
- fondation des sociétés de personnes (en nom collectif, en commandite et en participation);
- fondation d'une personne morale (la compagnie et la coopérative).

Vu le nombre de pages que contient chacun des formulaires, nous nous sommes restreints à ne présenter que la première page de chacun d'eux. Les renseignements demandés sur cette page, étant les principaux exigés par le gouvernement, constituent les éléments essentiels relatifs au contenu de ce chapitre.

Ces formulaires complets sont disponibles sur le site du Gouvernement du Québec sous: www.registreentreprises.gouv.qc.ca

Formulaire 1

Inscription d'une entreprise à propriétaire unique non incorporée

---

Registraire des entreprises
Québec

Déclaration d'immatriculation
Personne physique exploitant une entreprise individuelle

Loi sur la publicité légale des entreprises individuelles, des sociétés et des personnes morales (L.R.Q., c. P-45)

Forme juridique - Marquer la case d'un X.	Réservé à l'administration			Si l'immatriculation est radiée sur demande, inscrire le NEQ déjà attribué.	Numéro d'entreprise du Québec (NEQ)
	Date d'immatriculation				
Je suis une personne physique qui exploite une entreprise individuelle au Québec. ☐	Année	Mois	Jour		2 2 _ _ _ _ _ _ _ _

1 - Identification - Inscrire votre **nom** et votre **adresse personnelle** complète.
Tous les établissements doivent être déclarés à la section 2C.

Inscrire l'adresse à laquelle vous désirez recevoir votre correspondance.

A) Nom, prénom et domicile de la personne physique	**B) Domicile élu** (adresse de correspondance)
Marquer la case appropriée d'un X. Madame ☐ Monsieur ☐	Nom du destinataire
Nom de famille	
Prénom	
N° — Nom de la rue, appartement	N° — Nom de la rue, app./bureau
Municipalité/ville — Province/État	Municipalité/ville — Province/État
Code postal — Pays	Code postal — Pays

2 - Informations générales

A) Nature des deux principaux domaines d'activité de la personne physique	Réservé à l'administration
1er domaine d'activité	Code d'activité
2e domaine d'activité (s'il y a lieu)	Code d'activité

B) Nombre de salariés au Québec - Marquer la case appropriée d'un X.

O Aucun ☐	**A** De 1 à 5 ☐	**C** De 11 à 25 ☐	**E** De 50 à 99 ☐	**G** De 250 à 499 ☐	**I** De 750 à 999 ☐	**K** De 2 500 à 4 999 ☐
	B De 6 à 10 ☐	**D** De 26 à 49 ☐	**F** De 100 à 249 ☐	**H** De 500 à 749 ☐	**J** De 1 000 à 2 499 ☐	**L** 5 000 et plus ☐

C) Identification des établissements au Québec

- L'établissement principal doit être déclaré dans la section prévue à cette fin.
- Inscrire le nom, l'adresse complète des établissements et les deux principaux domaines d'activité qui y sont exercés.

Établissement principal au Québec

Nom de l'établissement	N° — Nom de la rue, app./bureau
	Municipalité/ville
	Province — Code postal

Principaux domaines d'activité de cet établissement	Réservé à l'administration
1er domaine d'activité	Code d'activité
2e domaine d'activité (s'il y a lieu)	Code d'activité

➔ **Activité à déclaration obligatoire : Marquer d'un X si vous exploitez un point de vente de tabac au détail (001).** ☐

Si l'espace prévu est insuffisant, joindre les annexes nécessaires en y indiquant la section correspondante.

Ministère du Revenu   GE81   LE-531.1.22.01 (2009-06)
1 de 2

Sa fondation ne requiert que la présentation de ce formulaire disponible sur www.registreentreprises.gouv.qc.ca.

Registraire des entreprises Québec ✚✚

Déclaration d'immatriculation
Société

Loi sur la publicité légale des entreprises individuelles, des sociétés et des personnes morales (L.R.Q., c. P-45)

Formulaire

2

Inscription d'une société de personnes

Consulter au besoin votre contrat de société.

1 - Identification - Inscrire le nom et le domicile de la société. La société en nom collectif et la société en commandite constituées au Québec peuvent indiquer dans leur nom ou à la suite de leur nom la forme juridique les représentant ou seulement à la suite de leur nom le sigle de leur forme juridique (S.E.N.C., S.E.C.). Pour la société non constituée au Québec dont le nom est dans une autre langue que le français, déclarer la version française de ce nom s'il en existe une, sinon voir la section 4E. Tous les établissements doivent être déclarés à la section 4D.

Si l'immatriculation est radiée sur demande, inscrire le NEQ déjà attribué.

Numéro d'entreprise du Québec (NEQ)

3	3									

Réservé à l'administration Date d'immatriculation	Année	Mois	Jour

Inscrire l'adresse à laquelle vous désirez recevoir votre correspondance.

A) Nom et domicile de la société

Nom

Version s'il y a lieu

N°   Nom de la rue, app./bureau

Municipalité/ville   Province/État

Code postal   Pays

B) Domicile élu (adresse de correspondance)

Nom du destinataire

N°   Nom de la rue, app./bureau

Municipalité/ville   Province/État

Code postal   Pays

2 - Forme juridique - Marquer d'un X la case identifiant la forme juridique de la société.

Société constituée au Québec	**SENC** Société en nom collectif ☐	**SEC** Société en commandite ☐	**SEP** Société en participation ☐
Société non constituée au Québec	**SOC** Société ☐	Loi constitutive de la société non constituée au Québec	

Société en nom collectif à responsabilité limitée (réservé aux membres d'ordres professionnels québécois) et société non constituée au Québec

Si vous êtes membre d'un ordre professionnel au sens du Code des professions, vous pouvez exercer vos activités au sein d'une société en nom collectif à responsabilité limitée si le bureau de votre ordre l'autorise par règlement. Vous devez alors mentionner le fait que la responsabilité de certains ou de l'ensemble des associés est limitée et inscrire la date à laquelle la société devient ou cesse d'être à responsabilité limitée. Pour la société non constituée au Québec, vous devez seulement indiquer si la responsabilité de certains ou de l'ensemble des associés est limitée.

Marquer d'un X si la responsabilité de certains ou de l'ensemble des associés est limitée. ☐

Date à laquelle la société en nom collectif québécoise devient à responsabilité limitée.	Année	Mois	Jour	Date à laquelle la société en nom collectif québécoise cesse d'être à responsabilité limitée.	Année	Mois	Jour

3 - Objet poursuivi par la société

Décrire brièvement

4 - Informations générales

A) Nature des deux principaux domaines d'activité de la société

	Réservé à l'administration
1er domaine d'activité	Code d'activité
2e domaine d'activité (s'il y a lieu)	Code d'activité

B) Nombre de salariés au Québec - Marquer la case appropriée d'un X.

O Aucun ☐	C De 11 à 25 ☐	E De 50 à 99 ☐	G De 250 à 499 ☐	I De 750 à 999 ☐	K De 2 500 à 4 999 ☐
A De 1 à 5 ☐	D De 26 à 49 ☐	F De 100 à 249 ☐	H De 500 à 749 ☐	J De 1 000 à 2 499 ☐	L 5 000 et plus ☐
B De 6 à 10 ☐					

Si l'espace prévu est insuffisant, joindre les annexes nécessaires en y indiquant la section correspondante.

Ministère du Revenu   GF81   LE-541.1.33.01 (2009-06)

1 de 3

Sa fondation ne requiert que la présentation de ce formulaire qui est le même pour les 3 types de société. Il est disponible sur www.registreentreprises.gouv.qc.ca.

Formulaire 3

Inscription d'une compagnie et d'une coopérative

Registraire des entreprises
Québec

Déclaration d'immatriculation
Déclaration initiale
Personne morale

Loi sur la publicité légale des entreprises individuelles, des sociétés et des personnes morales (L.R.Q., c. P-45)

Consulter au besoin vos documents constitutifs.

1 - Identification - Inscrire le nom et le domicile de la personne morale. Pour la personne morale non constituée au Québec dont le nom est dans une autre langue que le français, déclarer la version française de ce nom s'il en existe une, sinon voir la section 4E. Tous les établissements doivent être déclarés à la section 4D.

Marquer la case appropriée d'un X :   Immatriculation ☐   Initiale ☐

A) Nom et domicile de la personne morale

Nom

Si l'immatriculation est radiée sur demande, inscrire le NEQ déjà attribué.

Numéro d'entreprise du Québec (NEQ)
1   1

Date d'immatriculation   Année   Mois   Jour

Version dans une autre langue, s'il y a lieu

Inscrire l'adresse à laquelle vous désirez recevoir votre correspondance.

B) Domicile élu (adresse de correspondance)

Nom du destinataire

N°   Nom de la rue, app./bureau

Municipalité/ville   Province/État

Code postal   Pays

Pour la personne morale produisant une déclaration initiale, apporter, s'il y a lieu, les corrections à l'adresse dans les cases ci-dessous.

N°   Nom de la rue, app./bureau   N°   Nom de la rue, app./bureau

Municipalité/ville   Province/État   Municipalité/ville   Province/État

Code postal   Pays   Code postal   Pays

2 - Forme juridique - Inscrire le code correspondant à la forme juridique, la loi constitutive, le lieu ainsi que la date de constitution.

| Codes : | CIE Compagnie | MUT Mutuelle d'assurance | SYC Syndicat de copropriété | Si autre, **le détailler** obligatoirement. |
| | COP Coopérative | APE Association personnifiée | AU Autre | |

Code   Loi constitutive   Lieu de constitution (province/État/pays)   Date de constitution (année/mois/jour)

3 - Dispositions particulières, s'il y a lieu

A) Continuation ou transformation - Marquer la case appropriée d'un X et inscrire l'information requise.

Continuation ☐   Transformation ☐   Nouvelle loi applicable   Lieu (province/État/pays)   Année   Mois   Jour

B) Fusion ou scission - Marquer d'un X si la personne morale est issue d'une fusion ou d'une scission et inscrire l'information requise.

Fusion ordinaire ☐   Fusion simplifiée ☐   Scission ☐   Lieu (province/État/pays)   Année   Mois   Jour

Inscrire le nom, le domicile et le numéro d'entreprise du Québec (NEQ), s'il y a lieu, de toutes les personnes morales partie à cette fusion (les composantes) ou à cette scission.

Numéro d'entreprise du Québec (NEQ)   1   1   Numéro d'entreprise du Québec (NEQ)   1   1

Nom   Nom

N°   Nom de la rue   App./bureau   N°   Nom de la rue   App./bureau

Municipalité/ville   Province/État   Municipalité/ville   Province/État

Code postal   Pays   Code postal   Pays

Si l'espace prévu est insuffisant, joindre une annexe remplie en deux exemplaires en y indiquant la section correspondante.

Ministère du Revenu   GH81   LE-50.1.11.01 (2009-06)

1 de 4

Son inscription ne requiert que la présentation de ce formulaire disponible sur www.registreentreprises.gouv.qc.ca.

Numéro d'entreprise du Québec (NEQ)
NEQ 1 1

Formulaire

3

Inscription d'une compagnie (suite)

5 - Identification des actionnaires - Inscrire, par ordre d'importance, le nom et le domicile des trois actionnaires qui détiennent le plus grand nombre de voix.

Est-ce que le premier actionnaire détient plus de 50 % des voix?   Marquer la case appropriée d'un X.   Oui ☐   Non ☐

Nom du **premier** actionnaire		N°	Nom de la rue, app./bureau	
Municipalité/ville	Province/État		Code postal	Pays
Nom du **deuxième** actionnaire		N°	Nom de la rue, app./bureau	
Municipalité/ville	Province/État		Code postal	Pays
Nom du **troisième** actionnaire		N°	Nom de la rue, app./bureau	
Municipalité/ville	Province/État		Code postal	Pays

6 - Identification des administrateurs (qui sont membres du conseil d'administration)

Inscrire le code de fonction approprié, le nom et le domicile de tous les administrateurs. Plus d'un code peut être attribué à une même personne.

Codes de fonction des administrateurs :	**PR** Président **VP** Vice-président	**SE** Secrétaire **TR** Trésorier	**ST** Secrétaire-trésorier **AD** Administrateur	**Au** Autre

Code(s)	Si code AU, le **détailler** obligatoirement.	Code(s)	Si code AU, le **détailler** obligatoirement.
Nom et prénom		Nom et prénom	
N° Nom de la rue, appartement		N° Nom de la rue, appartement	
Municipalité/ville	Province/État	Municipalité/ville	Province/État
Code postal Pays		Code postal Pays	
Code(s)	Si code AU, le **détailler** obligatoirement.	Code(s)	Si code AU, le **détailler** obligatoirement.
Nom et prénom		Nom et prénom	
N° Nom de la rue, appartement		N° Nom de la rue, appartement	
Municipalité/ville	Province/État	Municipalité/ville	Province/État
Code postal Pays		Code postal Pays	
Code(s)	Si code AU, le **détailler** obligatoirement.	Code(s)	Si code AU, le **détailler** obligatoirement.
Nom et prénom		Nom et prénom	
N° Nom de la rue, appartement		N° Nom de la rue, appartement	
Municipalité/ville	Province/État	Municipalité/ville	Province/État
Code postal Pays		Code postal Pays	

Si l'espace prévu est insuffisant, joindre une annexe remplie en deux exemplaires en y indiquant la section correspondante.

GH82

3 de 4

Son inscription ne requiert que la présentation de ce formulaire disponible sur www.registreentreprises.gouv.qc.ca.

Formulaire
4
Constitution d'une compagnie

Registraire des entreprises
Québec ✚✚
✚✚

Statuts de constitution
Statuts de continuation

Loi sur les compagnies (L.R.Q., c. C-38, partie IA)

Marquer la case appropriée d'un X.

Statuts de constitution ☐   Statuts de continuation ☐

Pour des statuts de continuation seulement.

Numéro d'entreprise du Québec		
NEQ	1	1

1. Nom - Constitution : inscrire le nom de la compagnie et sa version dans une autre langue s'il y a lieu. Ne rien inscrire si vous demandez un numéro matricule au lieu d'un nom.
Continuation : inscrire le nom actuel si vous le conservez et sa version s'il y a lieu et S. O. à la section 8 ou inscrire le nouveau nom et sa version dans une autre langue s'il y a lieu.

Si vous demandez un numéro matricule au lieu d'un nom (compagnie à numéro), marquer la case d'un X. ☐

2. District judiciaire du Québec où la compagnie établit son siège - Inscrire le district judiciaire tel qu'établi dans la Loi sur la division territoriale (L.R.Q., c. D-11).
Vous pouvez vous renseigner au palais de justice, auprès de Services Québec ou à l'adresse suivante : www.justice.gouv.qc.ca/francais/recherche/district.asp.

3. Nombre précis ou nombres minimal et maximal d'administrateurs

4. Date d'entrée en vigueur
Inscrire la date d'entrée en vigueur si elle est postérieure à celle du dépôt des statuts.

Année	Mois	Jour

5. Décrire le capital-actions autorisé et les limites imposées - Sauf indication contraire dans les statuts, la compagnie a un capital-actions illimité et ses actions sont sans valeur nominale. (Voir la section « Description du capital-actions » dans l'information générale.)

6. Restrictions sur le transfert des actions et autres dispositions, le cas échéant

7. Limites imposées aux activités, le cas échéant

8. Nom antérieur à la continuation (si différent de celui mentionné à la section 1)

9. Fondateurs (pour statuts de constitution seulement) - Inscrire le nom, le prénom et l'adresse du (des) fondateur(s) ou le nom et l'adresse du siège de la personne morale agissant à ce titre.

Nom et prénom ou nom de la personne morale agissant à titre de fondateur	
N°, nom de la rue, appartement, ville/province, code postal et pays	
Loi constitutive de la personne morale agissant à titre de fondateur	**Signature du fondateur ou de la personne autorisée par la personne morale**
Nom et prénom ou nom de la personne morale agissant à titre de fondateur	
N°, nom de la rue, appartement, ville/province, code postal et pays	
Loi constitutive de la personne morale agissant à titre de fondateur	**Signature du fondateur ou de la personne autorisée par la personne morale**

Réservé à l'administration

Pour statuts de continuation seulement : _____
Signature de l'administrateur autorisé

Si l'espace prévu est insuffisant, joindre une annexe remplie en deux exemplaires, identifier la section correspondante et numéroter les pages s'il y a lieu.

Signer et retourner les deux exemplaires de ce formulaire, accompagnés des documents exigés et du paiement requis.

Ne pas télécopier.

Ministère du Revenu

LE-50.0.11.02 (2009-05)

Sa création ne requiert que la présentation de ce formulaire disponible sur www.registreentreprises.gouv.qc.ca.

Formulaire

4

Constitution d'une compagnie (suite)

Annexe 1 - (remplir si l'espace prévu au formulaire est insuffisant)

9. Fondateurs (pour statuts de constitution seulement) - Inscrire le nom, le prénom et l'adresse du (des) fondateur(s) ou le nom et l'adresse du siège de la personne morale agissant à ce titre.

Nom et prénom ou nom de la personne morale agissant à titre de fondateur	
N°, nom de la rue, appartement, ville/province, code postal et pays	
Loi constitutive de la personne morale agissant à titre de fondateur	Signature du fondateur ou de la personne autorisée par la personne morale

Nom et prénom ou nom de la personne morale agissant à titre de fondateur	
N°, nom de la rue, appartement, ville/province, code postal et pays	
Loi constitutive de la personne morale agissant à titre de fondateur	Signature du fondateur ou de la personne autorisée par la personne morale

Nom et prénom ou nom de la personne morale agissant à titre de fondateur	
N°, nom de la rue, appartement, ville/province, code postal et pays	
Loi constitutive de la personne morale agissant à titre de fondateur	Signature du fondateur ou de la personne autorisée par la personne morale

Nom et prénom ou nom de la personne morale agissant à titre de fondateur	
N°, nom de la rue, appartement, ville/province, code postal et pays	
Loi constitutive de la personne morale agissant à titre de fondateur	Signature du fondateur ou de la personne autorisée par la personne morale

Nom et prénom ou nom de la personne morale agissant à titre de fondateur	
N°, nom de la rue, appartement, ville/province, code postal et pays	
Loi constitutive de la personne morale agissant à titre de fondateur	Signature du fondateur ou de la personne autorisée par la personne morale

Nom et prénom ou nom de la personne morale agissant à titre de fondateur	
N°, nom de la rue, appartement, ville/province, code postal et pays	
Loi constitutive de la personne morale agissant à titre de fondateur	Signature du fondateur ou de la personne autorisée par la personne morale

Nom et prénom ou nom de la personne morale agissant à titre de fondateur	
N°, nom de la rue, appartement, ville/province, code postal et pays	
Loi constitutive de la personne morale agissant à titre de fondateur	Signature du fondateur ou de la personne autorisée par la personne morale

Si l'espace prévu est insuffisant, joindre une annexe remplie en deux exemplaires, identifier la section correspondante et numéroter les pages s'il y a lieu.

Sa création ne requiert que la présentation de ce formulaire disponible sur www.registreentreprises.gouv.qc.ca.

Questions

de RÉVISION

1. Quels sont les types de formes juridiques les plus répandus?

2. Donnez les caractéristiques de l'entreprise à propriétaire unique.

3. Donnez et expliquez brièvement les avantages et désavantages de cette forme juridique.

4. Qu'est-ce qui caractérise la société de personnes?

5. Donnez et expliquez les avantages et désavantages de la société de personnes.

6. Donnez et expliquez les caractéristiques de la société en commandite.

7. Donnez et expliquez les caractéristiques de la société nominale.

8. Qu'est-ce que la compagnie?

9. Qu'est-ce qui a amené la création des compagnies?

10. Donnez la différence entre une compagnie privée et une compagnie publique.

11. Que comprennent les statuts de constitution des compagnies?

12. Décrivez brièvement la structure de la haute direction de la compagnie.

13. Qu'est-ce qu'une convention entre actionnaires?

14. Quels sont les buts d'une convention entre actionnaires?

15. Quels sont les sujets sur lesquels une convention entre actionnaires doit porter?

16. Donnez et expliquez brièvement les avantages de la compagnie.

17. Donnez et décrivez brièvement les désavantages de la compagnie.

18. Donnez et expliquez les éléments qui caractérisent la coopérative.

19. Énumérez et précisez l'importance des éléments à considérer dans le choix d'une forme juridique.

20. On dit que la compagnie est théoriquement éternelle. Expliquez cette affirmation.

ÉTUDES DE CAS

CAS 2.1

CENTRE DE RÉNOVATION IDÉAL

Trois hommes d'affaires, Paul Durant, Marc Lefèvre et Raymond Lamarre, tous trois de Laval au nord de Montréal, à l'initiative de Paul Durant, décident de s'associer pour acquérir une quincaillerie à Laval. Le prix d'achat est de 1 450 000 $.

La bâtisse est évaluée à 400 000 $, l'inventaire à 900 000 $ et l'équipement, comprenant un camion de livraison, à 50 000 $. La quincaillerie existe depuis cinq ans. Au cours des quatre premières années, la quincaillerie a connu des déficits. Par contre, la dernière année, le chiffre d'affaires réalisé a été de 4 000 000 $, ce qui a généré un léger bénéfice.

Ces trois hommes sont pères de famille ayant tous des enfants en bas âge. Ils possèdent chacun une belle résidence et deux d'entre eux possèdent un chalet dans le Nord de Montréal alors que le troisième possède un voilier de 40 pieds basé au Lac Champlain dans l'État de New-York, au sud de Montréal.

QUESTION

En présumant que chacun est prêt à investir 250 000 $ pour acquérir le commerce, quelle forme juridique leur suggérez-vous de choisir?

Dans votre réponse, exposez les éléments qui justifient votre proposition.

CAS 2.2

FRIPERIE FASHION

Trois femmes de Québec, Diane Dorval (33 ans), Josée Lebeau (31 ans) et Sylvie Roy (34 ans) ont décidé de démarrer leur entreprise en ouvrant un magasin de vêtements usagés pour dames sur la rue Cartier à Québec, sous le nom de Friperie Fashion.

Elles ont décidé d'investir chacune 2 000 $ pour l'aménagement du magasin comprenant le mobilier, la décoration ainsi que pour la publicité. Elles ont aussi décidé de se partager la responsabilité des opérations du commerce.

QUESTIONS

1. Quelle forme juridique devrait avoir cette entreprise? Exposer les raisons qui justifient votre réponse.
2. Si on vous demandait de préparer une entente de copropriété de cette entreprise, quels sont les éléments et clauses que cette entente devrait contenir?

Annexe *Sujets complémentaires*

La nouvelle loi des compagnies du Québec: la revanche des petits actionnaires

Source: www.canoe.ca

C'est le 14 février 2011, qu'est entrée en vigueur la nouvelle loi des compagnies du Québec qui porte maintenant le nom de: Loi des sociétés par actions du Québec. Cette nouvelle loi vise principalement à moderniser les dispositions de l'ancienne loi qui avait été adoptée en 1980. Cette loi, jugée archaïque par plusieurs spécialistes, ne convenait plus au contexte économique. Selon les spécialistes en droit des affaires, dont monsieur Gilles Thibault, avocats chez Thibault et associés spécialisé en droit des compagnies, les petits actionnaires (les minoritaires) des compagnies enregistrées au Québec sont maintenant beaucoup mieux protégés par la nouvelle législation.

La nouvelle loi apporte à la fois plus de souplesse pour les dirigeants et plus de recours pour les actionnaires. Selon M. Thibault, «on passe d'une loi la plus démodée en Amérique du Nord à une des plus avant-gardiste», a-t-il signalé.

De plus M. Thibault, qui compare les recours à la disposition des actionnaires dans l'ancienne loi avec ceux de la nouvelle loi régissant les activités des compagnies, estime que ces derniers sont beaucoup mieux servis maintenant au niveau de la rapidité dans le traitement des demandes d'incorporation (de création d'une compagnie) ou de modification à une incorporation. «On a une autoroute là où auparavant on avait un chemin de brousse en cas de problèmes avec la direction», a-t-il expliqué.

Selon M. Thibault, l'appareil juridique québécois avait été contraint, au cours des dernières années, à faire des «entourloupettes» pour équilibrer un tant soit peu le rapport entre les petits et les grands actionnaires ainsi qu'entre les actionnaires et la direction des compagnies.

La nouvelle loi simplifie également la réglementation, pour les compagnies à actionnaire unique, qui permet d'alléger sensiblement le fardeau administratif relatif aux documents obligatoires à présenter annuellement au gouvernent. «Le Québec dispose maintenant du cadre législatif le plus moderne au Canada en matière de droit des compagnies», a déclaré le ministre des Finances du Québec, Raymond Bachand, lors de l'annonce de l'entrée en vigueur de la nouvelle loi.

On compte parmi les compagnies enregistrées au Québec de nombreuses PME, mais aussi des fleurons du Québec Inc. comme Alimentation Couche-Tard, Metro et l'Industrielle-Alliance.

Du côté du Mouvement de défense et d'éducation des actionnaires (MÉDAC), on applaudit également aux changements apportés à la législation. Selon sa porte-parole Louise Champoux-Paillé, Québec s'est inspiré de plusieurs propositions soumises par son organisme, dans un mémoire déposé en 2008.

PRINCIPALES PARTICULARITÉS DE CETTE LOI

Les devoirs et obligations des administrateurs et dirigeants

- La nouvelle loi s'inspire des dispositions du Code civil du Québec relatives aux devoirs généraux de prudence décisionnelle, de diligence, d'honnêteté et de loyauté des administrateurs envers les actionnaires dans leur gestion de la compagnie.

- La nouvelle loi comporte un régime complet d'obligation de divulgation des intérêts financiers personnels des administrateurs pour permettre de mieux identifier et gérer les situations potentiellement conflictuelles.

- La nouvelle loi n'impose plus l'obligation de résidence au Québec pour les administrateurs de la compagnie.

Les droits et recours des actionnaires

- La nouvelle loi introduit un recours de redressement en cas d'abus de pouvoir ou d'iniquité envers des actionnaires. Elle est inspirée par le recours de la loi fédérale, qui permet à un tribunal de rendre des ordonnances qu'il estime appropriées lorsqu'une compagnie agit abusivement ou injustement envers ses actionnaires.

- La nouvelle loi introduit une procédure de compromis ou d'arrangement avec une catégorie d'actionnaires pouvant aller jusqu'au rachat de leurs actions si on porte atteinte aux droits de ces derniers d'une façon ou d'une autre dans le cadre d'une décision de la compagnie qui leur porterait préjudice.

- La nouvelle loi introduit le droit à la dissidence octroyant aux actionnaires le droit d'exiger le rachat de leurs actions à leur juste valeur lorsque ceux-ci sont en désaccord avec des décisions de la compagnie qui affecterait la valeur de leurs actions en cas de changements majeurs à la structure juridique de la compagnie.

- La nouvelle loi introduit le droit aux actionnaires d'une compagnie de plus de 50 actionnaires de soumettre des propositions au conseil d'administration lors des assemblées annuelles.

Les règles de régie interne

- La nouvelle loi permet à un actionnaire unique (compagnie à un actionnaire) de choisir de ne pas former un conseil d'administration.

- La nouvelle loi introduit le principe de la convention unanime d'actionnaires qui permet, en cas bris de lien de confiance, de restreindre ou même de retirer les pouvoirs de gestion à des administrateurs et de pouvoir conclure une telle convention avec d'autres actionnaires ou avec un tiers pour les remplacer.

NOTE

Le texte complet de cette loi est disponible aux boutiques Les Publications du Québec et sur : www.publicationsduquébec.gouv.qc.ca.

QUESTIONS

1) Que veut dire «la revanche des petits actionnaires»?

2) Quels sont les nouveaux devoirs et obligations des administrateurs et dirigeants?

3) Nommez deux droits et recours des actionnaires.

4) Que permet la loi qui introduit, dans les règles de régie interne, le principe de la convention unanime d'actionnaires?

5) Que permet le droit à la dissidence accordé aux actionnaires?

Partie 2

L'entreprise et l'administration

- L'entreprise et la dynamique de la gestion
- L'entreprise et l'information

Plan du VOLUME

PARTIE 1 • L'ENTREPRISE ET L'ÉCONOMIE

L'entreprise et son milieu	Ch. 1
L'entreprise et son encadrement juridique	Ch. 2

PARTIE 2 • L'ENTREPRISE ET L'ADMINISTRATION

L'entreprise et la dynamique de la gestion	Ch. 3
L'entreprise et l'information	Ch. 4

PARTIE 3 • L'ENTREPRISE ET LA DYNAMIQUE DE SES FONCTIONS

L'entreprise et la production Ch. 5	L'entreprise et le marketing Ch. 6	L'entreprise et la distribution Ch. 7	L'entreprise et la gestion financière Ch. 8

L'entreprise et la gestion des ressources humaines Ch. 9

PARTIE 4 • L'ENTREPRISE ET LES DÉFIS

L'entrepreneurship et le démarrage d'entreprise	Ch. 10
L'entreprise et la mondialisation du commerce	Ch. 11

PARTIE 5 • L'ENTREPRISE ET L'ÉTUDIANT

La visite d'une entreprise et les fonctions de travail	Ch. 12
La simulation LOGIVÉLO	Ch. 13

La dynamique de la gestion...

UNE DYNAMIQUE D'ÉQUIPE

Chapitre 3

L'ENTREPRISE ET LA DYNAMIQUE DE LA GESTION

Objectif global

Connaître et comprendre toute l'importance de la gestion et du processus de prise de décisions dans toutes les activités de l'entreprise.

Objectifs spécifiques

Après avoir étudié les éléments de ce chapitre, vous serez en mesure:

- d'expliquer les niveaux de gestion dans l'entreprise;
- de distinguer et expliquer les types de planification;
- de comprendre et expliquer les structures opérationnelles de l'organisation;
- de distinguer et expliquer la centralisation et la décentralisation;
- d'expliquer les supports nécessaires à une bonne direction;
- d'expliquer les étapes de contrôle;
- d'expliquer le processus de la prise de décisions;
- d'expliquer les origines de la qualité totale;
- de définir la qualité totale;
- de décrire les étapes de l'implantation de la qualité totale;
- d'expliquer les exigences d'une implantation réussie;
- d'expliquer la culture d'entreprise et son importance dans l'évolution de l'entreprise.

Aperçu du chapitre

3.1 *L'environnement de la gestion et du gestionnaire*

La gestion dans l'entreprise n'est pas en soi une opération à caractère mécanique et répétitif n'exigeant que peu d'aptitudes ou de compétences en la matière, bien qu'à première vue cela puisse sembler l'être.

La gestion est au contraire, et sans contredit, considérée par tous les auteurs comme étant l'art d'utiliser efficacement les différentes ressources tant humaines que matérielles de l'entreprise dans la production et la mise en marché de biens et services en fonction d'une part de la satisfaction des besoins du consommateur et de la réalisation de profits d'autres parts.

La gestion n'est pas simpliste. Elle implique l'agencement de multiples éléments différents qui sont combinés en fonction de la complexité et du niveau de développement de l'entreprise.

Nous avons vu au chapitre précédent, en particulier lorsque nous avons abordé la structure de la haute direction de la compagnie, que les actionnaires, via le conseil d'administration, avaient mandaté le président-directeur général (p.d.g.) pour diriger les destinées de l'entreprise au jour le jour.

Ce plus haut salarié de l'entreprise, bien que compétent, ne peut mener seul toute cette organisation qui, pour être efficace et rentable, doit donc être administrée à l'intérieur d'un cadre opérationnel par une équipe de spécialistes pour chacune des quatre principales fonctions (avec ses sous-fonctions) de l'organisation qui sont réparties comme suit :

- la gestion de la production (activités relatives à la fabrication des produits de l'entreprise) ;
- la gestion commerciale — le marketing (activités relatives à la distribution, la promotion et la vente des produits de l'entreprise) ;
- la gestion financière (activités relatives à la gestion des fonds et dépenses de l'entreprise) ;
- la gestion des ressources humaines (activités relatives à l'embauche et à la gestion du personnel de l'entreprise).

L'étude de ces fonctions sera reprise dans les chapitres 5, 6, 7, 8 et 9.

Les niveaux de gestion dans l'entreprise

Toute organisation, quelle que soit sa dimension, ne peut fonctionner sans une certaine structure hiérarchique formelle ou informelle composée de niveaux de direction ayant chacun son niveau d'autorité et de responsabilité. C'est la complexité et le développement des opérations de l'organisation qui commandent la mise en place ou la mise à jour de la structure hiérarchique et de ses niveaux de gestion.

Dans les lignes qui suivent nous verrons les différents niveaux de gestion en fonction de la dimension des entreprises.

LES NIVEAUX DE GESTION DANS L'ENTREPRISE ARTISANALE

L'entreprise artisanale décrite antérieurement est le type d'entreprise extrêmement rudimentaire où l'artisan est l'homme (ou femme) à tout faire. Il cumule toutes les fonctions dont celles de production et même de livraison, le cas échéant, ainsi que celles à caractère administratif en plus de celles de promotion et de vente. C'est le type d'entreprise le plus répandu qui soit. Cet homme est d'abord caractérisé par son désire d'être son propre patron, généralement peu communicateur et ne veut pas déléguer se sentant plus souvent qu'autrement incapable de diriger du personnel d'une façon continue, ce qui constitue dans la majorité des cas le frein à l'évolution de son entreprise.

Sa structure administrative est généralement inexistante n'ayant tout au plus que quelques employés exécutant des tâches qui n'exigent que peu ou pas de dextérité ni spécialité particulière. Pour toute autre tâche complémentaire spécifique non continue, il fait appel, lorsque nécessaire, à des spécialistes ou de la sous-traitance.

LES NIVEAUX DE GESTION DANS LA PETITE ET MOYENNE ENTREPRISE

Dans la petite entreprise, il y a généralement un seul niveau de gestion : le propriétaire administrateur et les exécutants qui sont en nombre limité soit, la plupart du temps, le comptable, le ou la secrétaire réceptionniste et les quelques vendeurs et ouvriers.

Au fur et à mesure que l'entreprise grandit, les charges administratives devenant trop nombreuses, le propriétaire se voit dans l'obligation de confier à des spécialistes des fonctions spécifiques. Ainsi, le propriétaire déléguera à un gérant des ventes, par exemple, toute la responsabilité de la vente des produits de l'entreprise et à un gérant de production toute la responsabilité de la fabrication de ces mêmes produits.

Pour les entreprises qualifiées de «moyenne», dont les dimensions varient grandement, il n'y a pas de guide formel pour déterminer les niveaux de gestion et le nombre de fonctions à créer. L'entreprise de taille moyenne est en soi une petite entreprise ayant atteint une dimension qui oblige par la force des choses l'addition de plusieurs spécialistes sans avoir plusieurs niveaux de gestion. Le problème à résoudre commande la structure de gestion à implanter avec les niveaux nécessaires.

LES NIVEAUX DE GESTION DANS LA GRANDE ENTREPRISE

Pour la grande entreprise, il y a une classification de base de niveaux de gestion autour de laquelle s'élabore la structure administrative. Elle possède généralement trois niveaux de gestion :

- La haute direction (Niveau supérieur) : cadres supérieurs
- La direction intermédiaire (Niveau intermédiaire) : cadres intermédiaires
- La direction de premier niveau (Niveau inférieur): cadres de premier niveau

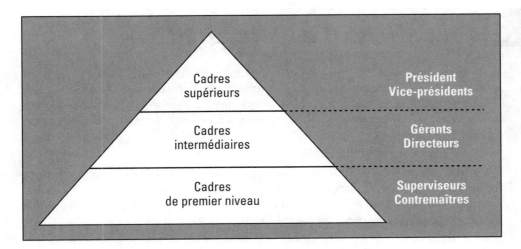

Figure

3.1

Niveaux de gestion dans la moyenne et la grande entreprise

1. LE NIVEAU DE LA HAUTE DIRECTION : LES CADRES SUPÉRIEURS

Les cadres supérieurs, comprenant le président et les vice-présidents, ont la responsabilité de prendre les grandes décisions sur le développement de l'entreprise et de coordonner toutes les activités et les opérations de l'organisation. De plus, ils doivent s'assurer que les membres travaillent harmonieusement et visent l'atteinte des objectifs de l'entreprise. Les principales fonctions des cadres supérieurs sont :

1) l'élaboration des objectifs et des plans à long terme ;
2) l'élaboration des projets importants pour la réalisation des objectifs ;
3) la conception et l'élaboration des stratégies nécessaires à l'atteinte des objectifs ;
4) la formulation de la politique générale de fonctionnement ;
5) l'élaboration des politiques de gestion des ressources humaines.

Bref, ils sont responsables de la destinée de l'entreprise.

2. LE NIVEAU INTERMÉDIAIRE : LES CADRES INTERMÉDIAIRES

Les cadres intermédiaires sont les directeurs ou gérants de services, de divisions ou d'usine. Ils coordonnent et supervisent le travail des cadres de premier niveau et relèvent d'un vice-président ou d'un directeur général adjoint. Il peut y avoir plus d'un niveau de cadres intermédiaires. Les cadres intermédiaires sont, de par leur position hiérarchique, responsables de l'opérationnalisation de la planification élaborée par la haute direction. C'est pourquoi leur rôle est différent de celui exercé par un cadre de la haute direction.

3. LE NIVEAU INFÉRIEUR : LES CADRES DE PREMIER NIVEAU

Les cadres de premier niveau supervisent le travail accompli par les employés et voient à la coordination de leurs activités. Ils doivent connaître l'aspect technique du travail de leurs subordonnés. Ces cadres peuvent porter le titre de chef de section, contremaître ou superviseur. La figure 3.1 illustre ces niveaux.

3.2 *Les théories de gestion*

Le développement économique des cent cinquante dernières années qui a vu la naissance de grandes entreprises confrontées au fil de leur évolution à des problèmes croissants d'efficacité et de rendement a amené plusieurs penseurs à se pencher sur cette question. Chacun d'eux a alors élaboré, selon sa perception du problème, sa propre théorie sur l'efficacité optimale de l'organisation du travail et de la main-d'œuvre impliquée.

Les grands auteurs de volume sur le management s'entendent pour regrouper ces théories sous différentes approches. Les principales approches que nous avons retenues sont : les approches classiques (rationnelles) et les approches centrées sur les relations humaines.

Les approches classiques (rationnelles)

Dans ces approches, nous retrouvons principalement *l'approche administrative, l'approche scientifique* et *l'approche par objectif.*

L'APPROCHE ADMINISTRATIVE

Henri Fayol (1841-1925) (*Administration industrielle et générale*), ingénieur de formation, a été le premier penseur de l'approche «business management» d'aujourd'hui basée sur le concept du processus de gestion (planification, organisation, direction et contrôle) que nous étudierons dans les pages qui suivent. Dans sa théorie il fait principalement intervenir, pour une plus grande efficacité, ses notions sur la division et la spécialisation du travail, l'équité, l'autorité et la responsabilité dans la tâche du gestionnaire ainsi que sur la décentralisation du commandement.

L'APPROCHE SCIENTIFIQUE

Frederick W. Taylor (1856-1915) (*Principles of Scientific Management*), aussi ingénieur de formation, a développé une approche à caractère plutôt scientifique du management basée principalement sur le développement de méthodes précises de travail à partir de l'étude de la tâche et de son rendement.

Frank Gilbreth (1868-1924) et Lillian son épouse, pour leur part, se sont penchés sur le délai d'exécution de tâches répétitives soit l'étude des temps et mouvements (time and motions study). De son côté, Henry L, Gantt (1861-1919) a principalement élaboré des procédures d'exécution et des systèmes de contrôle de tâches basés sur le principe de l'utilisation du graphique, connu sous le mon de «graphique de Gantt».

L'APPROCHE GESTION PAR OBJECTIF (GPO OU DPO)

Cette théorie a été élaborée en 1954 par Peter Drucker (1909-2005), consultant américain de grande renommée, dans son volume *The Practice of Management.* L'efficacité de sa théorie est fondamentalement basée sur la relation parfaite entre l'énoncé clair des différents objectifs de l'entreprise et chacune des décisions des gestionnaires prises à la lumière de leurs objectifs respectifs à atteindre. Cette théorie touche alors tous les éléments fonctionnels de l'entreprise reliés à l'atteinte des objectifs, qu'ils soient humains ou matériels.

Les approches centrées sur les relations humaines

Ces approches sont à l'opposé des approches classiques (rationnelles). Elles ont été conçues suite à des plaintes survenues au cours du développement d'entreprises à haut volume de production où les employés étaient traités comme des machines. Elton Mayo, Abraham Maslow, et Douglas McGregor, entre autres, en sont les principaux protagonistes.

L'APPROCHE D'ELTON MAYO

Dans l'approche d'Elton Mayo (1880-1949), les besoins tant psychologiques que sociologiques des employés deviennent le centre des préoccupations du gestionnaire dans la répartition des tâches et l'établissement des méthodes de travail qui sont associées aux besoins de l'entreprise. Cette association intégrée aux défis comprenant stimulants et incitatifs a alors donné des résultats nettement supérieurs aux attentes.

L'APPROCHE D'ABRAHAM MASLOW

Abraham Maslow (1808-1970) a pour sa part développé une approche particulière basée sur la constatation que les besoins de l'humain ne sont pas tous de même niveau. Dans sa théorie sur la motivation humaine, il a établi une hiérarchie dans la satisfaction des besoins (que nous allons voir dans les pages qui suivent). Cette hiérarchie compte cinq niveaux partant des besoins physiologiques élémentaires pour aller jusqu'aux besoins les plus ultimes, soit ceux d'autoréalisation en passant auparavant par les besoins de sécurité, d'appartenance et d'estime de soi.

Cette hiérarchisation des besoins, si proprement intégrée à la description et aux objectifs reliés à l'exécution de la tâche, permet en bout de ligne, selon Maslow, à chacun des employés de développer son plein potentiel suite à la pleine satisfaction des besoins en cause et à la réalisation de ses objectifs et ceux de l'entreprise.

L'APPROCHE DE DOUGLAS MCGREGOR

Suite à des mouvements d'opinions émises dans le passé par bon nombre de dirigeants de grandes entreprises considérant que l'ouvrier est fondamentalement paresseux, Douglas McGregor (1906-1964), ne partageant pas cette vision, a élaboré sa propre théorie dans laquelle il a mis en opposition à la sienne la théorie et les opinions de ces dirigeants sous le titre *Théorie X et Y*.

Dans sa théorie X, il reprend ces opinions sur l'ouvrier considéré paresseux, comme étant un individu sans ambition, n'aimant pas les responsabilités, n'aimant pas recevoir des ordres, recherchant la sécurité, aimant se faire conduire, n'étant pas intelligent et n'aimant pas le changement, pour ne citer que ces éléments.

Dans sa théorie Y, il contredit cette perception et prouve effectivement que l'humain est au contraire un être vaillant, qui accepte les responsabilités, qui est ambitieux et qui aime relever des défis. Selon lui, la reconnaissance par les gestionnaires de sa théorie Y, conjuguée à la mise sur pied d'une organisation centrée sur la considération de l'employé, à de bonnes conditions de travail et au développement de la motivation, amènera la productivité de ce dernier à des niveaux dépassant les espérances des dirigeants. Cette vision moderne continue encore aujourd'hui d'avoir un impact majeur sur la performance de nos entreprises.

3.3 *Le processus de gestion*

La gestion d'une organisation, quelle qu'elle soit, ne peut être laissée au bon vouloir ou aux façons de faire d'une ou d'un groupe de personnes qui peut être non ou mal préparée à cette tâche. Pour être efficace, la gestion doit s'exécuter selon une logique et un processus précis par des personnes ayant reçu un mandat formel ou informel à cette fin. Ce processus s'appelle: processus de gestion.

Définition

On définit généralement le processus de gestion comme étant l'exécution, selon une suite logique et ordonnée, de diverses fonctions administratives dans le cadre de la réalisation de la mission de l'organisation.

Les fonctions du processus de gestion

Tout gestionnaire, quel que soit son niveau hiérarchique, doit, à un certain moment ou d'un certaine façon, diriger des personnes en plus de gérer des ressources matérielles et techniques. Dans l'exécution de ses tâches, il aura prioritairement à:

- planifier: établir des objectifs et élaborer les moyens pour les atteindre;
- organiser: déterminer et regrouper les tâches complémentaires sous une même unité de fonctionnement;
- diriger: émettre des directives claires aux subordonnés et développer la motivation, la communication et la coopération;
- contrôler: vérifier si les activités sont (ou ont été) exécutées correctement et si les objectifs ont été atteints.

Ce processus appelé PODC est constitué de deux phases distinctes:

- la phase organisationnelle qui comprend: la Planification et l'Organisation
- la phase opérationnelle qui comprend: la Direction et le Contrôle

Dans la phase organisationnelle la Planification et l'Organisation mettent place les éléments nécessaires à l'exécution des fonctions de Direction et de Contrôle dans la phase opérationnelle. La figure 3.2 illustre la dynamique de ce processus.

LA PLANIFICATION

La planification est la première fonction du processus de gestion. On y détermine les différents objectifs et les différents moyens pour les atteindre en fonction de la mission de l'entreprise ou celles de ses unités opérationnelles.

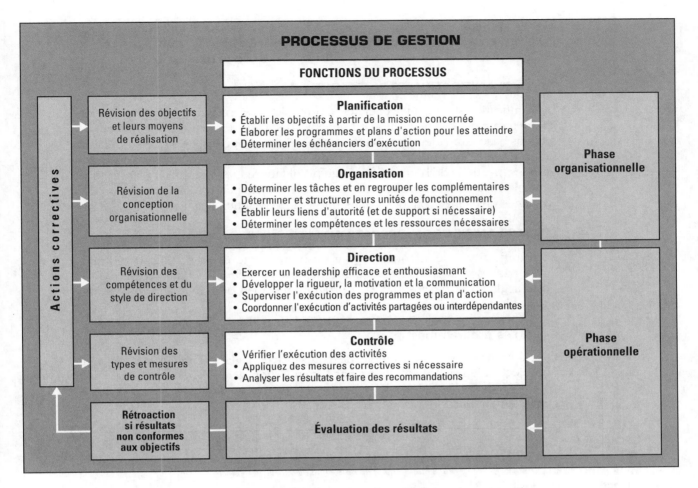

PROCESSUS DE GESTION

FONCTIONS DU PROCESSUS

Actions correctives

Révision des objectifs et leurs moyens de réalisation	**Planification** • Établir les objectifs à partir de la mission concernée • Élaborer les programmes et plans d'action pour les atteindre • Déterminer les échéanciers d'exécution
Révision de la conception organisationnelle	**Organisation** • Déterminer les tâches et en regrouper les complémentaires • Déterminer et structurer leurs unités de fonctionnement • Établir leurs liens d'autorité (et de support si nécessaire) • Déterminer les compétences et les ressources nécessaires
Révision des compétences et du style de direction	**Direction** • Exercer un leadership efficace et enthousiasmant • Développer la rigueur, la motivation et la communication • Superviser l'exécution des programmes et plan d'action • Coordonner l'exécution d'activités partagées ou interdépendantes
Révision des types et mesures de contrôle	**Contrôle** • Vérifier l'exécution des activités • Appliquez des mesures correctives si nécessaire • Analyser les résultats et faire des recommandations
Rétroaction si résultats non conformes aux objectifs	**Évaluation des résultats**

Phase organisationnelle

Phase opérationnelle

Figure
3.2

Illustration de la dynamique du processus de gestion

Par exemple, une entreprise établira comme objectif l'augmentation de son volume de ventes de 5 % pour la prochaine année ou encore la réduction de ses coûts de fabrication de 10 % en deux ans. Voilà deux types d'objectifs à caractère permanent dans les entreprises.

Une fois l'objectif fixé et exprimé clairement, le processus de planification doit être mis en marche. Planifier, c'est décider maintenant :

- de l'action à entreprendre pour atteindre l'objectif fixé ;
- des moyens à utiliser pour réaliser l'action ;
- du temps et des étapes nécessaires pour réaliser l'action, de la date de son lancement et de sa fin ;
- du lieu de réalisation de l'action, si c'est pertinent.

Il y a trois types de planification : la *planification à long terme,* la *planification stratégique* et la *planification opérationnelle.*

1. LES TYPES DE PLANIFICATION

■ LA PLANIFICATION À LONG TERME

La planification à long terme, élaborée par le conseil d'administration, est composée d'énoncés relatifs aux objectifs qui découlent de la mission de l'entreprise qu'elle désire atteindre au bout d'une période habituellement de cinq ans. Ces objectifs porteront principalement sur le chiffre d'affaires à atteindre ainsi que sur la valeur de l'avoir des propriétaires au bout de cette période. La mise en œuvre de cette planification est confiée à la haute direction de l'entreprise.

■ LA PLANIFICATION STRATÉGIQUE

La planification stratégique générale est l'outil de mise en œuvre de la planification à long terme pour la réalisation de ses objectifs. Elle a trait au développement de moyens basés sur l'identification des ressources appropriées ainsi que sur l'élaboration de différents programmes et plans d'action spécifiques pour chacune des grandes fonctions de l'entreprise. Toutefois, il faut se rappeler que la planification stratégique de la fonction marketing, étant la principale, dictera l'élaboration des stratégies des autres fonctions dans une vision de synergie.

■ LA PLANIFICATION OPÉRATIONNELLE

La planification opérationnelle est la mise en œuvre de la planification stratégique par les cadres intermédiaires et les cadres inférieurs. Elle comprend un objectif global et un ensemble de programmes bien coordonnés ayant chacun leurs objectifs spécifiques.

● Les programmes

Le programme est un ensemble de plans d'action élaboré en vue d'atteindre un objectif bien défini établi soit par l'organisation générale, soit par une unité administrative. Un budget de dépenses lui est nécessairement alloué et il est généralement encadré par des plans formels.

Figure
3.3

Exemple d'un plan d'action

Plan d'action (6)		
Titre :	*Perfectionnement du personnel de vente*	
Programme :	*Optimisation du rendement des ressources humaines*	
Objectif :	Énoncé : *Optimiser les efforts d'atteinte des objectifs de vente*	
	Quantification : *Augmenter les ventes de 10% en 2006*	
Calendrier :	Début : *1er novembre 2005* Fin : *15 décembre 2005*	
Horaire :	*Vendredi 13h30 à 16h30*	
Activité :	*Formation de groupe en technique de vente*	Début Fin
	• *Séminaire sur la motivation*	*1/11/2005 14/11/2005*
	• *Cours en techniques de vente*	*15/11/2005 29/11/2005*
	• *Formation sur mesure en informatique*	*30/11/2005 15/12/2005*
Ressources humaines :	• *Spécialiste en motivation*	
	• *Spécialiste en techniques de vente*	
	• *Spécialiste en informatique*	
Ressources matérielles :	• *Local de conférence pour 20 personnes*	
	• *Laboratoire informatique pour 20 personnes*	
	• *Rétroprojecteur et matériel didactique*	
Budget :	• *Ressources humaines :*	*25 000 $*
	• *Ressources matérielles :*	*2 000 $*
	• *Autres :*	*—*
	Total :	*27 000 $*
Unité administrative :	*Département des ressources humaines*	
Responsable :	*Jacques Lebrun (vice-président)*	

LE PLAN D'ACTION

Le plan d'action est un document complet qui comprend un objectif précis à atteindre, des activités spécifiques à réaliser, un échéancier à suivre, une description des types de ressources humaines et matérielles nécessaires à la réalisation des activités ainsi qu'un budget. La figure 3.3 montre un exemple d'un plan d'action dans un programme d'optimisation du rendement du personnel de vente dans un département de marketing.

2. PLANS FORMELS (OUTILS DE LA PLANIFICATION)

L'entreprise, de façon à uniformiser et à rendre plus facile la prise de décisions relatives à ses activités routinières prévues dans la planification opérationnelle, élabore des plans formels, c'est-à-dire des plans de gestion à caractère permanent qui servent d'outils et de guides autant à l'exécution d'une tâche qu'à la prise de décisions. Ce sont : les *politiques*, les *procédures*, les *méthodes*, les *règlements*, les *normes*, les *budgets*.

◼ LES POLITIQUES

Les politiques sont des énoncés de grande portée émanant de la haute direction qui guident la prise de décisions. Les politiques déterminent les limites du pouvoir de décision d'un cadre. Les politiques d'embauche, de crédit et d'achat en sont des exemples.

◼ LES PROCÉDURES

Les procédures sont des plans qui décrivent d'une façon précise les étapes à suivre dans l'accomplissement d'une tâche donnée. Les procédures de demande de soumission ou d'achat d'équipement en sont deux exemples.

◼ LES MÉTHODES

Les méthodes sont des plans qui décrivent en détail les façons de faire dans l'exécution d'une tâche. Par exemple, le calcul des inventaires, en fin de période financière, se fait selon une méthode précise.

◼ LES RÈGLEMENTS

Les règlements sont des directives qui limitent l'étendue de la prise de décisions des gestionnaires et la liberté d'action des employés dans l'exécution de leurs fonctions. Le règlement «Défense d'utiliser les équipements de l'entreprise à des fins personnelles» en est un bel exemple. Le non respect d'un règlement est généralement suivi de sanctions.

◼ LES NORMES

Les normes sont des éléments de référence servant à mesurer des performances sur le plan de la productivité et de l'efficacité au travail. Pouvoir dactylographier 100 mots à la minute en est un exemple.

◼ LES BUDGETS

Les budgets sont des plans qui quantifient en dollars des objectifs à atteindre. Dans une entreprise, toute unité administrative doit opérer à partir d'un budget. La prise de décisions sur une dépense à encourir se fait donc en regard de sa prévision au budget préalablement approuvé.

L'ORGANISATION

La fonction organisation, consiste à mettre en place une structure opérationnelle formelle ou informelle pour encadrer efficacement les différentes activités pour la réalisation des objectifs des planifications stratégiques spécifiques. Il s'agit ainsi de :

- déterminer les tâches et les postes à créer en fonction des activités à accomplir;
- déterminer les compétences nécessaires à la réalisation des activités à accomplir;
- regrouper sous une même autorité les tâches visant le même objectif;
- décider des unités d'activités à créer (division, département, service etc.);
- décider des différents postes de supervision et de conseil à créer;
- déterminer les types de ressources techniques et matérielles nécessaires à la réalisation des activités.

1. L'ORGANISATION SELON LA TAILLE DE L'ENTREPRISE

■ L'ORGANISATION DANS LA PETITE ENTREPRISE

L'organisation structurée d'une entreprise devient nécessaire lorsque des activités spécifiques commencent à prendre une importance telle qu'elle nécessite une supervision régulière. Dans la petite entreprise, la structure opérationnelle est simple, le propriétaire supervise et prend seul les décisions. La figure 3.4 en est un exemple.

Figure
3.4

Structure organisationnelle d'une petite entreprise

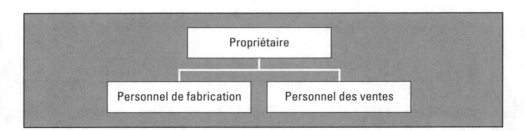

Figure
3.5

Structure organisationnelle d'une petite entreprise plus développée

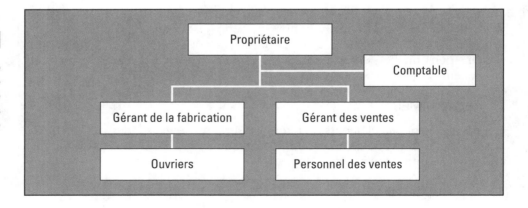

L'évolution de l'entreprise rend rapidement la structure en place inadéquate et commande l'évolution de la structure opérationnelle. Il n'y a pas de structure prédéterminée. La solution au problème de croissance commande l'amélioration de la structure actuelle ou ultérieurement une nouvelle structure.

■ L'ORGANISATION DANS LA MOYENNE ET DANS LA GRANDE ENTREPRISE

Le développement de la structure opérationnelle dans la moyenne et la grande entreprise, contrairement à la petite entreprise, sera fondamentalement basé sur le regroupement des différentes activités à caractère homogène. Cet exercice amène la création de départements (départementalisation). Ainsi, par exemple, toutes les activités relatives à la commercialisation des produits seront réunies au sein du département de mise en marché (marketing).

Il peut arriver que les caractéristiques de fonctionnement de l'entreprise exigent, pour plus d'efficacité, une structure complémentaire basée sur d'autres considérations telles que :

- la *localisation* pour une entreprise à plusieurs succursales ;
- le *produit* pour une entreprise qui fabrique des produits très différents (ex. Bombardier) ;
- la *clientèle* pour une entreprise qui a plusieurs types de clientèle ;
- les *activités de fabrication* telles que l'usine de fabrication de pièces, l'usine d'assemblage, l'usine de peinture, etc.

2. L'ORGANIGRAMME : L'OUTIL DE BASE DE L'ORGANISATION

L'organigramme, qui est une représentation graphique des différentes tâches et activités d'une entreprise, est l'outil premier de l'organisation. Il expose sa structure fonctionnelle en y démontrant les différentes unités administratives et les liens opérationnelles entre elles. La figure 3.6 en est un exemple.

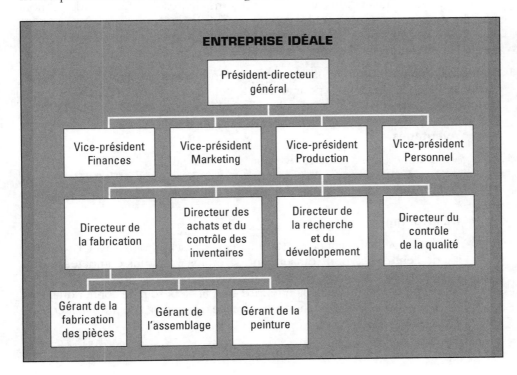

Figure
3.6

Organigramme partiel d'une entreprise de fabrication

Généralement, il a une forme pyramidale, la haute direction étant au haut de la structure. En complément, un manuel de description de tâches accompagne l'organigramme et décrit en détail les tâches de chacun des postes et leurs liens dans l'organigramme.

3. LES PRINCIPES DIRECTEURS D'UNE STRUCTURE OPÉRATIONNELLE EFFICACE

Une structure opérationnelle efficace s'élabore à partir de principes élémentaires fondamentaux. Il y a :

- l'établissement d'objectifs comprenant des sous-objectifs clairs ;
- l'établissement de niveaux hiérarchiques de gestion ;
- la description de tâches bien définies pour chaque poste ;
- des liens de communication bien définis entre chaque poste ;
- une conception permettant facilement sa modification pour l'adapter à l'évolution de l'entreprise.

4. LES TYPES DE STRUCTURES OPÉRATIONNELLES

L'entreprise, pour assurer une efficacité maximale de son personnel, doit fonctionner dans un cadre organisationnel approprié qui permet la réalisation de sa mission et de ses objectifs avec la plus grande efficacité.

Il y a quatre types de structures opérationnelles généralement utilisés : la *structure de commandement*, la *structure de commandement et conseil*, la *structure de commandement fonctionnel* et la *structure matricielle (gestion de projets)*.

■ LA STRUCTURE DE COMMANDEMENT

Cette structure constitue le squelette de base de l'évolution d'une organisation. C'est une structure où il y a une chaîne de commandement de l'autorité qui descend en ligne directe, du plus haut palier de direction jusqu'au palier le plus bas en passant à travers tous les niveaux intermédiaires et inférieurs de gestion. Chaque employé n'a qu'un seul supérieur immédiat et il n'y a aucun spécialiste qui donne des avis ou conseils ni même des directives aux employés exécutant les activités. La figure 3.7 en est un exemple.

Cette structure se rencontre seulement dans les entreprises peu complexes qui n'ont pas de personnel «spécialiste» pour assister le personnel de gestionnaires. Bien que cette structure ne soit pas parfaite ; elle a ses avantages et ses désavantages.

● Avantages

- Chaque employé ne relève que d'un seul supérieur.
- Les décisions sont plus facilement et rapidement transmises.
- L'autorité et les responsabilités sont clairement définies.

● Désavantages

- La charge de travail des gestionnaires devient complexe avec l'évolution de l'entreprise et ils deviennent de moins en moins compétents dans plusieurs domaines.
- Au fur et à mesure que l'entreprise grandit, le besoin de confier du travail à des spécialistes devient nécessaire, ce qui rend la structure inadéquate.

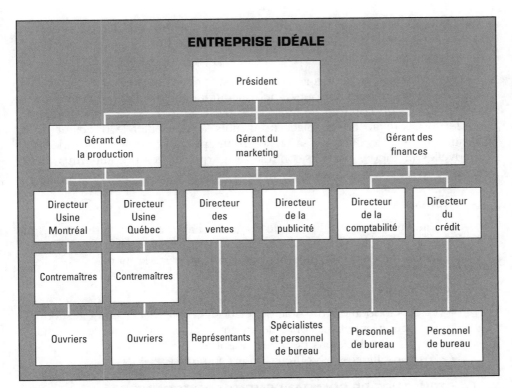

Figure
3.7

Structure de commandement

LA STRUCTURE DE COMMANDEMENT ET CONSEIL

Cette structure est la plus utilisée dans les entreprises à une seule usine sans bureaux régionaux. Le personnel est divisé en deux catégories. Il y a :

- le personnel gestionnaire affecté aux activités reliées directement à la réalisation de la mission de l'entreprise. Il se situe dans la structure de commandement et on l'appelle le personnel «*opérationnel*»;

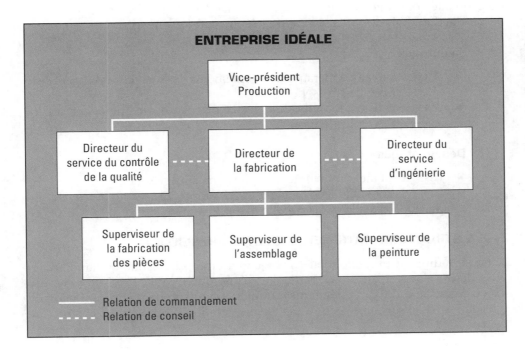

Figure
3.8

Structure de commandement et de conseil

- le personnel affecté aux activités de soutien ou de conseil (spécialiste) au personnel de la structure de commandement. On l'appelle le personnel *«conseil»*. La figure 3.8 en est un exemple.

Dans cette structure, le personnel conseil a pour rôle d'assister ou de conseiller, soit un des gestionnaires du personnel opérationnel, soit un de ses employés. Ainsi, le service du contrôle de la qualité, par exemple, où le responsable du contrôle de la qualité est en place pour aider et conseiller le directeur de la fabrication dans l'exécution de sa tâche en lui apportant de nouvelles idées ou de nouvelles méthodes pour le contrôle de la qualité des produits finis. Cette structure a aussi ses avantages et désavantages.

- **Avantages**

  - L'addition de spécialistes aide les gestionnaires à mieux faire leur travail, plus particulièrement dans la prise de décisions.
  - La chaîne de commandement de l'autorité reste la même.

- **Désavantages**

  - Le développement possible de relations conflictuelles entre gestionnaires opérationnels et conseillers peut affecter l'efficacité de la gestion.
  - La prise de décisions peut être ralentie.
  - Les conseillers sont coûteux pour l'entreprise.

LA STRUCTURE DE COMMANDEMENT FONCTIONNEL

Cette structure n'est utilisée dans toute son ampleur que dans les entreprises à plusieurs usines ou unités de production et bureaux régionaux. Les gestionnaires des fonctions conseils se font donner des pouvoirs de commandement aux fonctions opérationnelles lorsque leur champ de compétences est impliqué dans leurs opérations. Ainsi, une entreprise qui possède plusieurs usines ou unités de production déléguera au directeur du service du contrôle de la qualité l'autorité de donner des directives au gérant d'usines ou d'unités de production pour s'assurer de la qualité constante et uniforme des produits dans toutes les usines ou unités de production de l'entreprise. La figure 3.9 en est un exemple.

- **Avantages**

  - Les gestionnaires opérationnels sont libérés de cette tâche de spécialiste que le conseiller possède.
  - Les spécialistes conseils sont mieux placés pour commander sur les sujets qui sont les leurs.

- **Désavantages**

  - Les exécutants ont maintenant plusieurs superviseurs.
  - Des relations difficiles peuvent se développer à la suite de cette complication dans la structure elle-même.

LA STRUCTURE MATRICIELLE (GESTION DE PROJET)

Cette structure est exceptionnelle. Lorsqu'une entreprise d'une certaine envergure désire élaborer un projet particulier d'une durée limitée qui ne peut être exécuté dans le cadre des opérations routinières et qui requiert la contribution de plusieurs spécialistes, la structure matricielle (gestion de projet) est la structure

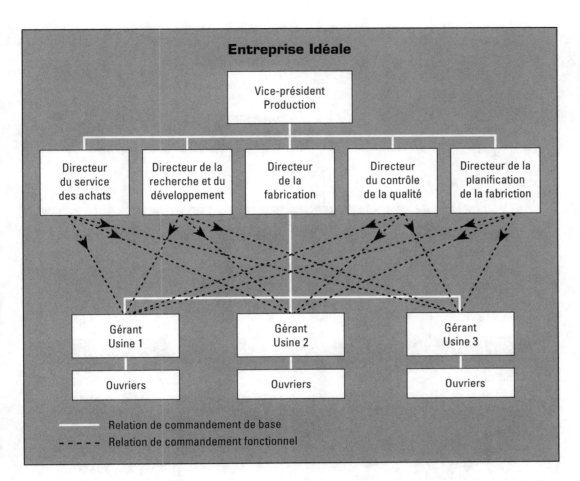

Figure
3.9

Structure de commandement fonctionnel

toute trouvée. C'est une structure où les unités sont des groupes de travail dont les relations fonctionnent d'une façon symétrique, soit verticalement et horizontalement.

Dans cette structure, les exécutants ont deux superviseurs dont un, verticalement, dans une relation d'autorité fonctionnelle et un autre, horizontalement, dans une relation de coordination des différentes unités composantes (groupes de travail). Ce dernier devra répondre de son mandat au coordonnateur du projet.

Ainsi, par exemple, une entreprise qui désire revoir en profondeur tout le marketing de ses produits mettra sur pied une structure matricielle pour la durée du projet. La figure 3.10 illustre bien cette situation. Le directeur exercera donc un commandement fonctionnel alors que le chef de produit qui assumera la coordination horizontalement entre les groupes de travail répondra de son mandat au coordonnateur du projet.

Cette structure est aussi utilisée dans les projets de construction de tout genre qui nécessitent l'apport de connaissances particulières de spécialistes. Qu'il s'agisse de la construction d'un navire, d'un hôpital, d'un complexe immobilier ou même d'un projet d'élaboration, d'érection, d'installation d'aménagements d'équipements et de facilités multiples pour la tenue de jeux olympiques par exemple.

Figure
3.10

Structure matricielle (gestion de projet)

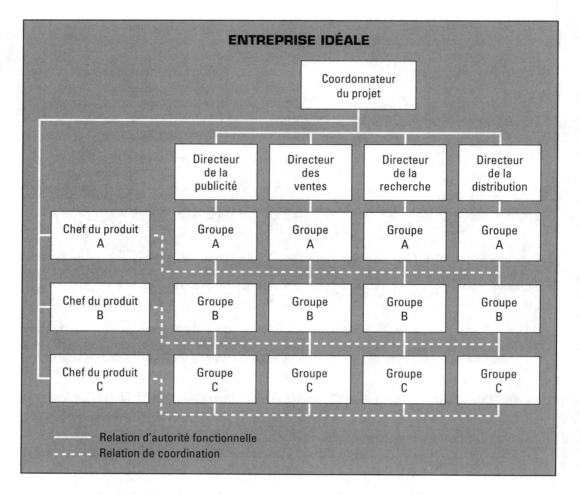

ENTREPRISE IDÉALE

Coordonnateur du projet

Directeur de la publicité — Directeur des ventes — Directeur de la recherche — Directeur de la distribution

Chef du produit A — Groupe A — Groupe A — Groupe A — Groupe A

Chef du produit B — Groupe B — Groupe B — Groupe B — Groupe B

Chef du produit C — Groupe C — Groupe C — Groupe C — Groupe C

——— Relation d'autorité fonctionnelle
- - - - Relation de coordination

5. CENTRALISATION ET DÉCENTRALISATION DE L'AUTORITÉ

Un gestionnaire, de par sa fonction, doit prendre des décisions et, par ce fait même, doit commander à ses subordonnés pour atteindre les objectifs qui lui ont été assignés. Cette assignation d'objectifs est nécessairement accompagnée du pouvoir délégué qu'est l'autorité, laquelle rend du même coup le commandement à des subalternes légitime.

En parallèle, on ne peut parler d'autorité sans y associer la responsabilité. La responsabilité est l'obligation, pour chaque employé, (gestionnaire ou exécutant) d'accomplir une tâche assignée au meilleur de ses habiletés. Plus le niveau de gestion est élevé, plus le niveau de responsabilité est élevé, à cause de l'importance des décisions qui affectent les opérations des niveaux de gestion inférieurs. Enfin, il faut ajouter que tout gestionnaire est obligatoirement redevable à son supérieur des résultats de sa gestion pour fin de contrôle, d'une part, et d'évaluation, d'autre part.

Le degré de délégation de l'autorité, commandée par la répartition des objectifs relatifs aux différentes tâches à exécuter à travers les niveaux de gestion, demeure une stratégie de gestion propre à chaque entreprise. Si la délégation de l'autorité se concentre uniquement au niveau de la haute direction de l'entreprise, on dira que la gestion est centralisée. Par contre, si la délégation de l'autorité est répartie à travers tous les niveaux de gestion, on aura alors une gestion dite décentralisée.

Ces deux approches ont chacune leurs avantages et leurs inconvénients. La petite ou moyenne entreprise essaiera de décentraliser le moins possible sa prise de décisions, alors que la grande entreprise, qui avait tendance à décentraliser le plus possible, les projets la justifiant, tend maintenant à centraliser de plus en plus, l'expansion n'y étant plus, les projets ayant disparu, la concurrence étant plus forte et l'automatisation étant devenue omniprésente dans la fabrication.

Jusqu'à quel degré devons-nous décentraliser? Le degré de décentralisation repose sur trois éléments. Ce sont:

- l'efficacité maximale avec le minimum de gestionnaires;
- la complexité des opérations de l'entreprise;
- la rentabilité.

6. L'IMPARTITION

Suite au développement des technologies de l'information, les entreprises d'aujourd'hui se voient de plus en plus, dans le développement stratégique de leur croissance, devant la nécessité de confier la gestion de certaines de leurs activités de traitement de données et le développement de logiciels à des firmes qui ont développé des expertises dans ces technologies. C'est ce qu'on appelle faire appel à l'impartition.

Cette façon de faire a pour but, en ces moments de croissance, d'optimiser la productivité de ces activités en développement tout en réalisant des économies de main-d'œuvre et en permettant du même coup de simplifier la structure administrative. Le service de la paie en est un bel exemple très fréquent.

7. LA DÉPARTEMENTALISATION

La départementalisation est le regroupement, sous une même autorité, de toutes les activités complémentaires homogènes orientées vers l'atteinte du même objectif.

Ainsi, dans le département du marketing, on retrouvera toutes les activités relatives à l'acheminement et à la vente des produits ou services aux consommateurs. Selon le type d'industrie, l'envergure de l'entreprise et, dans certains cas, la stratégie de mise en marché, la départementalisation différera d'une entreprise à l'autre. Il n'y a pas de «recettes» toutes faites de départementalisation pour toutes les entreprises. C'est une élaboration cas par cas, selon la situation.

En regard de ces considérations, il y a plusieurs façons de regrouper les activités homogènes dans une entreprise. D'une façon générale, on peut départementaliser: par *fonction*, par *procédé de fabrication*, par *types d'activités*, par *produit*, par *région* et par *client*.

L'organigramme de la figure 3.11 expose un type de départementalisation où vous retrouverez les six façons de départementaliser. Cet organigramme pourrait être celui d'une grande entreprise nationale à haut volume d'affaires et à multiples produits.

Quand faut-il créer une unité administrative (département-service)? Il faut créer une unité administrative lorsque la structure actuelle n'est plus adéquate, c'est-à-dire qu'elle est devenue source de problèmes, d'inefficacité alors que la rentabilité est affectée sans possibilité d'amélioration à même la structure actuelle. Cette situation survient avec la croissance de l'entreprise.

Figure
3.11

Types de départementa-lisation

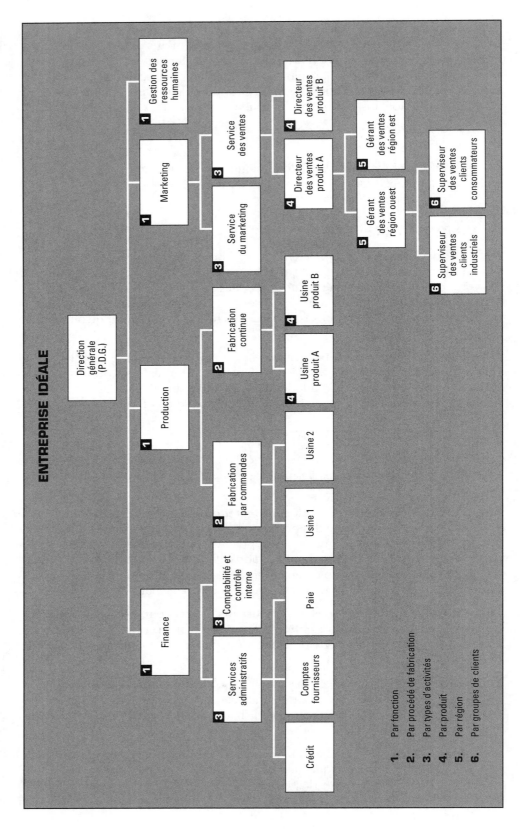

■ LA DÉPARTEMENTALISATION PAR FONCTION (1)

La départementalisation par fonction est la première à être utilisée. Elle se retrouve au niveau de la haute direction qui regroupe sous une seule autorité, généralement un vice-président, toutes les fonctions à caractère homogène : finance, production, marketing et gestion des ressources humaines.

■ LA DÉPARTEMENTALISATION PAR PROCÉDÉ DE FABRICATION (2)

La départementalisation par procédé de fabrication est utilisée lorsque l'entreprise a plus d'un procédé de fabrication. Ainsi, une entreprise de fabrication de portes et fenêtres peut avoir deux usines : une pour la fabrication à la chaîne avec des produits standard et une autre pour les commandes spécialisées (non standard), généralement exécutées à l'unité (à la main).

■ LA DÉPARTEMENTALISATION PAR TYPES D'ACTIVITÉS (3)

La départementalisation par types d'activités est utilisée comme structure de regroupement d'activités à caractère opérationnel et relativement homogènes. Ainsi, pour exemple, on regroupera sous la structure «services administratifs» la routine administrative autre que les opérations comptables qui seront regroupées sous la structure «comptabilité et contrôle interne».

■ LA DÉPARTEMENTALISATION PAR PRODUIT (4)

La départementalisation par produit se retrouve au niveau de la fabrication ou de la gestion des ventes ou des deux à la fois. Cette structure est rendue nécessaire lorsque le volume des ventes ou de fabrication d'un produit est si élevé qu'il justifie cette division par rapport aux autres produits de l'entreprise.

■ LA DÉPARTEMENTALISATION PAR RÉGION (5)

La départementalisation par région est rendue nécessaire lorsque l'entreprise vend ses produits d'une façon intensive dans plusieurs régions du pays ou d'une province. On retrouve cette départementalisation surtout au niveau des ventes, très peu au niveau de la fabrication si ce n'est pour les très grandes entreprises à plusieurs usines telles que celles de l'automobile ou du raffinage du pétrole.

■ LA DÉPARTEMENTALISATION PAR CLIENT (6)

La départementalisation par client est utilisée au niveau des ventes lorsque l'entreprise vend intensivement sur un grand territoire à différents types de clients. C'est le cas des entreprises reliées à l'alimentation par exemple. Les clients industriels sont les acheteurs en très grande quantité (hôtels, hôpitaux, etc.) alors que les clients «consommateurs» sont les supermarchés.

LA DIRECTION

La direction, quel qu'en soit le niveau, est une tâche complexe bien que routinière. Pour un gestionnaire elle consiste principalement à :

- mettre en œuvre les programmes et plans d'action, élaborés par lui-même ou par une unité administrative de niveau supérieur;
- superviser le déroulement des différents programmes et plans d'actions selon un plan de coordination formel ou informel dont le but est d'optimiser le facteur temps et d'harmoniser l'utilisation des ressources humaines et matérielles;

- assurer la réalisation des objectifs des programmes et plans d'action ainsi que voir au bon rendement et comportement de ses employés;
- régler les problèmes imprévus des activités routinières.

Diriger un groupe d'employés n'est pas chose facile. Il y a toutefois trois règles élémentaires à suivre pour assurer direction efficace. Ces règles portent sur:

- l'énoncé de directives claires et précises;
- la nécessité qu'un subordonné ne réponde qu'à un seul supérieur;
- la nécessité que les directives soient transmises avec tact;

1. LES SUPPORTS À UNE BONNE DIRECTION

Pour avoir du succès dans sa tâche de direction, le dirigeant doit se préoccuper de la *motivation* de ses employés, développer un *leadership* efficace et enthousiasmant ainsi que favoriser la *communication* bidirectionnelle et constructive avec eux.

■ LA MOTIVATION

Une des responsabilités du gestionnaire est celle de développer la motivation au travail de ses employés. La motivation est le désir chez l'employé de travailler le plus efficacement possible pour rencontrer les objectifs qui lui ont été fixés dans l'exécution de sa tâche. La motivation réside dans la satisfaction des ses besoins. Les besoins des employés sont divers et n'ont pas tous la même importance.

À cet effet, la théorie développée par Abraham Maslow sur la hiérarchie des besoins chez l'homme au travail porte sur deux catégories de besoins: les besoins primaires et les besoins secondaires:

- les besoins primaires:
  - les besoins *physiologiques* sont les besoins fondamentaux tels que manger, se vêtir, s'abriter et se véhiculer.
  - les besoins de *sécurité* sont les besoins relatifs à la sécurité de travail, de protection contre la maladie et de sécurité financière particulièrement à la retraite.

- les besoins secondaires:
  - Les besoins *sociaux* sont les besoins relatifs à l'appartenance et surtout à l'acceptation par la communauté de l'entreprise en tant que membre responsable et efficace.
  - Les besoins *d'estime de soi* sont relatifs à la reconnaissance et l'appréciation par la direction de l'apport de l'employé au bon climat de travail, à son bon comportement et à son rendement au travail.
  - Les besoins *d'auto réalisation* sont relatifs au désir de l'employé de mettre à profit son potentiel comme étant capable de réalisations à la hauteur de ses habiletés, ses compétences et ses intérêts. L'entreprise doit chercher à reconnaître dans chaque employé le potentiel dormant pour en retirer le meilleur autant pour elle-même que pour l'employé lui-même.

Il est alors important pour le gestionnaire de connaître les besoins de ses employés pour mettre en place des conditions de travail correspondant le plus possible aux exigences de satisfaction de leurs besoins dans un cadre opérationnel favorisant leur efficacité et leur rendement. Bien qu'une rémunération appropriée

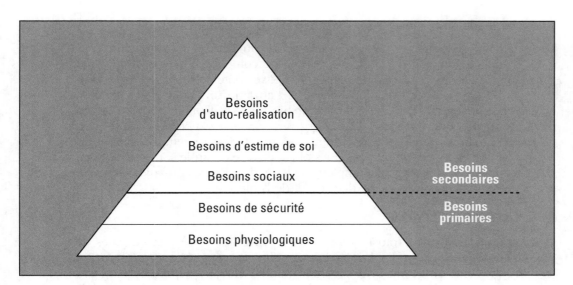

Figure
3.12

Échelle des besoins selon Abraham Maslow

soit l'élément de base à la satisfaction de besoins primaires, d'autres mesures complémentaires adaptées au type d'emploi avec ses responsabilités sont nécessaires pour satisfaire les besoins secondaires. La figure 3.12 illustre la hiérarchie des besoins selon Maslow.

■ LE LEADERSHIP

Le leadership est l'habileté naturelle ou développée d'un dirigeant à influencer et motiver ses subordonnés de façon à les amener à travailler avec enthousiasme le plus efficacement possible. Le leadership est nécessaire à la survie et au succès de toute entreprise. L'efficacité de la gestion d'une organisation repose sur le dynamisme de ses gestionnaires exprimé par leur leadership dans leur gestion. Cette efficacité se mesure par les résultats obtenus au regard des objectifs préalablement fixés et dépend dans une très grande mesure des styles de leadership exercé.

Il y a trois styles de leadership : le *leadership autocratique*, le *leadership démocratique* et le *leadership «laisser-faire»*.

● Le leadership démocratique (direction participative)

Le leadership démocratique est le leadership où le directeur utilise dans sa gestion une approche plus humaine de façon à amener ses subordonnés à travailler le plus efficacement possible dans l'atteinte des objectifs fixés. Ainsi les consultera-t-il avant de prendre une décision qui les concerne et procédera-t-il à une évaluation de leur rendement dans le but de leur permettre de s'améliorer. Ce type de leadership, lorsque pratiqué dans les organisations dynamiques où l'employé est considéré presque comme un partenaire, donne naissance à un climat de travail enthousiasmant générant alors une productivité dépassant très souvent les attentes des dirigeants.

● Le leadership autocratique (direction à caractère dictatorial)

Le leadership autocratique est le leadership où le directeur utilise la peur et les menaces en plus d'afficher une attitude de dictateur pour forcer ses subordonnés à travailler dur. L'employé est considéré presque comme un esclave. Il n'est jamais consulté et ne reçoit aucune considération.

● **Le leadership «laisser-faire» (absence de direction)**

Le leadership «laisser-faire» se situe à l'opposé du leadership autocratique. Il s'agit d'une situation où il y a absence totale de commandement de la part du directeur. Ce dernier n'exerce aucune autorité et se contente de laisser ses subordonnés prendre les décisions à sa place; il s'attribue un statut de consultant. Dans l'entreprise privée, ce type de leadership ne se rencontre que de plus en plus rarement et que dans les grandes organisations sur-structurées qui sont en train de se rationaliser. On le rencontre encore, et c'est regrettable, dans trop d'organisations gouvernementales où les objectifs et le contrôle sont souvent mal ou pas du tout définis. Devant l'ampleur de leurs déficits, ces organisations sont maintenant à l'heure de la rationalisation et de l'efficacité.

■ LA COMMUNICATION

La communication est la transmission entre le dirigeant et ses subordonnés de directives, de messages et d'opinions dans le cours des activités exécutées par les subordonnés et le dirigeant. Cette communication se fait, au départ, du dirigeant vers ses subordonnés par l'émission de directives qui, comme nous l'avons déjà mentionné précédemment, doivent être claires et précises. Dans l'exercice d'un leadership démocratique, la communication ira aussi des subordonnés vers le dirigeant, se concrétisant par des avis, commentaires, opinions, critiques positives ou suggestions sur l'exécution des directives émises par le dirigeant.

On peut donc affirmer que la communication est une condition absolument essentielle au succès du leadership du gestionnaire.

2. LES COMPÉTENCES DES GESTIONNAIRES

Pour pouvoir arriver à prendre des décisions judicieuses, le gestionnaire doit pouvoir compter sur des compétences (le savoir faire) développées à la fois par l'acquisition de connaissances et par le vécu dans l'entreprise. En fonction du niveau de responsabilités exercées, il y a trois types de compétences nécessaires: les *compétences techniques*, les *compétences en matière de relations humaines* et les *compétences conceptuelles*. La figure 3.13 expose ces compétences dans leur niveau de responsabilité.

Figure
3.13

Illustration des niveaux de gestion et des compétences requises

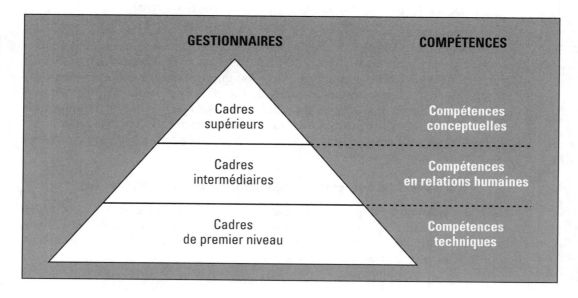

■ LES COMPÉTENCES TECHNIQUES

Les compétences techniques relèvent du savoir-faire d'une tâche en particulier. Le superviseur d'une équipe de travail dans une usine doit avoir des compétences relatives au travail exécuté par ses subordonnés. Le superviseur du service de la facturation sur informatique doit connaître tout le programme ou le logiciel de facturation informatisée. Ce sont donc les premières compétences essentielles à la bonne gestion et exécution des opérations.

■ LES COMPÉTENCES EN MATIÈRE DE RELATIONS HUMAINES

Les compétences en matière de relations humaines sont basées sur des attitudes et sur la communication avec les subordonnés. Un bon cadre intermédiaire est celui qui développe des attitudes positives et de compréhension vis-à-vis ses subordonnés, ce qui stimule la motivation. Ce sont les compétences les plus importantes pour un gestionnaire dont la tâche est surtout centrée sur la résolution de problèmes interpersonnels. À cet égard, les compétences en matière de relations humaines sont donc primordiales pour rétablir l'harmonie souhaitable pour l'atteinte des objectifs.

■ LES COMPÉTENCES CONCEPTUELLES

Les compétences conceptuelles sont beaucoup plus nécessaires aux gestionnaires de niveau supérieur qu'aux gestionnaires de niveau inférieur. Ces compétences ont trait à la capacité de pouvoir élaborer la structure de fonctionnement de l'entreprise et de pouvoir planifier et organiser le développement de l'entreprise et des départements avec leurs services.

Ces compétences permettent aux gestionnaires de prendre les bonnes décisions et de faire progresser l'entreprise.

LE CONTRÔLE

Le contrôle est exercé par le gestionnaire responsable du programme ou par un adjoint délégué à cette fin. Il consiste principalement à voir à ce que les opérations soient exécutées selon les plans d'actions et à vérifier si les objectifs sont en voie de réalisation ou ont été réalisés dans les délais exigés.

Le contrôle se fait selon différentes opérations spécifiques de vérification normalement prévues aux plans d'action afin d'apporter, si nécessaire, les mesures correctives qui s'imposent. Cette tâche comporte différents types de contrôle.

1. LES TYPES DE CONTRÔLE

Ce processus comporte trois types de contrôle : le contrôle préliminaire et préventif, le contrôle concurrent ainsi que le contrôle des résultats, chacun de ces types ayant sa propre raison d'être.

■ LE CONTRÔLE PRÉLIMINAIRE ET PRÉVENTIF

Le contrôle préliminaire et préventif consiste à vérifier avant le début des opérations :

- si toutes les ressources nécessaires sont en place à savoir principalement si les matières premières, ou tout produit nécessaire aux opérations, reçues sont conformes à la commande ;

- si l'équipement et la machinerie sont en ordre de bien fonctionner pendant toute la durée des opérations;
- si le personnel en place affecté aux opérations est complet et compétent.

Ce type de contrôle est absolument essentiel pour assurer le bon déroulement des opérations et l'atteinte des objectifs.

■ LE CONTRÔLE CONCURRENT

Le contrôle concurrent s'effectue durant le déroulement des opérations. Il permet de vérifier si les opérations se déroulent conformément aux plans d'action et d'exécution afin d'apporter, si nécessaire, les mesures correctives pendant le déroulement même des opérations. Toutefois, ce ne sont pas tous les types d'opération qui se prêtent à ce type de contrôle bien que maintenant, avec la venue de logiciels sophistiqués, il y ait beaucoup plus de contrôle concurrent qu'auparavant. C'est dans les activités de production, de distribution, de gestion financière et de vente, entre autres, que ce type de contrôle est le plus pratiqué. Idéalement, quelque soit le type d'activité, ce type de contrôle doit toujours être exercé lorsqu'il est possible de le faire.

■ LE CONTRÔLE DES RÉSULTATS

Le contrôle des résultats s'effectue une fois les opérations terminées. Ce contrôle porte sur l'examen et l'analyse des rapports d'opérations et financiers de l'entreprise, qu'ils soient d'étape ou final, des différents services ou départements et de l'entreprise dans son ensemble.

Ce contrôle permet de mesurer le degré de réussite des opérations par rapport aux objectifs fixés. Enfin, il permet ultimement d'examiner et de réviser tout le processus de gestion de l'entreprise.

2. LES ÉTAPES DU CONTRÔLE

Le processus de contrôle comporte, quelle que soit l'activité, quatre étapes: l'*établissement de standards de référence*, la *mesure de la performance*, la *mesure des écarts* et l'*application de mesures correctives lorsque nécessaire*.

■ L'ÉTABLISSEMENT DE STANDARDS DE RÉFÉRENCE

La formulation des objectifs, lors de la planification, permet l'établissement de points de comparaison. Il faut élaborer, pour chaque objectif, des critères de rendement généralement quantifiés afin de faciliter l'évaluation des résultats, qui sont des standards de référence ou normes de contrôle.

■ LA MESURE DE LA PERFORMANCE

Une fois les standards établis, il s'agit de comparer les résultats obtenus avec les standards.

■ LA MESURE DES ÉCARTS

Une fois la comparaison faite, il s'agit de mesurer le degré de déviation entre les standards et les résultats obtenus. L'analyse de ce degré de déviation va permettre de connaître le degré de gravité du problème et d'apporter les correctifs appropriés.

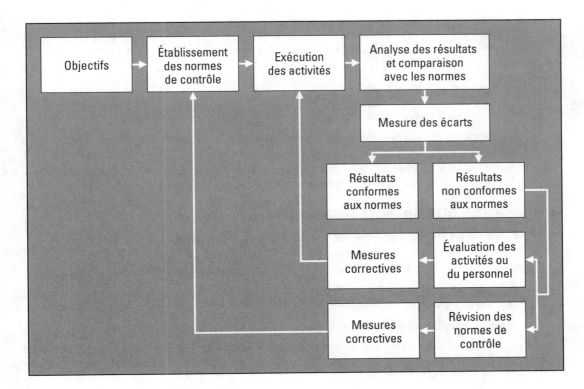

Figure
3.14

Processus de contrôle des résultats

LES MESURES CORRECTIVES

Les mesures correctives peuvent s'appliquer autant à la révision des standards qu'à l'évaluation des activités et du personnel.

La figure 3.14 illustre le processus de contrôle des résultats.

3. LES OUTILS DU CONTRÔLE

Pour pouvoir mesurer la performance des opérations dont il est responsable, le gestionnaire doit disposer de moyens appropriés que sont les outils de contrôle. Il y a trois types de contrôle; le contrôle préliminaire et préventif, le contrôle concurrent ainsi que le contrôle des résultats.

LES OUTILS DU CONTRÔLE PRÉLIMINAIRE ET PRÉVENTIF

Avant le début des opérations, le gestionnaire doit procéder à une vérification systématique d'éléments précis de façon à ne pas en compromettre d'une façon ou d'une autre le démarrage et le bon déroulement.

Les outils de ce type de contrôle ne sont pas en principe standardisés mais plutôt conçus en fonction du type d'opération concernée. Ainsi pour les différents achats, il y a la vérification des contrats d'achat, des bons de commandes et des bons de livraison des matières premières et autres produits achetés alors que pour les équipements et la machinerie il y a la vérification des rapports périodiques d'entretien et de tout autre document pertinent. Pour ce qui est du personnel impliqué, à moins d'une exigence de contrôle particulière portant sur des compétences spécifiques nécessaires, le service du personnel, dans sa procédure de gestion, possède déjà tous les outils de contrôle appropriés.

■ LES OUTILS DU CONTRÔLE CONCURRENT

Durant le déroulement d'opérations spécifiques, le gestionnaire doit posséder tous les outils de contrôle nécessaires pour assurer le bon déroulement des opérations et de pouvoir rencontrer les échéances qui lui sont imposées. Les outils de ce type de contrôle sont en principe standardisés. Il y a:

- les budgets: outils de référence pour toute décision à incidence monétaire;
- les rapports réguliers (ou d'étape), généralement présentés sous forme de tableaux, produits par les départements et services pendant le déroulement ou la fin des opérations. Ces rapports portent sur leur performance tant opérationnelle que financière.

■ LES OUTILS DU CONTRÔLE DES RÉSULTATS

Une fois les opérations terminées, des contrôles regroupant plusieurs types d'opérations, ou l'ensemble des opérations, s'imposent pour mesurer la performance globale de l'entreprise. Les outils de ce type de contrôle sont standardisés. Il y a:

- les rapports d'opération et financiers de fin de période (mois ou trimestre) des différents départements et services;
- les rapports financiers de fin d'année dont les principaux sont:
    - l'état de fabrication pour les opérations de production;
    - l'état des coups d'opération pour chacun des départements et services.
    - l'état des résultats et le bilan de l'entreprise.

■ La coordination

Pour le gestionnaire, la coordination des activités est une fonction importante qui fait partie intégrante de sa tâche à partir du moment où il dirige plus d'une activité. Cette fonction est exposée plus explicitement à la fin du chapitre dans la partie Annexe à la page 109A.

La prise de décisions

Pour le gestionnaire, la prise de décisions représente la tâche la pus difficile. La solution choisie pour résoudre un problème, à l'origine de l'obligation de décider, comporte toujours un degré d'incertitude sur le succès de la solution retenue, surtout pour les décisions concernant les problèmes nouveaux. Il y a deux catégories de décisions: les décisions routinières et les décisions innovatrices ou non routinières.

1. LES DÉCISIONS ROUTINIÈRES

Les décisions routinières se prennent pour régler des problèmes relatifs aux activités routinières de l'entreprise. La prise de ces décisions est généralement guidée par un ou des outils ou guides de la planification que sont les plans formels vus précédemment.

2. LES DÉCISIONS INNOVATRICES OU NON ROUTINIÈRES

Les décisions innovatrices ou non routinières sont relatives à des situations problématiques nouvelles de grande importance dans le cadre des opérations routinières ou de la réalisation de projets. Pensons aux mauvais résultats sur les ventes suite à une campagne publicitaire, aux résultats non satisfaisants de la mise en marché d'un nouveau produit ou encore aux choix d'un emplacement et de la machinerie pour une nouvelle usine.

Pour faciliter la tâche du gestionnaire, il y a un processus à suivre qui élimine pratiquement toute incertitude sur la réussite de la prise de décisions, pour autant que le problème et ses causes aient été bien identifiés et que les éléments environnementaux ne changent pas en cours de route.

⭐ LE PROCESSUS DE PRISE DE DÉCISIONS

Dans la solution de problèmes ou de problématiques, il y a un processus précis à suivre pour arriver à éliminer toute probabilité de mauvaises décisions. En voici les étapes :

1) Exposer la situation problématique

- Identifier le problème ou la problématique ;
- recueillir les faits relatifs au problème ou à la problématique ;
- comparer la situation actuelle avec la situation souhaitée pour mesurer l'ampleur du problème.

2) Analyser les causes du problème ou de la problématique

- Trouver les causes du problème ou de la problématique par l'analyse des faits relatifs à la situation ;
- analyser l'écart entre la situation actuelle et la situation souhaitée pour déterminer le degré d'importance de chacune des causes du problème ou de la problématique.

3) Élaborer des solutions

Élaborer des solutions pouvant résoudre le problème ou la problématique en regard :

- des différentes ressources nécessaires disponibles ;
- des contraintes reliées à l'application de chaque solution possible ;
- des réactions potentielles du personnel impliqué à la suite de l'application de chacune des solutions élaborées.

4) Choisir la solution

Choisir, à partir d'une sérieuse évaluation, la solution qui apparaît être la meilleure après considération de tous les éléments et conséquences pertinents à l'application de la solution retenue.

5) Implanter la solution retenue

Préparer l'implantation de la solution retenue avec ses modalités à partir d'un processus ou d'un plan d'action élaboré à cette fin.

6) Faire une évaluation

Faire une évaluation, à la suite de l'implantation de la solution retenue :

- analyser les résultats en fonction de l'objectif recherché ;
- apporter des correctifs le cas échéant.

Il est à noter que ce processus est valable pour autant que les circonstances et les éléments entourant l'implantation et le déroulement de la solution choisie demeurent les mêmes qu'au moment du choix de la solution.

À quoi servent les outils ? ✗

LES AIDES À LA PRISE DE DÉCISIONS NON ROUTINIÈRES

Dans le cas de décisions non routinières relatives à la réalisation d'un projet spécifique, le gestionnaire dispose de techniques servant à réduire au minimum sinon en totalité le degré d'incertitude quant à la réussite du projet. En voici les principales.

1. LE GRAPHIQUE DE GANTT

Cet outil, créé par Henri Gantt en 1916, est essentiellement un outil de travail destiné à optimiser l'utilisation du facteur «temps» dans la planification des activités de projets pour en décider du moment de leur démarrage ou de leur déroulement. Le principe de cet outil est basé sur le tableau quadrillé où, en abscisse (horizontalement), il y a l'échelle du temps alors qu'en ordonnée (verticalement), du côté gauche du tableau, il y a la liste des activités ou encore la liste des ressources matérielles ou humaines impliquées.

Il est utilisé comme échéancier graphique pour visualiser les moments de démarrage et de durée des activités d'un projet pour planifier et décider du déroulement simultané, lorsque possible, de certaines activités dans le but express de réduire au maximum la durée totale du projet. Voici un exemple d'application sur l'échéancier de construction d'une résidence.

Échéancier de construction d'une résidence								
Étapes de construction		Semaine						
		1	2	3	4	5	6	7
1	Fondation et solage	■						
2	Fabrication de la cabinetterie (sous-traitance)	■	■					
3	Achats de la quincaillerie	■						
4	Levée du carré et toit avec recouvrement de bardeaux	■						
5	Installation des fenêtres et portes extérieures	■						
6	Divisions, escaliers et cadres de portes		■					
7	Électricité et chauffage			■				
8	Fermeture des pièces et tirage de joints			■				
9	Peinture				■			
10	Couvre-planchers					■		
11	Installation de la cabinetterie et quincaillerie						■	
12	Installation du revêtement extérieur			■				
13	Galeries et terrassement					■	■	
14	Livraison de la résidence							■

Il peut être aussi utilisé pour optimiser l'utilisation de ressources tant matérielles qu'humaines. Voici un exemple de l'utilisation optimum des salles de classe d'une institution d'enseignement.

Vendredi										
Salle	**8h**	**9h**	**10h**	**11h**	**12h**	**13h**	**14h**	**15h**	**16h**	**17h**
A-100	Stat 1	Écon 101	Écon 102	Fin 201	Mar 210	Comp 212			Mark 410	
A-105	Stat 2	Math 2a	Math 2b			Comp 210	CCE –	– –	– –	–
A-110	Comp 340	Mgmt 250	Math 3		Logist 220					

2. LES MÉTHODES DE CHEMIN CRITIQUE (PERT ET CPM)

Les deux méthodes de chemin critique sont : Programmed Evaluation and Review Technique (PERT) et Critical Path Method (CPM). Elles ont été développées au début des années 1950 par représentation graphique vectorielle et permettent de planifier le cheminement du projet, activité par activité, pour en déterminer la durée (ex: nombre de semaines) par la détermination de la durée de chacune d'elles. Chaque activité (avec son nombre de semaines), identifiée sur le graphique par une lettre, a un point de démarrage et un point de fin des travaux, identifié par un chiffre.

Les méthodes consistent, en additionnant le nombre de semaines de chaque activité, à trouver le chemin critique, soit celui ayant la somme la plus longue. Si le gestionnaire du projet veut en réduire la durée, elle devra passer par la réduction du nombre de semaines d'une ou plusieurs activités.

Voici un exemple simple des activités de la construction d'une succursale bancaire.

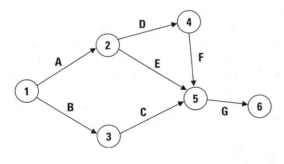

Activités

A) Choisir l'emplacement
B) Sélectionner le personnel
C) Former le personnel
D) Acheter et faire livrer le mobilier et équipement
E) Installer les équipements électroniques
F) Aménager les postes de travail
G) Procéder à l'ouverture et au lancement

Chemins possibles :   A-D-F-G   = 18 semaines
B-C-G   = 14 semaines
A-E-G   = 20 semaines (chemin le plus long)

3. LA PROGRAMMATION LINÉAIRE

La programmation linéaire est un outil mathématique efficace qui sert à trouver la solution optimale (la meilleure au plus bas coût) à un problème spécifique de gestion des diverses opérations de l'entreprise (ex: celles de la fabrication) alors qu'elles sont soumises à un nombre défini de contraintes pouvant être d'ordre budgétaires, de main d'œuvre limitée ou encore de disponibilité de matières premières, pour ne nommer que celles-là. Elle servira par exemple à trouver la meilleure combinaison possible de matières premières chimiques pour rencontrer des exigences spécifiques de qualité d'un produit. Elle aussi utilisée dans de grands projets tels que celui d'une navette spatiale et tout récemment celui de la construction de l'Airbus 380.

4. LES SIMULATIONS

Avec l'arrivée de logiciels de plus en plus performants, les simulations trouvent de plus en plus d'applications tant dans l'entreprise manufacturière que dans celle de la construction. Elles sont utilisées pour valider des décisions à partir de résultats obtenus virtuellement en regard de différentes alternatives de scénarios d'exécution qui ne pouvaient l'être il n'y a pas si longtemps.

5. L'ÉTUDE DU SEUIL DE RENTABILITÉ (POINT MORT)

Cette méthode est utilisée pour déterminer le degré de rentabilité d'un projet générateur de revenus. À partir de la compilation de projections de revenus et de dépenses qui seront encourus pour sa réalisation et son utilisation, le résultat obtenu fournira aux décideurs l'information (profits ou pertes) permettant de déterminer le seuil de rentabilité (le début de la rentabilité) pour décider du démarrage ou de l'abandon du projet comme par exemple celui de la construction d'une nouvelle usine ou du lancement d'un nouveau produit. Cette méthode sera étudiée au chapitre 8.

3.4 *La raison d'être de la gestion*

La qualité totale

INTRODUCTION

La qualité totale semble être un titre à la mode depuis quelques années. Des séminaires, des conférences et des sessions d'études ont été et sont toujours donnés aux entrepreneurs et à tous les haut dirigeants d'entreprises désireux d'en savoir plus long sur le sujet. Pour les Nord-Américains, ce concept est nouveau mais, pour les Japonais, c'est du courant depuis déjà 30 ans. Si les Japonais sont si avancés dans la haute qualité des produits qu'ils exportent à travers le monde, c'est dû au concept de qualité totale. Comme son nom l'indique, ce concept est global et touche tout le fonctionnement de l'entreprise. C'est ce que nous verrons dans les lignes qui suivent.

LA QUALITÉ TOTALE, QU'EST-CE QUE C'EST ?

Au lendemain de la fin de la Seconde Guerre mondiale, les industries américaines se tournèrent vers la production de biens de consommation pour faire face à la nouvelle demande provenant du retour des soldats de la guerre en Europe et au Japon et de la reconstruction de l'Europe. L'économie nord-américaine connut un essor sans précédent et pouvait à peine suffire à la demande. Les nouveautés technologiques et la qualité des produits ne semblaient pas préoccuper outre mesure les dirigeants d'entreprises. Les ventes augmentèrent de même que les profits et la satisfaction du consommateur n'était pas une préoccupation puisque les plaintes étaient très peu nombreuses.

Parallèlement, l'industrie japonaise qui s'était fait une réputation de copieur de mauvaise qualité «made in Japan» prit conscience de cet état de fait et, après la Seconde Guerre mondiale, les entrepreneurs japonais décidèrent de changer cette réputation. Les hautes directions des entreprises ont compris qu'il fallait absolument améliorer la productivité et la qualité des produits. Des gestionnaires japonais ont parcouru le monde entier à la recherche de formules et de procédés qui pourraient transformer leur industrie. De retour au Japon, ils ont découvert, après analyse et compilation de leurs données, que le contrôle statistique de la qualité des produits et le contrôle de la qualité totale étaient les deux éléments qui leur permettraient de devenir les meilleurs au monde. De plus, ils en sont venus à conclure que les produits de haute qualité fabriqués selon un processus de fabrication continue hausseraient la rentabilité de deux façons :

- par une réduction des frais de fabrication ;
- par une augmentation de la part de marché.

Aujourd'hui, les Japonais font les meilleurs produits au monde et si nous voulons les concurrencer sur le plan de la mondialisation des marchés, il faut faire mieux qu'eux. Il faut copier leur façon de bien faire, c'est-à-dire faire entrer le processus de qualité totale dans nos entreprises. C'est la seule façon de survivre dans le contexte de cette mondialisation des marchés.

1. LA SATISFACTION DU CLIENT : ÉNONCÉ DE BASE DE LA QUALITÉ TOTALE

Dans le processus de qualité totale, la satisfaction du client est la seule et unique raison d'être de l'entreprise. Le client d'aujourd'hui est exigeant. Les Japonais l'ont habitué à la qualité. Il est de plus en plus critique et les organismes de protection du consommateur sont là pour évaluer les produits.

On peut définir la qualité totale comme une philosophie de gestion centrée sur la satisfaction du client.

En qualité totale, le client n'est plus un étranger. Il est le partenaire le plus important. Il est roi.

SON IMPLANTATION

L'entreprise qui désire intégrer la qualité totale dans sa gestion doit mettre au point un processus d'implantation. Ce processus comprend plusieurs étapes à réaliser selon un échéancier réaliste.

Son implantation signifie un changement radical des mentalités et des visions de gestion. Il est donc très important de prendre tout le temps et les moyens stratégiques nécessaires pour une implantation en douceur qui crée de l'enthousiasme. D'une façon générale, les spécialistes de la qualité totale s'entendent pour dire que l'implantation du processus nécessite la réalisation des éléments suivants :

1) l'engagement sans borne de la haute direction ;
2) l'instauration d'un « conseil qualité » ;
3) l'adhésion et la mobilisation de tous les cadres ;
4) la mise au point d'une stratégie d'implantation par des groupes de travail ;
5) l'obtention de l'implication individuelle de tous les employés et cadres ;
6) la mise sur pied d'équipes maîtrisant le processus dans chacune de ses applications ;
7) la participation des fournisseurs ;
8) la mise en place du système « d'assurance qualité » (ex. : ISO 9000) ;
9) l'élaboration et l'application de programmes d'amélioration continue pour soutenir la stratégie globale de la qualité totale ;
10) la reconnaissance à tous les niveaux des mérites du personnel.

SES EXIGENCES

La réussite de l'implantation de la qualité totale est conditionnelle à cinq exigences : avoir le souci de l'excellence, développer le style de gestion approprié, entretenir un contact permanent avec la clientèle, avoir une planification globale à court et à long terme, et avoir l'engagement de tous les employés et cadres de l'entreprise.

Reprenons ces points en détail.

1. AVOIR LE SOUCI DE L'EXCELLENCE

Le dictionnaire définit le mot excellence en ces termes : haut degré de perfection. Dans le contexte de l'entreprise, l'excellence se traduit pour les employés par la performance au travail au meilleur de ses connaissances et le désir de toujours vouloir faire mieux qu'hier pour améliorer son efficacité et sa productivité. Ce souci doit commencer par la haute direction et doit être transmis au personnel cadre et exécutant. Si chaque membre de l'entreprise désire l'excellence, on obtiendra une performance très élevée de toutes les activités de l'entreprise avec les résultats qui suivront.

2. DÉVELOPPER UN STYLE DE GESTION APPROPRIÉ

Pour pouvoir créer une atmosphère de travail axée sur l'efficacité, un style de gestion basé sur la décentralisation, la communication et la responsabilisation permettra l'obtention de la qualité totale. Chacun des membres de l'entreprise, quel que soit son statut, se considérera comme un maillon indispensable de la chaîne de la réussite de l'implantation de la qualité totale. Une gestion participative est donc essentielle.

3. ENTRETENIR UN CONTACT PERMANENT AVEC LA CLIENTÈLE

Nous avons mentionné précédemment que la satisfaction du client était maintenant la raison d'être de l'entreprise. Pour assurer la perpétuité de la qualité totale, le contact continuel avec le client est absolument nécessaire. Il permet :

- de perfectionner le produit pour mieux satisfaire le client ;
- de connaître les changements de ses habitudes d'achat ;
- de faire connaître au client l'importance qu'il a pour l'entreprise ;
- d'assurer sa fidélité à l'entreprise.

4. AVOIR UNE PLANIFICATION GLOBALE À COURT ET À LONG TERME

Le succès de tout projet commence par une planification rigoureuse. L'implantation de la qualité totale et sa réussite ne font pas exception. La planification à long terme fixera les grandes lignes de l'implantation et du développement alors que la planification à court terme ajustera l'évolution de l'implantation en fonction des séquences et du calendrier ainsi que des objectifs préétablis.

Les événements imprévisibles nécessitent toujours un rajustement du calendrier et du processus d'implantation. D'où la nécessité de la planification à court terme.

5. AVOIR L'ENGAGEMENT DE TOUS LES EMPLOYÉS ET CADRES DE L'ENTREPRISE

La qualité totale est un projet collectif. C'est pourquoi on la qualifie de totale. Si l'engagement n'est l'affaire que d'une majorité, le processus ne pourra réussir car il est bloqué par les non-adhérents. Tous les efforts, tant financiers qu'humains, seront sans effet et placeront l'entreprise dans une situation pire qu'avant l'implantation. L'engagement de tous est d'une absolue nécessité.

3.5 *La culture d'entreprise* ✩

Le sujet qui suit peut sembler à priori n'intéresser que les dirigeants des grandes organisations. En effet, ces derniers accordent beaucoup d'importance à la culture d'entreprise, car on la considère comme le maillon invisible de leur succès.

Peut-on parler de culture d'entreprise au niveau de la petite et moyenne entreprise? Disons que quelle que soit la dimension d'une entreprise, il y a toujours une culture qui s'y développe. À proprement parler, on pourrait même affirmer que la culture d'entreprise est plus importante dans la petite et la moyenne que dans la grande entreprise. Dans les lignes qui suivent nous traiterons de ce sujet et montrerons son importance dans l'évolution d'une petite organisation.

Définition

Plusieurs définitions ont été apportées, certaines étant plutôt simples, d'autres plutôt complexes. La culture d'entreprise se définit généralement comme étant l'ensemble des valeurs, des attitudes et des façons de faire qui caractérisent l'entreprise à travers son évolution et contribuent à façonner son identité propre. Cette définition, bien que relativement courte, demeure tout de même complexe. Nous allons l'examiner dans ses composantes.

Composantes de la culture d'entreprise

LES VALEURS

Que sont les valeurs? On considère les valeurs comme des idéaux qui guident le comportement des individus à partir d'influences provenant surtout du milieu où ces individus évoluent, qu'il soit familial, communautaire ou professionnel. Cette combinaison de valeurs diverses intégrées les unes aux autres constitue le système de valeurs de chaque individu, qui diffère autant d'une région à l'autre que d'une communauté à l'autre. En outre, chaque individu peut puiser ses valeurs dans des cultures éloignées de son milieu et les combiner à sa manière.

Dans le cadre de l'entreprise, le champ de valeurs est beaucoup plus restrictif puisqu'il se rattache à la mission de l'entreprise et aux activités destinées à accomplir cette mission. Nous pourrions élaborer plus profondément sur l'éventail de toutes les valeurs tant personnelles que corporatives qui habitent chaque travailleur, mais nous nous attarderons aux principales valeurs «gagnantes», c'est-à-dire celles qui, à long terme, peuvent garantir la progression et le succès dans le bien-être permanent de toute entreprise. Ces valeurs sont: la *considération de l'employé*, la *considération du client*, la *reconnaissance du travail bien fait*, la *considération de l'autorité*, l'*équité* et l'*engagement envers la mission et les objectifs de l'entreprise*.

1. LA CONSIDÉRATION DE L'EMPLOYÉ

De toutes les ressources utilisées par l'entreprise, la ressource humaine est de loin la plus importante. On aura beau réduire le personnel à cause de l'automatisation et de l'informatisation, toutes ces machines ne peuvent donner du rendement que si leurs opérateurs sont efficaces eux aussi. Quel que soit son statut (gestionnaire ou exécutant), l'employé doit sentir qu'il est apprécié, non seulement pour ce qu'il fait, mais aussi pour ce qu'il apporte en tant qu'individu à la communauté de l'entreprise. Dans une ère de haute concurrence, cette considération est absolument essentielle au succès de l'entreprise où la contribution humaine est de premier ordre. L'absence de cette contribution engendre l'absentéisme, une difficulté de communication, une irrégularité dans le rendement, une productivité minimale et généralement une qualité de produit ou service tout au plus moyenne.

Le dirigeant qui mise sur la croissance rapide de son entreprise ne peut se permettre d'ignorer la très grande importance de cette valeur.

2. LA CONSIDÉRATION DU CLIENT

Sur ce sujet, reportez-vous à la section précédente où nous avons traité de la qualité totale. Les penseurs du concept de la qualité totale considèrent la satisfaction du client comme son énoncé de base. Dans cette optique, le client est donc à la fois un partenaire qui dicte une ligne de conduite aux gestionnaires et un roi qui impose ses exigences. Comme nous le verrons au chapitre 6 portant sur le service à la clientèle, cette considération repose sur une philosophie de gestion axée sur le client.

3. LA RECONNAISSANCE DU TRAVAIL BIEN FAIT

La transmission de cette marque d'appréciation aux employés de l'entreprise en est une des plus chères à l'individu. Ce geste est fréquent entre parents et enfants durant l'éducation de ces derniers. Pourquoi cette forme de reconnaissance disparaît-elle une fois l'enfant rendu dans le monde adulte? Dans le milieu de la petite et de la moyenne entreprise, on retrouve un peu ce même climat familial. L'employé, qui passe la moitié de son temps de semaine au travail, développe une relation relativement intime avec ses collègues ou ses patrons immédiats. Dans un tel contexte, le développement du désir de fonctionner au meilleur de ses capacités devrait être idéal. Dans la petite et dans la moyenne entreprise cette reconnaissance du travail bien fait est absolument essentielle au maintien d'un climat sain et enthousiaste vis-à-vis de l'emploi, qu'il soit routinier ou non.

Cette reconnaissance peut prendre plusieurs formes. Les gestionnaires doivent user d'imagination pour varier leurs formes de reconnaissance de façon à montrer qu'ils le font avec spontanéité et sincérité.

4. LA CONSIDÉRATION DE L'AUTORITÉ

Dans une organisation, pour qu'une mission soit accomplie, une action globale comprenant plusieurs activités doit être amorcée, après avoir pris les décisions qui s'imposent.

L'exécution de ces activités doit s'inscrire dans le cadre du fonctionnement d'un groupe organisé où nécessairement les décisions prises relèvent d'une autorité.

À l'intérieur des sociétés hiérarchisées, la notion d'autorité est fortement ancrée dans leur fonctionnement. Bien qu'elle semble naturelle et innée au sein du groupe famille, les sociétés modernes l'ont institutionnalisée à travers un grand nombre de législations.

En ce début du 21e siècle, cette notion est de plus en plus réfutée par des individus et des groupes informels qui s'insurgent contre les abus de pouvoir des dirigeants, autant du secteur politique que du secteur des affaires. Il s'ensuit en une dégradation de l'équilibre dans le fonctionnement de nos sociétés. L'émergence de ces groupes marginaux et l'augmentation inquiétante du nombre de «drop-out» et de suicides a de quoi faire réfléchir sérieusement nos politiciens et chefs d'entreprise.

Mais que signifie la considération de l'autorité? Par nature, l'homme n'aime pas être commandé. Dans la réalité du milieu de travail, cette notion d'autorité, d'une façon générale, est perçue par l'exécutant comme une conséquence à subir du fait d'avoir accepté d'intégrer une organisation structurée.

La considération de l'autorité repose sur la perception que l'exécutant développe quant à l'importance des gestionnaires au sein de l'organisation. Tel que mentionné précédemment dans ce chapitre où on traite des supports d'une bonne direction (leadership, motivation et communication), ces éléments constituent la référence à la perception que développe l'exécutant de la notion d'autorité. Un bon leadership et une bonne communication, conjugués à des éléments motivateurs appropriés, créeront chez l'employé une considération idéale de l'autorité dont tout gestionnaire devrait être investi.

5. L'ÉQUITÉ

L'équité est une règle de comportement qui commande un traitement juste à l'égard de tout le personnel œuvrant au sein de l'entreprise. Rappelons que l'équité se définit comme étant simplement une notion de justice naturelle qui n'est inspirée par aucune règle de droit.

L'équité n'est une valeur que si elle est appliquée. Son application ne s'improvise pas. L'équité doit être à la base de toute politique de gestion interne de l'entreprise. Elle constitue une valeur fondamentale sur laquelle repose la garantie d'un climat de travail serein nécessaire à l'évolution harmonieuse d'une entreprise.

6. L'ENGAGEMENT ENVERS LA MISSION ET LES OBJECTIFS DE L'ENTREPRISE

La mission et les objectifs sont la raison d'être de l'entreprise. Il va de soi que le propriétaire transmette à son personnel son crédo dans la mission qu'il s'est donnée en fondant son entreprise. La transmission de cette foi représente un défi difficile, l'employé étant généralement indifférent à l'enthousiasme de l'entrepreneur, se bornant habituellement à admirer le personnage pour son succès ou du moins son courage. Le développement de l'engagement envers la mission et les objectifs de l'entreprise représentent la première valeur à inculquer au personnel de l'organisation. En adhérant à cet engagement, l'employé se garantit la considération de la direction tout en se bâtissant une réputation d'employé fiable et dévoué, qu'il soit exécutant ou gestionnaire.

LES ATTITUDES

Le fait d'observer un événement, de prendre connaissance de commentaires d'une personnalité quelconque ou d'être témoin d'un comportement particulier d'un individu ou d'une organisation suscite nécessairement des réactions, qu'il s'agisse, par exemple, d'une émeute, du commentaire d'un politicien ou d'une fermeture d'usine. Ces réactions provoquent obligatoirement le développement d'attitudes. Ainsi on peut définir les attitudes comme étant des prédispositions à réagir favorablement ou défavorablement à certains aspects du monde qui nous entoure[1].

À l'intérieur de l'entreprise, les attitudes sont des forces qu'il faut orienter dans le sens de la valorisation de la mission et des objectifs. Les gestionnaires doivent faire en sorte que les attitudes développées par chacun des membres deviennent une force synergique qui, conjuguée au développement de la motivation au travail, donnera, en principe, des résultats marquants quant au rendement de «l'équipe».

LES FAÇONS DE FAIRE

Cette composante de la culture de l'entreprise n'a pas un caractère scientifique. Les politiques et les méthodes de travail font souvent partie d'une tradition non écrite mais tout aussi importante bien que moins perceptible. Dans l'évolution des entreprises, surtout à leurs premières périodes de développement, les façons de faire garantissent la croissance et avec les années elles se raffinent pour devenir de plus en plus efficaces.

Aujourd'hui, les façons de faire traditionnelles sont un peu remises en question avec la mondialisation des marchés et l'implantation de l'automation à outrance dans les opérations des entreprises. Cependant, il demeure que la tradition dans les façons de faire constitue une base de référence fondamentale dans l'évolution vers le nouveau monde des affaires des années 2000.

La figure 3.15 vous expose le processus de développement d'une culture d'entreprise.

IMPORTANCE DE LA CULTURE D'ENTREPRISE DANS L'ÉVOLUTION DE L'ENTREPRISE

Peu de gestionnaires de petites et moyennes entreprises manifestent de l'intérêt pour ce sujet. C'est généralement dû soit au fait du peu de connaissances qu'ils ont sur le sujet, soit au fait de son importance qu'ils estiment négligeable sur la performance de l'entreprise, soit au fait de leur difficulté à comprendre son impact sur l'évolution de l'entreprise, la haute direction étant beaucoup plus préoccupés par la gestion du développement et de la croissance immédiate de l'entreprise que par son évolution à long terme.

---

1. Bergeron, Jean-Louis, Côté-Léger, Nicole, Jacques, Jocelyn et Bélanger, Laurent, *Les aspects humains de l'organisation*, Gaëtan Morin éditeur, 1979, 334 p.

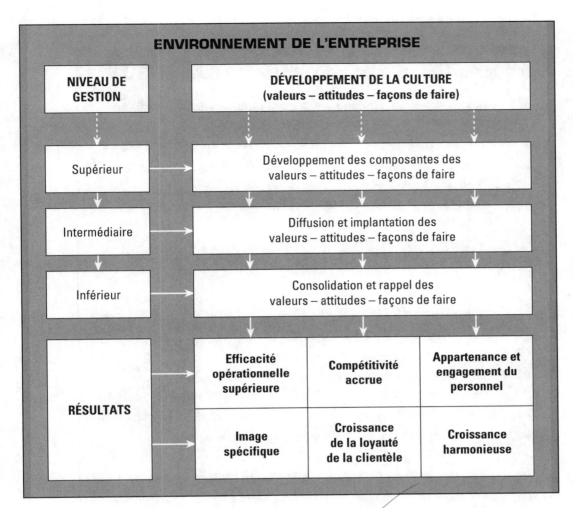

Figure
3.15

Illustration du processus de développement d'une culture dans l'entreprise à travers ses niveaux de gestion

La culture d'entreprise ne s'implante pas comme un système informatique. Elle se développe et se cultive au jour le jour et semaine après semaine dans toute l'organisation. Bien qu'elle ne soit pas une fonction ou une activité propre et visible en soi, elle est une composante fondamentale du fonctionnement de l'entreprise qui doit être imprégnée dans chacun des membres du personnel. Elle est la base de sa vitalité qui lui donne son identité et son dynamisme tout en développant son image spécifique.

Il est difficile d'évaluer l'apport direct de la culture d'entreprise dans la performance et la croissance de l'entreprise. Elle ne se juge que par la réputation que l'entreprise s'est bâtie au fil des années et reconnue par ses clients, ses fournisseurs, ses consultants, son cabinet de vérificateur comptable ainsi que par les reportages potentiels dans les médias et par son implication dans la communauté. Enfin elle se juge par le bonheur et la fierté que chacun de membres de la communauté de l'entreprise ressent et affiche en parlant de sa deuxième famille qu'est son entreprise où il travaille.

Questions
de RÉVISION

1. Expliquez les caractéristiques des différents niveaux de gestion dans l'entreprise.

2. Quelles sont les approches retenues dans les théories de gestion.

3. Expliquez brièvement les composantes des deux approches dans les théories de gestion.

4. Nommez et expliquez brièvement les fonctions du processus de gestion.

5. En quoi consiste la planification ?

6. Nommez et expliquez les types de planification.

7. Qu'est-ce qu'un programme ?

8. Qu'est-ce qu'un plan d'action ?

9. En quoi consiste la fonction « organisation » ?

10. Qu'est-ce que l'organigramme ?

11. Quels sont les principes directeurs dans l'élaboration d'une structure opérationnelle efficace ? Précisez votre réponse.

12. Expliquez brièvement les différentes structures opérationnelles.

13. Que veulent dire centralisation et décentralisation ? Expliquez brièvement.

14. Quelles sont les règles directrices de la décentralisation ?

15. De quelle façon peut-on départementaliser ?

16. Donnez et expliquez les supports d'une bonne direction.

17. Nommez et expliquez les types de contrôle.

18. Expliquez le processus de prise de décisions.

19. Donnez brièvement l'historique du concept de « qualité totale ».

20. Définissez la notion de « qualité totale ».

21. Quels sont les éléments nécessaires à l'implantation du processus de la qualité totale ?

22. Quelles sont les exigences nécessaires à la réussite de l'implantation du processus de la qualité totale ?

23. Décrivez brièvement les exigences nécessaires à la réussite de l'implantation du processus de la qualité totale.

24. Définissez brièvement la culture d'entreprise.

25. Expliquez brièvement les composantes de la culture d'entreprise.

26. Donnez et expliquez brièvement les valeurs gagnantes de la culture d'entreprise.

ÉTUDE DE CAS

CAS 3.1
MICRODIST

Microdist est une entreprise de distribution de matériel informatique dont le siège social et situé au 24750 rue Sainte-Catherine Ouest à Montréal. Cette entreprise fut fondée en 2006 par Jocelyn Prévost technicien en informatique qui avait plus de plus de quinze ans d'expérience dans ce domaine. Cette entreprise vend des ordinateurs de marque renommée, des pièces composantes d'ordinateur ainsi que de l'équipement complémentaire tels qu'imprimantes, scanners, écrans, lecteurs CD, modems, disques rigides etc. sans compter les fournitures diverses reliées à l'utilisation de l'informatique.

Microdist possède un magasin dans trois centres commerciaux importants dans la grande région de Montréal. L'entreprise a maintenant un chiffre d'affaires annuel de 8 500 000$. La composition du personnel se présente comme suit:

- le président qui a une secrétaire;
- trois gérants de magasin;
- un responsable des ventes aux entreprises et institutions qui supervise six vendeurs sur la route;
- un responsable des ventes au détail (dans chacun des magasins);
- un responsable des achats qui supervise un agent des achats et une secrétaire;
- un responsable de la réparation qui supervise une secrétaire et six techniciens dont trois sur la route. Il consulte régulièrement le responsable des achats;
- un responsable des finances qui supervise un technicien en comptabilité et gestion et une secrétaire.

De plus, chaque magasin compte aussi, sous la responsabilité du gérant, un vendeur pour les ordinateurs et équipements ainsi que deux vendeurs pour les fournitures diverses. Une réceptionniste s'occupe de la caisse enregistreuse et des tâches relatives au secrétariat. Le responsable des achats consulte régulièrement les responsables des ventes et les gérants de magasin.

Monsieur Prévost a vu son entreprise grandir rapidement mais il est conscient maintenant que l'heure est venue de structurer son entreprise pour permettre de mieux gérer la croissance.

QUESTION

1) Combien d'employés compte Microdist?
2) Quel type de structure organisationnelle devrait avoir Microdist?
3) Veuillez déterminer qui est en position de commandement (autorité) et qui en en position de conseil.
4) Veuillez construire un organigramme qui représente selon vous la structure organisationnelle actuelle de l'entreprise en indiquant les relations conseil s'il en existe.
5) Veuillez allouer un titre (directeur, gérant, superviseur) à chacun des responsables.
6) Y-a-t-il des postes qui devraient être rattachés à un autre responsable ? Si oui, veuillez construire un nouvel organigramme avec les liens d'autorité et de conseil.

Lecture

QUALITÉ TOTALE :

Du mythe à la réalité

Bouée de survie pour certains ou élément de croissance pour d'autres, de plus en plus d'entreprises voient maintenant la nécessité d'implanter la qualité totale.

Source : François Piette, Magazine PME.

En 1992, Placage au chrome Sainte-Foy, en banlieue de Québec, se retrouve en plein tournant technologique. Un important client, l'aluminerie Alcan, lui indique qu'en tant que fournisseur, elle devra dorénavant souscrire à un programme d'assurance-qualité. « Soudainement, il n'était plus seulement question de faire un travail de bonne qualité, ce que nous faisions déjà, mais de le prouver à nos clients », indique Tommy Roy, estimateur et responsable de la qualité à l'entreprise dans l'entreprise.

Savoir s'adapter

Placage au chrome Sainte-Foy, qui emploie une vingtaine d'employés, est spécialisée dans le réusinage et la fabrication de pièces pour équipement industriel. Comme bien d'autres PME, l'entreprise n'avait pas d'énormes ressources à investir dans un programme d'assurance-qualité.

« Contrairement à la grande entreprise, la PME a souvent peu de ressources à consacrer à l'implantation d'un programme d'assurance-qualité, notamment du point de vue du personnel », explique Pierre Bergeron, vice-président du Groupe R.D.S., une firme de consultants qui a piloté l'implantation du programme d'assurance-qualité chez Placage au chrome de Sainte-Foy.

Peu de ressources, Tommy Roy en sait quelque chose. Détenteur d'un diplôme d'études collégiales en conception mécanique et estimation, il s'est de plus vu confier la responsabilité de la qualité, un domaine qui lui était presque inconnu. Aujourd'hui, cette dernière fonction occupe une bonne partie de son temps. « Dans une petite entreprise, un employé compose avec plusieurs boulots à la fois », constate-t-il.

À l'instar d'autres entreprises, la production de la PME est adaptée au besoin de chaque client. Ainsi, chaque pièce travaillée possède ses propres caractéristiques en termes de taille, de conception, d'usure et de réfection. « Le programme d'assurance-qualité doit normaliser ce qui est hors normes », précise Pierre Bergeron.

Puisque l'on ne pouvait pas établir des normes de qualité qui soient les mêmes pour toutes les pièces, l'entreprise a misé sur l'autoévaluation. Réception et expédition, rectification, polissage, chromage, machinage et soudure, chaque étape de travail varie d'une pièce à l'autre. Cependant, chaque service de l'entreprise a son propre poste d'évaluation. Ainsi, chaque employé consigne sur une feuille le travail qu'il a fait sur une pièce. De même, chaque pièce voyageant d'un service à un autre est accompagnée de cette feuille ce qui permet à un employé de vérifier le travail réalisé par son collègue.

Un acte de F.O.I.

Chez Placage au chrome de Sainte-Foy, l'assurance-qualité est synonyme de F.O.I. : un acronyme pour formation, outil et information. En effet, l'implantation d'un programme d'assurance-qualité a nécessité une certaine dose de formation tant pour le responsable de la qualité que pour chacun des employés. À cela s'ajoute un programme de vérification systématique des instruments de mesure, tels des micromètres. Enfin, tout ce système repose sur une communication constante entre les employés (par le biais des feuilles d'évaluation, notamment), et avec la direction.

Ce système d'assurance-qualité permet d'identifier les sources de non-qualité et de les corriger sans délai. Le client a désormais la possibilité d'examiner un manuel d'assurance-qualité afin de juger de la valeur des méthodes de travail et des contrôles de la qualité de l'entreprise.

Les efforts de Placage au chrome de Sainte-Foy ne sont pas vains. La PME devrait bientôt obtenir son accréditation à la norme Z 299,3 de l'Association canadienne de normalisation (ACNOR). On y parle maintenant le même langage que dans la grande entreprise. Quant aux coûts, l'implantation de ce programme d'assurance-qualité, incluant les consultants, la formation et l'acquisition de matériel, a coûté entre 35 000 $ et 40 000 $ à l'entreprise. D'un concept théorique, l'assurance-qualité est devenue une réalité de tous les jours.

QUESTIONS

1. Qu'est-ce qui a amené Placage au chrome Sainte-Foy à adhérer à un programme d'assurance-qualité ?

2. Que veut dire F.O.I. chez Placage au chrome Sainte-Foy ?

Annexe *Sujets complémentaires*

La coordination: l'assurance d'une gestion réussie

Faire en sorte que les activités de l'entreprise soient exécutées de façon à rencontrer les différents objectifs préalablement établis, requiert nécessairement l'élaboration et la mise à jour régulière de plans de coordination. La fonction de coordination consiste à planifier, organiser, superviser et contrôler «le déroulement d'activités inter reliées ou partagées d'un ou plusieurs programmes, projets ou plan d'actions» soit de planification, soit d'organisation, soit de direction, soit de contrôle de façon à pouvoir réaliser les objectifs concernés le plus efficacement possible et en identifiant les obstacles pouvant survenir ainsi que les solutions possibles à y apporter.

La coordination donc est partie prenante de chaque fonction du processus de gestion car elle interpelle directement tous les gestionnaires en cause, quel que soit leur niveau de gestion.

Fonction naturelle

La coordination est une fonction naturelle chez l'homme. Lorsqu'il doit exécuter une activité impliquant deux ou plusieurs personnes où il y a partage des parties de l'activité, il y a automatiquement une coordination qui s'installe exercée soit par l'initiateur de l'activité soit par désignation d'un des participants.

Fonction d'équipe

La coordination doit être exercée par tous les gestionnaires d'activités inter dépendantes ou partagées comprises dans le programme, le projet ou le plan d'action, sous la direction d'un coordonateur principal, le cas échéant. On peut comparer cette fonction à celle exercée lors d'une partie de football où chaque unité, offensive et défensive, a un travail précis à exécuter dans un plan de coordination donné élaboré par l'entraineur de chaque unité, les deux étant sous la coordination principale de l'entraineur chef. Elle est la partie importante de la dynamique d'équipe et du jeu sur le terrain.

Fonction de communication

La communication est le cœur de cette fonction. Elle est complexe et doit se faire de plusieurs façons. Elle est d'abord basée sur un plan de coordination formel distribué aux gestionnaires impliqués, chacun étant responsable de la coordination des activités à l'intérieur de son unité opérationnelle. Elle peut exiger, selon l'activité des séances de formation et des réunions d'appoint ou de mise à jour. Enfin elle implique une communication éventuelle ponctuelle ou continue pour, entre autres, solutionner les imprévus pouvant affecter l'atteinte des objectifs et la réussite de la coordination.

Fonction de supervision et contrôle

La coordination implique obligatoirement une tâche de supervision et de contrôle du déroulement des activités soumises à la coordination quelle que soit la fonction du processus de gestion. Le contrôle porte surtout sur le respect des échéanciers et des délais de livraison (d'information, de produits, de pièces composantes ou de services) lorsqu'il y a dépendance opérationnelle entre les activités. Elle s'exerce dans les quatre fonctions du processus de gestion, chacune ayant ses groupes d'activités spécifiques.

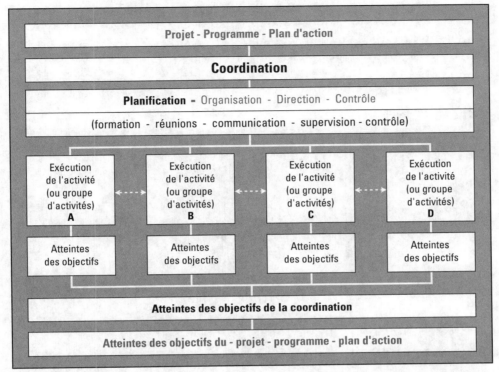

Illustration du fonctionnement de la dynamique de la coordination dans le processus de gestion

Ce processus de coordination est le même pour chacune des quatre fonctions du processus de gestion.

←---→ : Communication entre responsables d'activités lorsque nécessaire.

Les outils de la coordination

La coordination doit assurer l'harmonie dans l'exécution des groupe d'activités, des programmes, projets ou plans d'action selon des échéanciers établis. Pour ce faire, des outils de coordination sont nécessaires. En voici les principaux:

- le document descriptif des programmes et plans d'action faisant partie du plan de coordination et, si nécessaire, avec mention des contraintes potentielles relatives aux délais de livraison et aux exigences d'une activité inter reliée ou partagée;

- les cédules d'exécution des activités des programmes, projets ou plans d'action;

- si nécessaire, les graphiques de coordination (ex: graphique de Gant ou du CPM).

QUESTIONS

1) La coordination fait-elle partie du processus de gestion? Expliquez brièvement.

2) Quelles sont les fonctions d'une coordination efficace?

3) La coordination est une fonction d'équipe. Expliquez brièvement.

4) La coordination est une fonction de communication. Expliquez brièvement.

5) La coordination est une fonction de contrôle. Expliquez brièvement.

6) Quels sont les outils de la coordination? Expliquez brièvement.

L'information

UN INCONTOURNABLE À LA PRISE DE DÉCISIONS

L'ENTREPRISE ET L'INFORMATION

Objectif global

Comprendre la très grande importance du rôle de l'information dans les prises de décisions autant routinières que stratégiques que prennent les dirigeants d'entreprise.

Objectifs spécifiques

Après avoir étudié les éléments de ce chapitre, vous serez en mesure :

- de définir et comprendre l'importance de l'information ;
- d'expliquer ce qu'est la gestion de l'information ;
- d'expliquer ce qu'est un système d'information ;
- d'expliquer ce qu'est un système intégré de gestion d'information ;
- de comprendre l'importance et le pouvoir d'Internet ;
- d'expliquer le rôle stratégique de l'information.

Aperçu du chapitre

JUSTE LES NOTES DE COURS.

4.1 *L'environnement de l'information*

Un intrant indispensable du système entreprise

Nous avons vu au chapitre précédent toute la dynamique de la gestion et la synergie dégagée par l'ensemble des décisions des gestionnaires de l'entreprise qui se manifeste dans ses résultats et sa performance. Cette résultante ne pourrait se produire s'ils ne disposaient pas de l'intrant indispensable qu'est la ressource informative du système entreprise que nous avons examiné au premier chapitre. Voyons maintenant en quoi consiste l'information, son importance et sa nécessité.

Définition de l'information

Dans le contexte des affaires, l'information se définit comme un ensemble de renseignements composés de données diverses et précises devant être utilisées par l'entreprise tant au niveau de la gestion de ses opérations routinières qu'au niveau de la gestion stratégique de son développement.

Les éléments de l'environnement de l'information

L'information fait partie d'un environnement complexe et ne s'obtient que très rarement en une seule opération en raison de la multitude et de la variété de renseignements qui peuvent être obtenus par différents types de requérants. Cet environnement comprend quatre composantes : les données, les sources, les logiciels et l'équipement informatique ainsi que les utilisateurs.

LES DONNÉES

Les données sont des éléments d'information recueillis et présentés de façon telle qu'elle leur confère une utilité pouvant servir à des fins précises. Si par exemple vous faites le recensement d'un village de 5 000 habitants selon leur âge, les données recueillies n'auront de valeur que si elles ont été regroupées et classées en groupe d'âge alors qu'en elles-mêmes elles n'offrent aucune utilité.

LES SOURCES DE DONNÉES

Toute donnée provient d'une source plus ou moins complexe selon son type. Le type de source détermine la démarche pour l'obtention de la donnée, le temps en étant le facteur déterminant. Dans toute planification de cueillette d'information il est donc nécessaire de prévoir le temps requis pour l'obtenir. Ainsi il sera beaucoup plus long de faire un sondage sur le degré de satisfaction de la clientèle que d'obtenir les résultats des ventes mensuelles d'un vendeur d'une entreprise à partir des rapports élaborés par le service des ventes.

LES LOGICIELS ET L'ÉQUIPEMENT INFORMATIQUE

Les logiciels et l'équipement informatique sont les deux éléments de base pour un système efficace d'information. Le logiciel est en quelque sorte «une intelligence» qui transforme un ensemble de données sans valeur en soi en une information nouvelle préalablement demandée par un utilisateur pour des fins décisionnelles.

L'équipement informatique est le «corps exécutant» nécessaire à cette intelligence qu'est le logiciel pour livrer l'information. La sophistication des logiciels de plus en plus nombreux forcent les fabricants de systèmes d'exploitation à développer des ordinateurs de plus en plus performants pour répondre aux exigences des logiciels.

LES UTILISATEURS

Les utilisateurs sont les intervenants qui demandent l'information exigeant l'utilisation de systèmes de traitement de données. Ce sont les gestionnaires qui veulent avoir l'information répondant exactement à leur besoin. Le directeur des finances par exemple veut connaître exactement ce que coûte le produit qu'il fabrique alors que le directeur du marketing veut connaître le nombre potentiel d'acheteurs de son futur produit dans une région donnée ou les résultats de vente de ses vendeurs par région, par type de produits ou par type de clients. Pour ces deux utilisateurs les systèmes d'information sont structurés différemment. Avec la venue de l'informatique les systèmes d'information ont été développés sur une multitude de sujets et se sont structurés de multiples façons de sorte que les gestionnaires sont de mieux en mieux servis à cet égard.

■ L'importance de l'information

LA PRISE DE DÉCISIONS

Nous avons vu au chapitre précédent que la prise de décisions est la tâche la plus difficile du gestionnaire. Cette difficulté est particulièrement grande dans le cas des décisions non routinières à cause du degré d'incertitude sur le résultat de la décision. Elle existe aussi dans le cas des décisions routinières, mais à un degré plus ou moins négligeable.

L'information demeure donc indiscutablement la base obligatoire pour toute prise de décisions par tout gestionnaire quel que soit son niveau hiérarchique dans l'entreprise quelle qu'en soit le type.

LA NÉCESSITÉ DE LA BONNE INFORMATION

Tel que mentionné précédemment, le succès d'une prise de décision est basé sur l'information préalablement recueillie. Toutefois faut-il qu'elle soit la bonne! À cet égard la complexité des opérations des entreprises d'aujourd'hui conjuguée au développement technologique et à la concurrence maintenant mondiale exige l'élaboration de systèmes complexes de cueillette, de compilation et de traitement de données de plus en plus nombreuses.

Mais qu'est-ce qu'une bonne information? Une bonne information est la résultante de la cueillette d'un ensemble de données mises à jour constamment et spécifiquement sélectionnées qui, juxtaposées et agencées les unes avec les autres, créent une nouvelle information. Celle-ci donne au décideur l'éclairage désiré sur une situation de faits et ne saurait être telle si les renseignements étaient considérés individuellement.

Prenons par exemple les prix de vente des produits de vos concurrents. Examinés individuellement ces prix n'ont aucune signification. Mais si vous les juxtaposez aux caractéristiques particulières de chacun de leurs produits respectifs, vous pouvez constater les avantages ou désavantages concurrentiels de chacun d'eux et les points forts ou les carences de leur stratégie de marketing respective.

Les types d'information

Comme on l'a dit au paragraphe précédent, l'entreprise a de plus en plus besoin d'information à la fois variée et complémentaire. Cette variété se compose de deux types de données qui sont complémentaires : les données secondaires et les données primaires. Cet ordre de présentation inversé peut vous paraître erroné, mais dans la réalité les données secondaires sont les premières à être recueillies.

LES DONNÉES SECONDAIRES

Les données secondaires sont des données à caractère public que toute personne peut obtenir gratuitement ou à peu de frais. Elles sont généralement compilées soit par des organismes gouvernementaux ou paragouvernementaux, soit par des associations d'organismes ou d'entreprises ou encore des chambres de commerce. Statistique Canada, organisme du gouvernement canadien, est la source de données secondaires de base la plus élaborée pour connaître l'état général du marché canadien dans lequel une entreprise désire opérer. Basées sur les recensements effectués à travers tout le pays, les données statistiques tant exhaustives que diversifiées permettent aux décideurs de se bâtir un portrait des caractéristiques des marchés qu'ils désirent pénétrer.

Le gouvernement du Québec possède aussi le même type d'organisme, soit l'Institut de la Statistique du Québec. On y retrouve sensiblement le même type d'information mais à l'échelle du Québec seulement.

Viennent ensuite les associations d'entreprises d'un même secteur industriel tel celui du meuble ou de la peinture. Ces associations fournissent à leurs membres toute l'information à caractère statistique relative à l'activité commerciale globale de leur industrie ainsi qu'à l'évolution de leur marché respectif.

Enfin les chambres de commerce, dans un ordre de grandeur moindre, offrent selon leur dimension un service d'information et de support à leurs membres à la hauteur de leur capacité organisationnelle. La Chambre de commerce de Montréal offre sûrement plus de services et d'information que la Chambre de commerce de Sherbrooke.

D'autres données secondaires peuvent être obtenues via Internet. Internet est un outil qui permet uniquement de découvrir des sources d'information. Des démarches additionnelles sont nécessaires pour se procurer les données relatives à l'information désirée. Les moteurs de recherche, tel Yahoo, Copernic et Google, entre autres, sont des outils de recherche efficaces.

LES DONNÉES PRIMAIRES

Les données primaires sont des données spécifiques relatives à une situation de faits précis d'un contexte donné pouvant être commandées par l'entreprise à un mandataire extérieur spécialisé dans la cueillette de données ou pouvant être puisées dans ses propres registres ou rapports internes. Par exemple, les rapports de ventes mensuelles de vos vendeurs sont des données primaires autant que les données provenant d'un sondage auprès de vos clients sur le degré de satisfaction par rapport au service à la clientèle de votre entreprise.

▉ Les sources d'information

Les données secondaires et primaires proviennent de deux sources : les sources externes et les sources internes.

LES SOURCES EXTERNES

Les données secondaires proviennent toutes de sources externes à cause de leur caractère général et du fait qu'elles sont compilées par des organismes indépendants ou des associations d'entreprises ou d'organisations. Toutefois, toutes les données recueillies par l'entreprise ou son mandataire à l'extérieur de ses murs, pour des fins décisionnelles auprès d'individus ou d'organismes qui ne font pas partie des ses activités (tel un sondage), sont des données considérées comme primaires bien qu'elles proviennent de sources externes.

LES SOURCES INTERNES

Les données primaires sont des données relatives aux activités de l'entreprise. Toutes les données compilées dans les différents rapports d'activités sont donc, il va de soi, de source interne.

En conclusion il faut retenir que la qualité de l'information réside dans le choix et la teneur des données. Le succès d'une prise de décision y étant directement lié, plus l'information sera complète et pertinente, plus les décisions seront faciles à prendre et plus les chances de réussite seront élevées.

4.2 *La gestion de l'information*

Ce titre peut vous paraître étrange et cela est tout à fait normal. Habituellement la gestion se fait sur du matériel et par surcroît sur le personnel qui en est responsable alors que l'information n'est en soi qu'un ensemble de données imprimées sur du papier et préalablement traitées. On parle de gestion de l'information parce qu'elle fait l'objet de demande de la part de gestionnaires pour qu'elle leur soit acheminée selon une présentation et un ordre précis, tout comme un produit ou une matière première faisant l'objet d'une demande d'un client. Elle exige donc une gestion propre à elle-même, c'est-à-dire un traitement et une disposition spécifique de ses données.

Ayant déjà exprimé précédemment que les opérations des entreprises sont de plus en plus complexes et interreliées, il va de soi que les besoins en information sont aussi interreliés d'une fonction à l'autre ou d'un service à l'autre.

■ Définition

La gestion de l'information est la compilation, l'agencement et le traitement de données présentées dans des rapports spécifiquement conçus de façon à fournir à son utilisateur l'information désirée sous une forme précise devant servir à une prise de décisions. Avec la mise au point des systèmes «réseau» informatisés, la gestion de l'information est devenue une fonction globale qui touche toutes les activités de l'entreprise. Cette fonction, de plus en plus importante, en est une de «conseil» à l'usage des départements et services; elle n'est pas directement reliée à la réalisation de sa mission. Avec le support «réseau», elle a amené l'élaboration du «système intégré de gestion de l'information».

■ Les systèmes de gestion d'information

Un système de gestion d'information repose sur un système informatique réseau qui est composé de systèmes d'information spécifique. Ces systèmes se divisent en deux types. Il y a les systèmes reliés aux opérations des grandes fonctions de l'entreprise et les systèmes complémentaires reliés aux activités auxiliaires à caractère administratif.

LES TYPES DE SYSTÈMES

1. LES SYSTÈMES RELIÉS AUX OPÉRATIONS DES GRANDES FONCTIONS

Les systèmes reliés aux opérations des grandes fonctions de l'entreprise sont les systèmes de support à la gestion opérationnelle telle que la gestion du marketing, la gestion de la production et la gestion des finances. Ces systèmes traitent quotidiennement un nombre phénoménal de données relatives aux opérations routinières directement reliées à la réalisation de la mission de l'entreprise. Pensons aux rapports de ventes de la journée, à la facturation de chacun des clients et à la mise à jour de leurs dossiers, aux rapports de production, au contrôle des inventaires et de la qualité des produits fabriqués, aux commandes et aux opérations de livraison quotidiennes, aux programmes de système d'information spécifiquement conçus pour élaborer des projections et des scénarios à partir de données recueillies et traitées en fonction de paramètres économiques anticipés, etc.

La figure 4.1 expose le cheminement complexe de l'information relative à la fabrication d'un produit à travers les départements et les divers services concernés.

Les principaux systèmes spécifiques de base utilisés pour les opérations routinières dans les entreprises sont:

- le système comptable qui traite toutes les données relatives aux recettes et aux déboursés pour arriver à la production des états financiers;

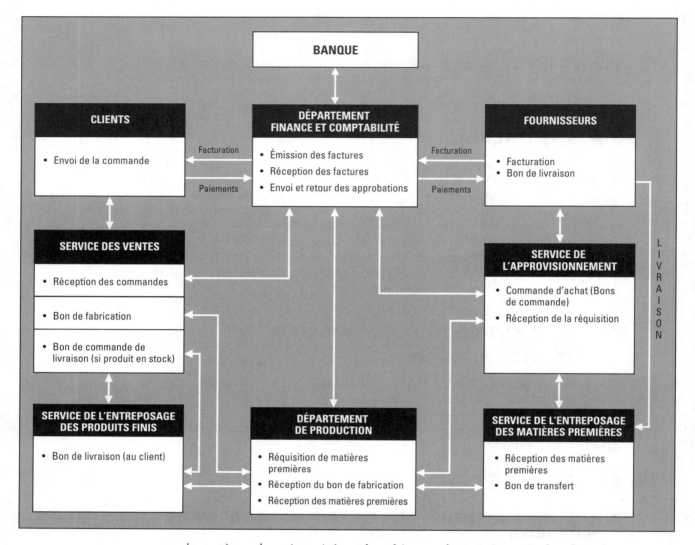

Figure

4.1

Exemple d'un flux multidirectionnel d'information dans le cadre des activités de production d'une entreprise de fabrication

- le système de paie qui émet les chèques de paie à partir des données relatives au statut de l'employé, à son contrat de travail, aux heures travaillées lorsque pertinent et des différentes retenues à la source ;
- le système de gestion et de contrôle des approvisionnements et des stocks de matières premières et des produits finis ;
- le système de gestion de la clientèle et des plaintes ;
- le système de gestion des ventes et de la force de vente ;
- le système de gestion et de contrôle de la production dans l'entreprise de fabrication.

2. LES SYSTÈMES COMPLÉMENTAIRES RELIÉS AUX ACTIVITÉS AUXILIAIRES

Les systèmes complémentaires reliés aux activités auxiliaires sont des systèmes de support à caractère administratif qui ne sont pas reliés directement à la réalisation de la mission de l'entreprise. Ils ont une fonction d'archivage et de calcul statistique.

Prenons par exemple tous les systèmes «registre» qui n'ont comme fonction que l'emmagasinage systématique des données pouvant éventuellement servir à une prise de décisions non routinières. Le système registre des actionnaires nécessaire pour toute communication et pour l'émission d'un dividende ainsi que le système registre de chacun des employés utilisé pour fins de calcul relatif à la négociation d'un contrat collectif de travail sont également des exemples de ces systèmes.

La variété des diverses demandes exige la mise au point d'un processus de fonctionnement systématique. À cet égard tout système d'information, qu'il soit informatisé ou non, suit une logique de fonctionnement lui permettant de produire l'information exigée par le requérant. La figure 4.2 vous expose cette logique.

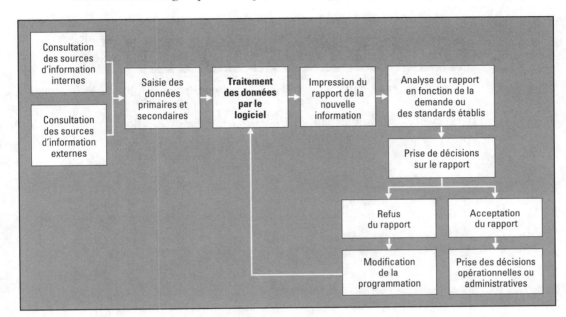

Figure
4.2

Processus de fonctionnement d'un système d'information

Dans ce processus la fonction de traitement des données constitue l'opération centrale. La figure 4.3 expose la logique des fonctions de traitement des données.

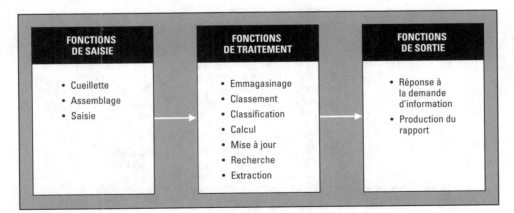

Figure
4.3

Processus de traitement des données

L'ÉLABORATION D'UN SYSTÈME DE GESTION D'INFORMATION

En référence à ce qui a été dit précédemment, le but d'un système d'information est donc de pouvoir fournir à celui qui l'a commandée une information composée de données validées, traitées et présentées sous une forme donnée lui permettant de prendre la meilleure décision possible face à un problème précis.

1. LES ÉTAPES PRÉALABLES À L'ÉLABORATION D'UN SYSTÈME DE GESTION D'INFORMATION

Pour arriver à élaborer un système d'information qui réponde aux exigences de celui qui l'a commandé, une démarche systématique préalable s'impose dont voici les principales étapes exposées dans le tableau 4.1 présentant ses éléments et leur description.

Tableau **4.1**

Étapes préalables à l'élaboration d'un système d'information		
Étape	**Éléments**	**Description**
1	Détermination des objectifs recherchés	• Prise de décisions • Contrôle d'activités • Développement de produits ou d'activités
2	Détermination de l'information désirée	• Information claire qui répond au besoin et à l'objectif recherché
3	Détermination des besoins en données primaires et secondaires	• Identification des sources • Identification des moyens de cueillette
4	Détermination du mode d'utilisation du système pour répondre adéquatement aux besoins du requérant	• Utilisation à l'interne ou à l'externe • Utilisation individuelle ou en réseau • Utilisation sur Internet ou non
5	Détermination des liens opérationnels avec d'autres systèmes	• Établir les liens obligatoires avec les autres systèmes
6	Détermination des évolutions éventuelles du système pour faire face aux besoins futurs de l'entreprise	• Choisir ou exiger un logiciel qui permet le développement du système

Ces étapes sont les composantes d'un cahier de charges que les responsables de l'élaboration du système d'information demandent au requérant de remplir pour pouvoir procéder au travail de conception du système.

2. LES ÉTAPES D'ÉLABORATION D'UN SYSTÈME DE GESTION D'INFORMATION

Un système d'information se conçoit un peu comme un nouveau produit à partir des étapes préalables présentées ci-haut. Une fois le cahier de charges rempli et remis au responsable du projet d'élaboration du système, ce dernier élabore un plan de travail avec partage des tâches dont voici les principales étapes :

1. **Élaboration de la structure et du fonctionnement du système en fonction des besoins et des attentes du requérant**
2. **Élaboration de la structure de la programmation**
3. **Répartition et exécution des tâches de programmation**
4. **Tests du programme par des utilisateurs éventuels**
5. **Correction de la programmation**
6. **Dernières corrections et tests finaux**
7. **Rédaction des procédures d'utilisation du système**
8. **Implantation du système**
9. **Entraînement du personnel utilisateur du système**

ÉLABORATION D'UN SYSTÈME INTÉGRÉ DE GESTION D'INFORMATION

La multitude et la variété de renseignements exigés par les gestionnaires décideurs et leurs subalternes forcent de plus en plus les entreprises qui atteignent une dimension d'un certain ordre à concevoir un système global où tous les systèmes spécifiques puissent être interreliés. Cette approche a fait naître le système intégré de gestion d'information.

1. DÉFINITION

Un système intégré de gestion d'information est un système informatique central constitué d'un programme dont la fonction est de pouvoir répondre à la demande d'information de requérants décideurs ou de leurs subalternes désignés de quelque unité administrative qu'ils soient. Ainsi le directeur du marketing qui désire faire une promotion spéciale d'un produit pour un temps limité pourrait demander entre autres au système de lui fournir l'information sur le coût de fabrication de ce produit, les coûts de transport dans les différentes localités (pour ne citer que ces deux types de demandes) afin de décider du type de promotion spéciale à élaborer.

2. BUT D'UN SYSTÈME INTÉGRÉ DE GESTION D'INFORMATION

Le but d'un tel système est de pouvoir fournir aux gestionnaires toute l'information désirée en quelques minutes sans devoir passer par l'intermédiaire de personnes interposées qui pourraient volontairement ou involontairement provoquer des délais d'envoi dus à une absence du bureau ou à un surplus de travail, cette demande ayant été considérée non urgente.

Rappelez-vous le slogan d'affaire « Le temps c'est de l'argent ». C'est exactement ce slogan qui a amené le développement de systèmes intégrés de gestion d'information. À la vitesse où évolue l'activité économique, la rapidité d'obtention d'information aujourd'hui nécessite la mise sur pied de ces moyens de plus en plus efficaces.

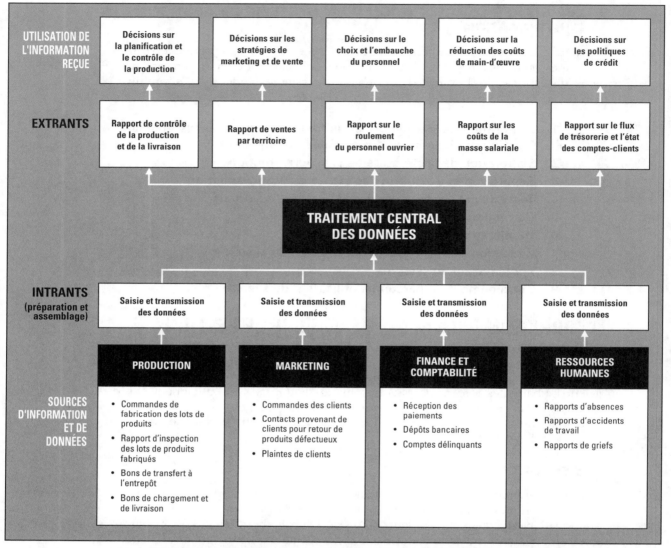

Figure
4.4

Exemple d'un système intégré de gestion d'information

3. FONCTIONNEMENT D'UN SYSTÈME INTÉGRÉ DE GESTION D'INFORMATION

Le fonctionnement est fondamentalement basé sur un système «réseau» avec un ordinateur central appelé «Serveur». Le système réseau permet la liaison des différents postes des utilisateurs entre eux. La programmation du serveur gère les demandes des requérants et les achemine au système spécifique concerné par la demande, qui la traite pour ensuite retourner le rapport via le serveur aux requérants.

Toutefois un tel système exige des mesures de sécurité absolument extrêmes pour garantir la confidentialité contre les fuites de renseignements que tout concurrent souhaite obtenir. Des mots de passe ou des cartes d'identité à code barre sont accordés au personnel autorisé pour entrer dans ces systèmes.

Nous assistons et continuerons d'assister à une évolution de plus en plus rapide de l'informatique qui mettra à la disposition des entreprises des logiciels et des bases de données de plus en plus sophistiquées et complètes.

4.3   *Le pouvoir d'Internet*

L'apparition d'Internet a sans contredit révolutionné la façon de faire des affaires et surtout contribué à faire disparaître les limites territoriales reliées à la communication que seul le téléphone outrepassait antérieurement avec ses propres limites et ses coûts. Vous avez tous vécu la folie furieuse de l'envolée boursière des années 1996 à 2000. Une grande majorité de non connaisseurs se sont fait prendre au jeu devant cette multitude de compagnie dites «.com».

Néanmoins durant ce temps des compagnies sérieuses mondialement implantées ont développé des outils d'application Internet autant pour la collecte d'information que pour la gestion transactionnelle. Cet état de fait a ouvert chez les hommes d'affaires une nouvelle vision et une nouvelle ère, déclenchant le désir immédiat de penser à développer les activités de leur entreprise sur le plan international.

Tous les jours Internet se développe pour offrir aux entreprises de plus en plus de possibilités de développement tant au niveau de la gestion que du développement des affaires. Bien que les champs d'utilisation soient nombreux, nous nous en tiendrons aux points qui suivent.

Intranet

Intranet (Internet utilisé comme moyen de communication à l'intérieur des unités administratives de l'entreprise) permet aux entreprises ayant des succursales où qu'elles soient situées dans le monde de pouvoir communiquer avec le siège social ou d'autres succursales de l'entreprise comme si elles étaient à l'intérieur du siège social. Internet permet donc d'acheminer au siège social toutes les données des succursales pour être archivées et traitées de façon à pouvoir produire les rapports demandés par une succursale. Ainsi les bureaux de Bombardier aux États-Unis à chaque semaine transmettent par Internet au siège social tous les rapports de vente des produits récréatifs. Ces rapports sont traités pour ensuite produire le rapport global de toutes les ventes de ces produits à travers toutes ses succursales aux États-Unis, permettant à Bombardier de rajuster sa stratégie de marketing.

La recherche et les transactions

LA RECHERCHE DE NOUVEAUX MARCHÉS

Internet devient de plus en plus un outil extraordinaire de recherche sur le développement de nouveaux marchés. Avec les moteurs de recherche de plus en plus nombreux tels que Copernic, Google, Yahoo, MSN et AOL, pour ne nommer que ceux-là, il est possible d'obtenir un multitude de données secondaires pour satisfaire les entreprises désireuses de développer de nouveaux marchés territoriaux ou conquérir de nouveaux consommateurs pour le projet d'un nouveau produit. L'analyse des données de ces recherches leur permet également de décider d'abandonner ou de poursuivre plus en profondeur la cueillette de données primaires selon que les résultats de l'analyse sont concluants ou non.

LA RECHERCHE DE SOURCES D'APPROVISIONNEMENT ET DE SOUS-TRAITANTS

Dans un autre ordre d'idées, Internet permet aussi à l'aide des moteurs de recherche de pouvoir trouver de nouvelles sources d'approvisionnement et de découvrir des sous-traitants dans des pays où le coût de la main-d'œuvre est de beaucoup inférieur au nôtre. Les entreprises qui fabriquent des produits à haut volume sont de plus en plus nombreuses à se tourner vers des partenariats dans des pays aussi loin que l'Asie.

LES FACILITÉS DE PAIEMENT ET DE TRANSFERT DE FONDS

Le système bancaire a été un des premiers à entrer de plein fouet dans l'utilisation d'Internet à des fins transactionnelles. Pour l'entreprise il y voyait deux grands avantages. Dans un premier temps la possibilité pour celle-ci de consulter le solde de ses comptes en tout temps et dans un deuxième temps de pouvoir effectuer le paiement de ses comptes à ses fournisseurs par la transaction bancaire en ligne de compte à compte.

L'information bancaire est maintenant devenue une exigence quotidienne pour le directeur des finances d'une entreprise et autant pour le banquier qui suit les dossiers de ses clients à chaque jour, entre autres pour le suivi des marges de crédit.

4.4 *Le rôle stratégique de l'information*

Un avantage concurrentiel nouveau

Dans la gestion d'une entreprise, tout gestionnaire en position de prise de décisions à caractère stratégique devant avoir des impacts directs sur les résultats financiers ou sur le développement des affaires de l'entreprise, doit avoir en main tous les outils lui permettant d'atteindre les objectifs préalablement fixés suite aux prises de décision. Ces outils sont :

1) La compétence personnelle
2) Une équipe de personnes compétentes sur laquelle il peut compter
3) Une information de qualité

Bien que ces gestionnaires puissent être bien outillés sur les points 1 et 2, si on ne leur fournit pas l'information de qualité sur laquelle ils peuvent compter, les objectifs ne seront pas atteints ou que partiellement atteints.

QU'EST CE QU'UNE INFORMATION DE QUALITÉ?

Une information de qualité est une combinaison de plusieurs bonnes informations différentes qui donne au décideur l'éclairage maximum sur la situation problématique au sujet de laquelle il doit prendre une décision.

Par exemple si vous désirez agrandir votre usine pour fabriquer un nouveau produit, l'information de qualité comprendra absolument tout ce que le gestionnaire a besoin de savoir pour prendre une décision éclairée. Il devra entre autres avoir en main l'étude de marché sur plusieurs aspects du marketing relatif au nouveau produit (clientèle potentielle, stratégie de prix des concurrents, part de marché des concurrents, etc.), à l'analyse des coûts de fabrication du nouveau produit, à son seuil de rentabilité et à son volume de vente minimum, aux coûts de construction de l'agrandissement de l'usine et au retour sur investissement, pour ne mentionner que ces points-là.

Cette information de qualité constitue donc l'élément stratégique de prise de décisions le plus important dans les trois outils mentionnés plus haut, bien que les deux autres soient aussi indispensables. Le gestionnaire décideur qui possède l'information de qualité possède un avantage stratégique concurrentiel indéniable.

Un outil de développement stratégique

Tout entrepreneur sérieux qui désire lancer ou développer son entreprise à partir d'un plan de développement réfléchi et stratégique, ne peut ignorer l'importance du rôle de l'information. Combien nombreux sont les entrepreneurs qui ont lancé leur entreprise sans au préalable vérifier l'état ainsi que l'avenir de l'industrie dans laquelle ils désiraient opérer et qui ont obligatoirement connu la faillite. Avec tout ce qu'Internet peut permettre de réaliser aujourd'hui, il est possible de recueillir une foule de données pertinentes ou du moins des adresses pour les obtenir et être capable de monter un plan d'affaire solide que les prêteurs éventuels accepteront volontiers.

L'information constitue sans contredit un outil absolument indispensable dans le développement stratégique d'une entreprise.

Questions
de RÉVISION

1. Qu'est ce que l'information?

2. De quoi est composé l'environnement de l'information?

3. Qu'est-ce une bonne information?

4. Quels sont les types d'information?

5. Qu'est-ce qui caractérise une donnée secondaire par rapport à une donnée primaire?

6. Expliquez brièvement le système de gestion d'information.

7. Quelles sont les étapes préalables à l'élaboration d'un système d'information?

8. Qu'est-ce qu'un système intégré de gestion d'information?

9. Quel est le but d'un système intégré de gestion de l'information?

10. Expliquez brièvement le pouvoir d'Internet.

11. En quoi Internet est-il un outil de développement stratégique?

Annexe *Sujets complémentaires*

La gestion de la relation client: le concept et ses outils de support

Exemple de gestion de l'information dans un concept de gestion de la relation client

**Collaboration spéciale de Benoit Lachance,
Analyste/Architecte de solutions GRC chez Keyrus Canada**

La gestion de la relation client (GRC) est basée sur un concept de progiciel (logiciel d'agencement de programmes) de gestion de l'information, relative aux interactions entre l'entreprise et son client dont l'objectif de fournir à tout employé qui interagit avec un client une base exhaustive de données informatives. Les outils d'utilisation développés dans le concept permettent d'accéder à cette base appelée Vue 360° partagée par tous les départements et services qui entrent en contact avec les clients. Elle fournit une «compréhension commune» des relations entretenues avec un client donné. Ce partage de l'information permet ainsi à tout intervenant de pouvoir être proactif lors d'une intervention avec un client.

Ainsi, avant de se déplacer chez son client, un représentant un représentant consultera la Vue 360° du client pour découvrir que ce dernier a communiqué avec le service à la clientèle pour retourner 12 boîtes de produits défectueux. Connaissant ce problème, le représentant ajustera son discours avant que son client lui en parle, ou du moins, être prêt à répondre aux questions sur le problème. En étant ainsi proactif, le client estime que son fournisseur agit de façon à rendre la relation la plus facile et harmonieuse possible.

La composition de la vue 360°

Les éléments dans une vue 360° sont les interactions avec le client qui comprennent toutes les formes de communication (conversations téléphoniques, courriels, rencontres, tâches pertinentes, etc.) et tout document pertinent servant à déterminer le statut du client. Par exemple, une fiche projet permettra de partager l'évolution d'un projet d'un client. La figure 1 expose les modules du concept de GRC de Microsoft Dynamics CRM (Consumer Relation Management) 2011.

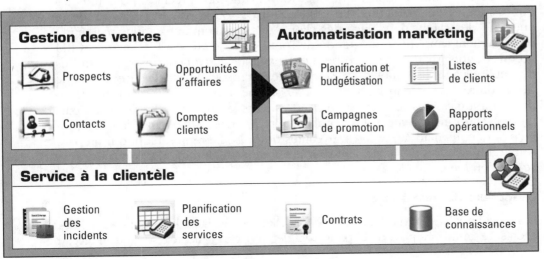

Figure

1

**Modules de la
solution GRC
de Microsoft
Dynamics CRM**

LES MODULES DE LA GRC DE MICROSOFT DYNAMICS CRM

Le module Gestion des Ventes

Le module «Gestion des ventes» est un concept complet. Il permet d'automatiser toutes les étapes du processus de gestion des ventes au nombre de cinq exposées en détail à la figure 2. Il comprend: la prospection, la qualification, la sélection, la négociation et la conclusion. L'étape prospection inclut la création d'une opportunité d'affaires (après une étude préalable sur sa faisabilité) avec un client découvert au cours de la prospection.

Figure
2

Étapes détaillées du module Gestion des ventes

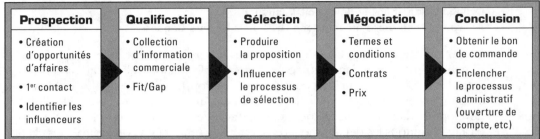

De plus l'automatisation de ce processus constitue un avantage important. Le système GRC de Microsoft Dynamics CRM permet le séquencement des activités du processus. Par exemple, lors de la création d'une nouvelle opportunité d'affaires, l'outil GRC créera deux tâches pour le représentant. La première : Effectuer le premier contact et la deuxième : Identifier les influenceurs (personnes qui exercent une influence sur les décideurs: analystes, chercheurs, conseillers, consultants, etc.). Lorsque le représentant aura complété les deux tâches, l'outil GRC de Microsoft Dynamics CRM avancera automatiquement de l'étape Prospection (figure 2) à l'étape Qualification et créera deux nouvelles tâches, soit la collecte d'informations commerciales ainsi que le Fit Gap (l'analyse d'écart fonctionnel).

Ce module du système GRC permet donc de personnaliser chaque formulaire d'opportunités d'affaires où se reflètent le contexte et l'environnement vente de l'entreprise étudiée. Une entreprise de service aura une fiche «opportunité» axée sur le temps des ressources humaines en cause tandis qu'une entreprise de distribution présentera, d'une façon beaucoup plus proéminente, l'aspect disponibilité et vente du produit.

Le module Automatisation marketing

Le module «Automatisation marketing» fournit un outil précieux pour tous les professionnels du marketing. En bénéficiant de toutes les informations de la vue 360° des clients, le ciblage des clients dans les communications marketing est nettement simplifié. L'intégration de l'outil GRC de Microsoft Dynamics CRM avec les outils Microsoft Office permet d'exploiter les fonctionnalités avancées de publipostage disponibles à l'intérieur de Microsoft Word. Ceci permet donc de produire du contenu marketing professionnel tout en conservant une trace des communications marketing antérieures dans la vue 360° du client. En partageant l'information ainsi, les représentants pourront savoir que leur client a reçu la documentation sur les nouveautés du mois. Le représentant qui prépare son argumentation de vente peut tirer profit de cette communication spécifique comme entrée en matière.

Le module Service à la clientèle

Les fonctionnalités du module «Service à la clientèle» facilitent le travail de suivi des agents. Le grand défi pour un département de service à la clientèle se situe au niveau de la documentation adéquate des «requêtes client» et d'en assurer le suivi à l'intérieur des limites de l'entente de service conclue avec le client. Par exemple, l'entreprise consent à répondre à une demande non urgente d'un client à l'intérieur de 4 heures de jours ouvrables, les heures d'ouverture étant de 8h00 à 17h00 du lundi au vendredi. La requête client est acheminée au département de service à la clientèle le vendredi en fin d'après-midi vers 16h00. Les agents de service doivent donc répondre au client avant 11h00 le lundi suivant. L'outil GRC de Microsoft Dynamics CRM permet un acheminement automatique des demandes vers une file de traitements des urgences et ce, une heure avant l'expiration du délai. Ce processus assure ainsi aux agents du service à la clientèle de ne pas dépasser les délais exigés par le client.

Certains types de requêtes exigent de suivre une procédure particulière de résolution de requêtes bien précise comportant un arbre de décisions permettant de résoudre plus efficacement certaines problématiques de client. Elle peut aussi comporter un outil de dialogue assisté qui permet de guider les agents dans l'utilisation de cet arbre de décisions. Cet outil a pour effet complémentaire de simplifier la formation de nouveaux agents du service à la clientèle.

La documentation adéquate de chacune des requêtes client ainsi que leurs résolutions respectives permet de construire une mémoire corporative partageable. Un agent ayant une demande client particulière, qu'il ne peut résoudre avec son propre bagage de connaissances, peut effectuer une recherche rapide dans la base de connaissances de toutes les résolutions passées pour les mêmes types de requêtes. L'outil GRC effectue automatiquement cette recherche et présente à l'agent les résolutions les plus populaires et propices à ce type de requête.

LA DIMENSION X DE LA GRC DE MICROSOFT

Le concept de GRC, principalement basé sur les bonnes pratiques en termes de gestion de la relation client, est aussi une plateforme évolutive pour gérer plusieurs autres types de relation comme la gestion de la relation avec des fournisseurs ou avec des sous-traitants. Cette souplesse à pouvoir étendre les fonctions de gestion de la GRC vers d'autres aspects relationnels de l'entreprise a fait naître la dimension X. Par exemple, pour une organisation à but non lucratif qui n'a pas de clients à proprement parlé, mais plutôt des membres, il est possible avec l'outil GRC de la personnaliser pour parler maintenant de GRM (Gestion de la Relation des Membres). De ce fait, il est alors possible aux entreprises de pouvoir entretenir une multitude de relations à divers niveaux avec différents types de clients ou intervenants que ce soit:

- Au niveau des fournisseurs, pour développer une relation d'affaires gagnante/gagnante,

- Au niveau des employés, pour améliorer les relations de travail et gérer les carrières,

- Au niveau des partenaires, pour pouvoir accéder à de plus gros contrats en formule partenariat,

- Au niveau des «influenceurs» pour s'assurer qu'ils aient toujours un bon mot pour nous,

- Au niveau des clients pour leur fournir entière satisfaction.

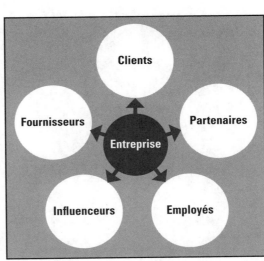

Ce qui devrait influencer le choix d'un outil GRC

Il y a certains préalables obligatoires pour arrêter un choix sur un outil GRC. En voici les principaux:

- L'outil doit pouvoir s'intégrer aux outils déjà en place utilisés par les intervenants dans l'entreprise. Par exemple, si les représentants utilisent Microsoft Outlook, un outil GRC de Microsoft Dynamics CRM complètement intégré à Outlook facilitera et simplifiera la formation des utilisateurs.

- L'outil se doit d'être évolutif, permettant de personnaliser l'application tout en pouvant bénéficier des évolutions de la plateforme. Par exemple, si je modifie le formulaire d'incidents et que le fournisseur me propose une nouvelle version du produit, je dois être en mesure de mettre à jour ma version sans devoir refaire mes personnalisations. Ceci réduit les coûts de mise à niveau et permet de suivre l'évolution de la technologie.

- L'application doit pouvoir s'adapter aux processus de gestion de l'entreprise et non l'inverse. L'entreprise doit aussi être ouverte à considérer les bonnes pratiques de son industrie qui sont souvent incorporées directement dans les outils de GRC de Microsoft Dynamics CRM.

Renseignements: benoit.lachance@keyrus.ca

QUESTIONS

1) Quel est l'objectif premier de la GRC (Gestion de la Relation Client) ?
2) Qu'est-ce que la vue 360°?
3) Qui a accès à la vue 360°?
4) À quoi sert la vue 360°?
5) À quoi peut servir un arbre de décisions dans la GRC?
6) Qu'est-ce que la dimension X?
7) Quelles sont les considérations qui devraient influencer le choix d'un outil GRC?

Partie 3

L'entreprise et la dynamique de ses fonctions

- ■ L'entreprise et la production
- ■ L'entreprise et le marketing
- ■ L'entreprise et la distribution
- ■ L'entreprise et la gestion financière
- ■ L'entreprise et la gestion des ressources humaines

Note sur cette partie

Cette partie du volume qui porte sur les fonctions de l'entreprise traite de l'étude des activités particulières à chacune d'elles. Tel qu'expliqué précédemment, ces fonctions sont parties intégrantes du système entreprise et aucune ne peut fonctionner sans l'implication et le support des autres fonctions.

Par exemple, la conception et le lancement d'un nouveau produit, par la fonction marketing, impliquera autant la fonction production que la fonction finance et gestion des ressources humaines, leur degré d'implication étant conditionné par l'importance de leur apport dans le projet.

La figure ci-dessous démontre spécifiquement la globalité de l'environnement de l'entreprise dans l'interrelation de ses fonctions. À la fin de chacun des chapitres de cette partie, un rappel sur cette interrelation sera exposé en regard de la fonction étudiée.

L'interaction des fonctions de l'entreprise à travers leurs activités

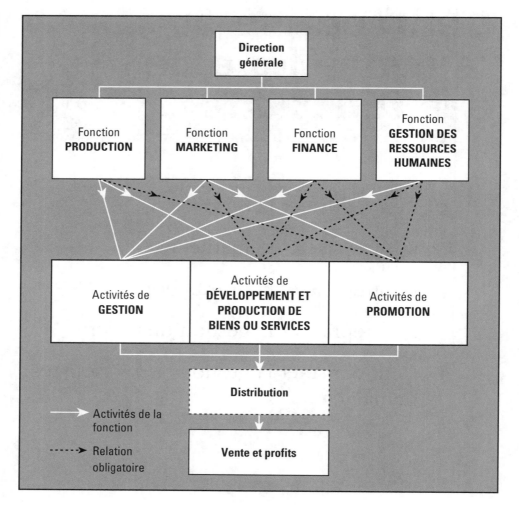

Plan du VOLUME

PARTIE 1 • L'ENTREPRISE ET L'ÉCONOMIE

L'entreprise et son milieu — Ch. 1
L'entreprise et son encadrement juridique — Ch. 2

PARTIE 2 • L'ENTREPRISE ET L'ADMINISTRATION

L'entreprise et la dynamique de la gestion — Ch. 3
L'entreprise et l'information — Ch. 4

PARTIE 3 • L'ENTREPRISE ET LA DYNAMIQUE DE SES FONCTIONS

L'entreprise et la production Ch. 5	L'entreprise et le marketing Ch. 6	L'entreprise et la distribution Ch. 7	L'entreprise et la gestion financière Ch. 8

L'entreprise et la gestion des ressources humaines Ch. 9

PARTIE 4 • L'ENTREPRISE ET LES DÉFIS

L'entrepreneurship et le démarrage d'entreprise — Ch. 10
L'entreprise et la mondialisation du commerce — Ch. 11

PARTIE 5 • L'ENTREPRISE ET L'ÉTUDIANT

La visite d'une entreprise et les fonctions de travail — Ch. 12
La simulation LOGIVÉLO — Ch. 13

La fabrication

LA RENTABILITÉ PASSE PAR LA PRODUCTIVITÉ

Chapitre 5

L'ENTREPRISE ET LA PRODUCTION

Objectif global

Connaître et comprendre toute la complexité de la production autant dans l'entreprise manufacturière que dans l'entreprise de services et sa relation avec les autres fonctions de l'entreprise.

Objectifs spécifiques

Après avoir étudié les éléments de ce chapitre, vous serez en mesure :

- de décrire les différents procédés de fabrication ;
- d'expliquer les différents types de fabrication ;
- d'expliquer les caractéristiques de la fabrication de masse ;
- de montrer l'importance de la haute productivité ;
- de décrire les types d'aménagement de l'usine ;
- de décrire les fonctions de la gestion de la production ;
- de décrire les critères de sélection d'un emplacement d'usine ;
- d'expliquer la relation de la fonction production avec les autres fonctions de l'entreprise ;
- d'expliquer ce qu'est la certification ISO ;
- de décrire et expliquer la spécificité et les particularités de la production des services ;
- d'expliquer la gestion de la production des services.

Aperçu du chapitre

5.1 *L'environnement de la production*

La fonction de production dans une entreprise de fabrication constitue le groupe d'activités qui, en comparaison avec les autres fonctions, génère la majorité des coûts de l'entreprise. En effet, plus de 50% des coûts d'exploitation d'une entreprise de fabrication sont reliés au domaine de la fabrication. Pensons principalement à la masse salariale des ouvriers, à l'achat des matières premières, au coût de l'énergie, au coût de financement des équipements et de la machinerie devenue sophistiquée.

Dans un contexte de plus en plus concurrentiel, dans le pays ou à l'échelle de la planète, la rentabilité des entreprises de fabrication repose de plus en plus sur l'efficacité de la production. C'est ce sujet que nous allons traiter dans les lignes qui suivent.

Les procédés de fabrication

Il y a plusieurs procédés de fabrication pour transformer des matières premières en produits semi-finis ou finis dont les principaux sont : *l'extraction, le conditionnement (traitement), l'analyse, la synthétisation* et *l'assemblage.*

L'EXTRACTION

Le procédé d'extraction consiste à extraire du sol, de la mer ou même de l'air, une matière première ; par exemple, l'or du sol, le sel de la mer et l'oxygène de l'air.

LE CONDITIONNEMENT (TRAITEMENT)

Le procédé de conditionnement (traitement) consiste à transformer une matière première en produit ayant une plus grande valeur ; par exemple, le blé en farine, les peaux en cuir, le coton en tissu.

L'ANALYSE

Le procédé d'analyse consiste à diviser une matière brute en plusieurs parties pour en faire des produits spécifiques différents : par exemple, l'abattage des animaux à viande comestible transformée en multiples morceaux ou le raffinage du pétrole brut en sous-produits spécifiques tels que l'essence, les lubrifiants, l'huile à chauffage, etc.

LA SYNTHÉTISATION

Le procédé de synthétisation consiste à intégrer deux ou plusieurs matières premières pour former un produit fini. Le pain et le ciment en sont deux exemples.

L'ASSEMBLAGE

Le procédé d'assemblage consiste à unir ensemble plusieurs pièces (matières ou produits semi-finis) pour former un produit fini. Les automobiles, les appareils électriques en sont des exemples typiques.

Les types de fabrication

Selon la quantité et le genre de produits à fabriquer, il convient de choisir le type de fabrication qui correspond le mieux aux objectifs de l'entreprise.

Il y a trois types sous lesquels se regroupent tous les procédés de fabrication : la *fabrication à l'unité*, la *fabrication par commandes (discontinue)* et la *fabrication de masse (continue)*.

LA FABRICATION À L'UNITÉ

Le procédé de fabrication à l'unité est utilisé pour répondre aux exigences particulières d'un client lorsque la quantité de produits à fabriquer est relativement limitée. Elle est la plus coûteuse par unité de produits fabriqués.

LA FABRICATION PAR COMMANDES (DISCONTINUE)

Le procédé de fabrication par commandes (discontinue) est utilisé lorsqu'une quantité relativement importante de produits homogènes doit être fabriquée. Ces coûts de fabrication sont considérablement abaissés à cause des achats en grande quantité des matières premières et de l'utilisation partielle de l'automation dans un certain nombre d'opérations de fabrication.

 chandails grasset ⋆

LA FABRICATION DE MASSE (CONTINUE)

Le procédé de fabrication de masse (continue) est utilisé lorsqu'il y a une très grande demande continue pour un produit uniforme. Il implique l'implantation de grandes usines de fabrication utilisant de l'équipement sophistiqué qui assure un coût de fabrication à l'unité très bas à cause des économies d'échelle et une qualité de produit uniforme. Un bon nombre de ces usines fonctionnent vingt-quatre heures par jour. L'automobile et les aliments en conserve en sont des exemples.

◼ L'importance de la haute productivité

Depuis la fin de la Deuxième Guerre mondiale en 1945, l'Amérique du Nord, autant les États-Unis que le Canada, a connu une expansion économique sans précédent, laquelle expansion a contribué à faire augmenter le standard de vie des Nord-Américains et aussi à aider à rebâtir les pays d'Europe qui avaient été détruits par la guerre. La haute productivité a été un concept qui est apparu lentement dans le vocabulaire des entrepreneurs pour prendre un sens quasi dramatique lorsque la concurrence étrangère est apparue de façon inquiétante dans les années 1970.

Aujourd'hui, la haute productivité est d'une importance capitale pour les entreprises manufacturières. Dans un contexte de concurrence féroce sur le plan national et de mondialisation des marchés, la haute productivité est la préoccupation première de nos entreprises. Elle doit être imposée dans toutes les activités de l'entreprise, entre autres, dans :

- le traitement des données ;
- les opérations de fabrication des produits ;
- la gestion des achats et des stocks ;
- le contrôle de la qualité des produits finis.

Dans la fabrication, haute productivité signifie rapidité et qualité d'exécution, diminution des rejets de produits fabriqués et en bout de ligne, l'objectif ultime, la rentabilisation optimale du produit.

Les cercles de qualité

Les cercles de qualité sont les précurseurs du concept de contrôle de la qualité que nous connaissons aujourd'hui.

Ce concept a été créé par les Japonais et plusieurs entreprises canadiennes l'ont adopté. Le cercle de qualité est constitué d'un groupe d'employés d'une même division qui se réunissent pour identifier, analyser et résoudre autant les problèmes de qualité de produits que les problèmes relatifs à l'exécution de leur tâche respective. Ils se rencontrent régulièrement et soumettent des propositions de solutions à leurs dirigeants.

Les cercles de qualité ont contribué d'une façon très significative, dans bien des entreprises, autant à l'amélioration et à l'uniformité de la qualité des produits qu'à l'augmentation de la productivité. *+ degré de satisfaction des employés.*

Mentionnons enfin que cette initiative procure aux employés impliqués un degré de satisfaction au travail plus élevé tout en développant un sentiment d'appartenance à l'entreprise.

5.2 *L'encadrement des fonctions de la production*

Le département de production

Le département de production est responsable du fonctionnement de l'usine et de ses annexes qui représentent la plus grande partie de l'investissement de l'entreprise. La conception de l'usine doit être minutieuse de façon à être la plus efficace possible d'une part et à pouvoir être agrandie au moindre coût d'autre part. La conception d'un département de production, avec ses différentes activités, repose sur quatre éléments :

1) la nature du produit ;
2) les caractéristiques des parties composantes du produit à fabriquer ;
3) les principales opérations à effectuer pour fabriquer le produit ;
4) le volume de production de départ et, si possible, le volume futur souhaité.

Ces éléments vont déterminer :

- la capacité de production de l'usine ;
- le type de procédé de fabrication à utiliser ;
- le degré d'automation que l'entreprise devra intégrer dans ses opérations de fabrication ;
- le nombre de tâches et de travailleurs nécessaires aux opérations de fabrication et autres tâches connexes ;
- le type d'aménagement d'usine, c'est-à-dire la disposition des machines et équipements pour la circulation et la manutention des produits en cours de fabrication ;
- la dimension de l'usine.

■ La conception et l'aménagement de l'usine

En regard de ce qui a été exposé précédemment, la conception et l'aménagement (ou le réaménagement) de l'usine requiert l'élaboration d'un document complexe traitant non seulement de la construction de l'usine mais aussi de l'affectation des espaces à la fabrication, à l'entreposage des matières premières et des produits finis, à la réception des marchandises diverses et la livraison des produits finis. Les espaces de manutention et de circulation des produits autant en cours de fabrication que finis ainsi que ceux de repos des employés sont aussi considérés dans le projet.

L'élaboration de ce document a pour but de minimiser les coûts de construction et d'aménagement de l'usine tout en maximisant l'efficacité de sa production. Le type de produit et le procédé de fabrication conditionneront la conception et l'aménagement de l'usine ainsi que le choix de l'équipement de fabrication. Ce sont généralement des spécialistes en « génie industriel » qui traitent ces domaines particuliers. Les grandes entreprises possèdent généralement leur propre département de génie industriel alors que les petites entreprises font appel à des consultants externes, la charge annuelle de travail ne permettant pas la mise sur pied d'un département.

Bien que chaque type de produit commande son propre procédé de fabrication avec le type d'équipement et machinerie en rapport avec le volume de production, la gestion de la production demeure fondamentalement la même d'une usine à l'autre, quel que soit le type de produits.

LES TYPES D'AMÉNAGEMENT D'USINE

Selon l'envergure de l'entreprise, le type de produit et le volume de production, il y a un type d'aménagement d'usines approprié.

1. LA FABRICATION À L'UNITÉ

La fabrication à l'unité est utilisée dans les cas où le volume de production est restreint ou à cause de la forte dimension du produit. Il faut adopter le type d'aménagement « atelier ». La fabrication est mécanisée au minimum et le nombre d'employés est généralement restreint.

L'équipement et la machinerie sont disposés autour de l'atelier, alors que le centre est réservé à l'assemblage du produit. La figure 5.1 illustre un aménagement type.

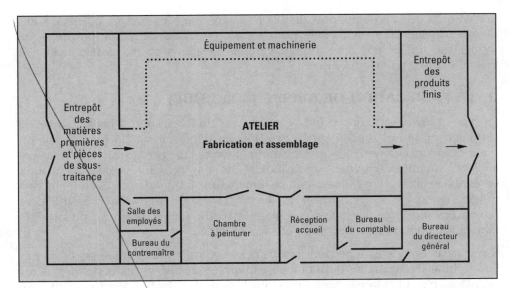

Figure
5.1

Principe de l'aménagement type d'une usine de fabrication à l'unité

C'est le cas entre autres des ateliers de soudure et de machinage (modification de pièces de métal brut). À Pont-Rouge, près de Québec, Poêles P.A. Lesage fabrique des poêles à combustion lente à l'unité. Il n'y a que trois employés.

2. LA FABRICATION PAR COMMANDES (DISCONTINUE)

La fabrication par commandes nécessite un aménagement d'usine différent. C'est généralement un aménagement sur la base d'ateliers multiples fabriquant des pièces uniformes devant être acheminées à l'atelier principal où elles sont assemblées pour créer le produit fini. Bien que les produits soient similaires, le volume de production demeure limité puisque les produits répondent à des demandes particulières des clients. La figure 5.2 illustre un aménagement type.

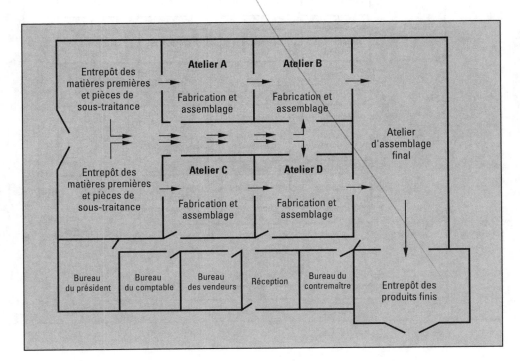

Figure
5.2

Principe de l'aménagement type d'une usine de fabrication par commandes (fabrication discontinue)

R.P.M. Tech de Cap Santé, près de Québec, fabrique plusieurs modèles de souffleuses à neige dont un modèle pour les aéroports. La demande pour chaque modèle est limitée. Ce type d'aménagement d'usine convient parfaitement aux besoins de ce type d'entreprise.

3. LA FABRICATION DE MASSE (CONTINUE)

Le type d'aménagement d'usine pour ce type de fabrication à haut volume de produits uniformes repose sur le principe du déplacement du produit sur un convoyeur ou chaîne d'assemblage pour passer d'un poste de travail (espace atelier) à un autre. L'ouvrier ou le robot ne fait que fixer une pièce à un produit en cours de fabrication qui sera complètement fini au bout de son cheminement à travers l'usine. Précisons toutefois que les pièces composantes sont préalablement fabriquées soit en atelier complémentaire à l'usine même, selon un procédé de fabrication continu lui aussi, soit par sous-traitance.

Il n'y a pas de dessin type pour ces usines si ce n'est que chaque poste de travail le long de la chaîne de montage est approvisionné en matières premières ou pièces par un système basé sur la synchronisation. La figure 5.3 vous expose un aménagement type d'une usine de fabrication de masse. Ce type d'aménagement a le grand avantage de pouvoir fabriquer un produit à un coût unitaire très bas par rapport aux deux précédents, pour autant qu'un niveau certain de productivité soit atteint.

Figure
5.3

Principe de l'aménagement type d'une usine de fabrication de masse (fabrication continue)

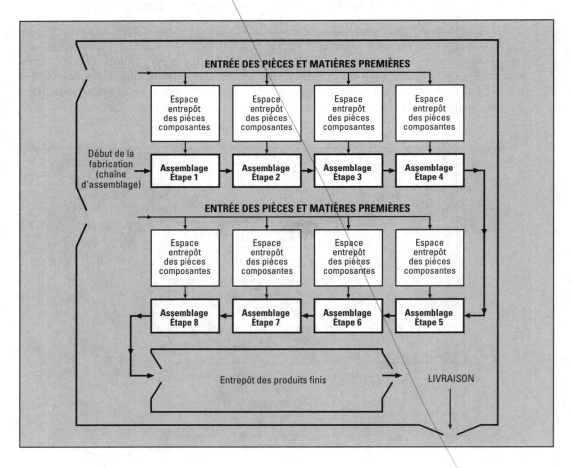

LES CARACTÉRISTIQUES DE LA FABRICATION DE MASSE

Pour être efficaces et concurrentielles, les entreprises de fabrication d'aujourd'hui doivent mettre en pratique les éléments qui caractérisent le domaine de la fabrication de masse. Il y a :

1) la mécanisation ;
2) l'automation ;
3) la spécialisation ;
4) la standardisation ;
5) la synchronisation ;
6) la CAO et la FAO (ou CFAO) ;
7) la robotique.

La mécanisation

La mécanisation signifie l'utilisation de la machine pour l'exécution de tâches *simples & répétitives.* antérieurement exécutées par l'homme. La plupart des entreprises utilisent la mécanisation dans des opérations répétitives que l'homme ne pourrait faire d'une façon aussi uniforme et efficace.

L'automation

L'automation désigne le contrôle de la machine par la machine. Le progrès technologique a amené l'automation, qui confie à une machine sophistiquée la tâche de vérifier une action faite ou de décider d'une action à faire par une ou plusieurs machines, tâche autrefois exécutée par l'être humain.

La spécialisation

La spécialisation implique le fait que l'ouvrier est devenu spécialisé dans l'accomplissement d'une ou de quelques tâches précises, simples et répétitives, dans un processus global de fabrication plutôt que de faire lui-même, seul, le produit dans sa totalité. Ce principe s'applique aussi à la machine.

La standardisation *NORMES: tous les produits pareils.*

La standardisation implique l'adoption de standards à multiples niveaux et aspects de la production : matériaux, pièces, outils, procédés, machines et méthodes de travail.

Un standard indique exactement quelles caractéristiques un matériau ou une pièce doit posséder, ce qui englobe sa performance, sa composition, sa couleur, sa forme, son poids et ses dimensions. La standardisation est absolument essentielle pour l'utilisation de la machine dans le processus de fabrication.

La synchronisation *Toutes les étapes en temps précis.*

La fabrication d'aujourd'hui dans les entreprises à haut volume de production est faite d'opérations généralement complexes. Elle implique un grand nombre de travailleurs, de machines et un débit continu de matériaux et de pièces à assembler pour arriver à créer un produit fini pour notre consommation.

Seule la synchronisation, qui est l'agencement de toutes les opérations de fabrication, peut garantir la livraison massive de produits que les entreprises mettent à notre disposition aujourd'hui sur le marché. L'automobile en est le plus bel exemple.

● La CAO et la FAO (ou CFAO)

La conception assistée par ordinateur (CAO) et la fabrication assistée par ordinateur (FAO) de produits est une façon de faire de plus en plus répandue dans les entreprises d'aujourd'hui, tant au niveau de la fabrication qu'au niveau de la planification et du contrôle de la production. La combinaison des deux termes donne CFAO.

L'utilisation de l'ordinateur a contribué à augmenter sensiblement la productivité des entreprises et à mettre sur le marché des produits de plus en plus sophistiqués et de qualité de plus en plus grande. L'automobile d'aujourd'hui, avec sa grande qualité de fabrication et de performance, est le résultat de la CAO et de la FAO.

● La robotique

De plus en plus d'entreprises canadiennes et québécoises de fabrication utilisent des robots dans l'exécution des opérations répétitives. Les robots possèdent des ordinateurs dans lesquels ont été programmées chacun de leurs mouvements et opérations. Leurs programmations font partie d'un logiciel maître qui coordonne l'ensemble des opérations de chaque étape de fabrication. Les avantages sont:

1) un coût de production nettement diminué;
2) un volume de production plus élevé;
3) une qualité de produit fini uniforme.

La logistique de la production

Tous les matériaux utilisés dans la fabrication d'un produit (matières premières et produits d'entretien des équipements) sont acheminés à leur lieu d'utilisation selon une programmation précise de temps et de lieu. Cette programmation fait partie d'une fonction appelée «logistique» qui s'occupe essentiellement du mouvement de l'ensemble des matériaux et produits nécessaires à la fabrication.

On la définie comme étant la gestion intégrale du processus d'acheminement des matières nécessaires à la production, du fournisseur jusqu'à l'utilisateur, incluant leur mouvement à l'intérieur de l'unité de production et de ses annexes. Elle comprend aussi, en plus de l'aménagement de locaux et de la gestion du transport (réception et expédition), la gestion de leur manutention, de leur circulation et de leur entreposage. Cette fonction est élaborée par le Génie industriel lors de la conception de l'unité de production et des locaux connexes.

La gestion de la production

Le directeur de la production a la responsabilité de voir à la fabrication des produits et de gérer toutes les tâches directes et complémentaires qui s'y rattachent. Au fur et à mesure que le volume de production augmente, le directeur doit s'adjoindre des spécialistes pour assurer une productivité soutenue et une efficacité maximale de l'unité de production, sa tâche globale étant devenue trop lourde. La figure 5.4 nous expose un organigramme type d'une unité de production au regard des principales fonctions de la gestion de la production.

Ces principales fonctions sont: la planification et le contrôle de la production, la recherche et le développement (R & D) des produits, la gestion des achats et le contrôle des inventaires ainsi que le contrôle de la qualité des produits fabriqués.

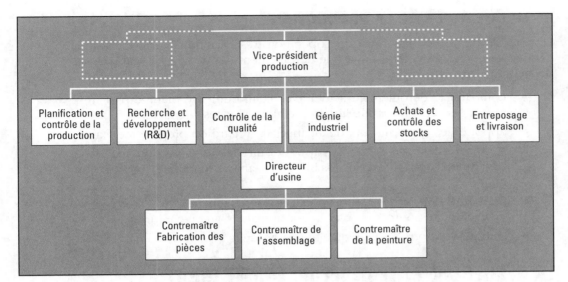

Figure

5.4

Organigramme type de l'unité de production d'une moyenne entreprise de fabrication

LA PLANIFICATION ET LE CONTRÔLE DE LA PRODUCTION

1. LA PLANIFICATION DE LA PRODUCTION

La planification de la production comprend deux éléments : l'établissement des prévisions de fabrication et l'établissement du programme de fabrication.

▮ L'ÉTABLISSEMENT DES PRÉVISIONS DE FABRICATION

Les prévisions de fabrication portent sur le volume de produits à fabriquer pendant une période donnée, qu'elle soit un trimestre, un semestre ou rarement une année.

Ce sont les gens du marketing qui transmettent au responsable de la production les données nécessaires à l'établissement des prévisions de fabrication des produits. Par exemple on leur indiquera qu'au premier trimestre, le service des ventes devra compter sur un nombre précis d'unités de produits ayant telles caractéristiques : modèle, couleurs, formats, etc. Cette information est essentielle à la mise en marche de tout le processus de production.

▮ L'ÉTABLISSEMENT DU PROGRAMME DE FABRICATION

Le programme de fabrication comporte la planification et l'organisation de toutes les activités de fabrication. Il implique :

- l'élaboration des cédules de fabrication des différents produits (l'ordonnancement) ;
- l'organisation et le démarrage des activités de fabrication (le lancement) :
- l'affectation des différentes ressources (personnel et équipements),
- les achats de matières premières ou de pièces,
- le processus de mise en marche ainsi que de supervision et de contrôle routinier des opérations.

2. LE CONTRÔLE DE LA PRODUCTION

Le contrôle de la production est une opération très importante. Elle consiste à vérifier selon une procédure précise le déroulement des activités de fabrication de façon à pouvoir :

- comparer le déroulement actuel avec celui qui a été planifié pour respecter les échéanciers de livraison établis avec les clients ;
- apporter les correctifs aux défaillances en regard du programme établi ;
- soumettre des améliorations à apporter ultérieurement au processus de fabrication lorsqu'il est impossible de le faire au cours de l'exercice du contrôle ;
- permettre de voir les lacunes du fonctionnement relatives à la performance des ressources en place, tant humaines que techniques ;
- garantir l'uniformité de la qualité des produits.

LA RECHERCHE ET LE DÉVELOPPEMENT (R&D)

L'entreprise doit toujours se demander si son produit est à la hauteur de ou en avance sur celui de la concurrence. Voilà pourquoi la recherche et le développement (R&D) prennent tant d'importance aujourd'hui dans l'amélioration des produits existants et le développement des nouveaux produits. Cette fonction s'applique aussi à la recherche sur l'amélioration des procédés et méthodes utilisés dans tout le processus de fabrication dans le but premier d'obtenir la meilleure qualité possible de produit reliée à la façon de faire. On doit agir en étroite collaboration avec les gens du marketing. Dans le contexte actuel de la mondialisation des marchés cette démarche est absolument nécessaire pour au moins se tenir à la hauteur de la concurrence et idéalement la dépasser. À cet effet nos gouvernements ont mis sur pied des programmes d'aide spécifiques pour soutenir les efforts de nos entreprises qui misent particulièrement sur l'exportation. Les résultats de ces investissements ne se font sentir qu'au bout d'un certain temps, soit une ou deux années tout au moins.

LA GESTION DES ACHATS ET DES STOCKS DE MATIÈRES PREMIÈRES

La gestion des achats est aujourd'hui étroitement liée à la gestion des stocks de matières premières. Les japonais ont compris avant nous qu'un élément important de la rentabilité d'une entreprise de fabrication ou de distribution est son niveau de stock. Il faut se rappeler que les matières premières stockées trop longtemps constituent des coûts qui deviennent « passifs » retenant ainsi les profits tant qu'ils ne sont pas utilisés dans la fabrication du produit qui sera ensuite vendu et livré au client.

Pour régler ces problèmes d'entreposage trop long et coûteux, les entreprises utilisent de plus en plus avec leurs fournisseurs, à partir de leurs prévisions de ventes, un système de gestion optimum d'achat selon le principe de « Gestion de la chaîne d'approvisionnement (GCA) (SCM: Supply Chain Management) » qui permet un approvisionnement de dernière minute soit le « juste-à-temps » en fonction du rythme et des cédules de production de l'entreprise réduisant ainsi au minimum le nombre de jours d'entreposage et la quantité de matières premières à conserver ainsi que les coûts qui s'y rattachent. Dell Computer en est un bel exemple.

Toutefois, avec les changements de plus en plus nombreux dans les habitudes d'achats de la clientèle nécessitant des modifications au produit et même avec le système de gestion des achats GCA, cela ne garantit pas pour autant d'une façon permanente un approvisionnement sans problème surtout lorsque plusieurs intervenants et leurs sous intervenants (sous-traitants) faisant partie de la chaîne sont impliqués.

Fondamentalement, il faut se rappeler qu'une gestion efficace des achats et des stocks de matières premières repose d'abord sur une méthode fiable, efficace et éprouvée de prévision de la demande des produits finis en autant que cette demande repose à tout le moins sur une stabilité minimum durable.

Les banquiers n'aiment pas prêter aux entreprises qui supportent de lourds stocks de matières premières et de produits finis car, contrairement aux comptes client, ils ne représentent pas de bonnes garanties pour fins d'emprunts, étant des difficiles à revendre en cas de saisie.

LE CONTRÔLE DE LA QUALITÉ DES PRODUITS FABRIQUÉS

Le contrôle de la qualité des produits fabriqués est la fonction absolument nécessaire qui garantit aux clients une qualité constante et uniforme, produit après produit. Cette qualité est l'élément fondamental sur lequel repose autant la réputation et l'image de l'entreprise que la fidélité du client. Les Japonais nous ont habitué à une qualité de produit supérieure et constante. Cette activité implique l'élaboration d'un système bien validé de vérification des produits soit à l'unité, si possible, soit sur une base d'échantillonnage tout au moins.

Le contrôle de la qualité est un processus global ; il doit se faire avant, pendant et après la fabrication lorsque la complexité du produit l'exige. Dans la fabrication d'une automobile ou d'un téléviseur par exemple, nous retrouvons ce processus à toutes les étapes de leur fabrication.

Le processus de production est donc un processus global comprenant plusieurs fonctions intégrées et interreliées dont le but est de fabriquer le plus rapidement et efficacement possible, avec la qualité exigée, les produits commandés pour les livrer dans les délais prévus. La figure 5.5 illustre l'interrelation des différentes fonctions de la gestion de production.

En concluant, précisons que la rentabilité à long terme d'une entreprise de fabrication repose en très grande partie sur l'efficacité de ses activités de fabrication. Cette efficacité se manifeste par :

1) l'uniformité de la qualité de ses produits ;
2) le contrôle strict de ses coûts de fabrication ;
3) de bons contrats d'approvisionnement avec des fournisseurs solvables ;
4) la haute productivité de ses opérations de fabrication ;
5) le peu de retours de produits pour défaut de fabrication ;
6) la capacité d'adaptation aux changements technologiques et aux désirs et besoins du consommateur.

Figure

5.5

Illustration de l'interrelation des différentes fonctions de gestion de la production

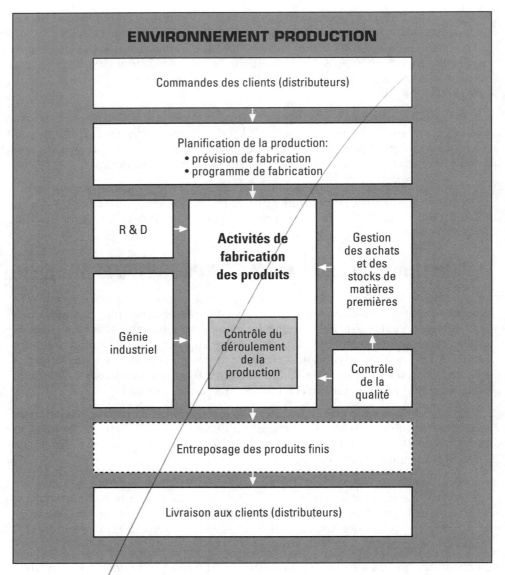

ENVIRONNEMENT PRODUCTION

Commandes des clients (distributeurs)

Planification de la production:
- prévision de fabrication
- programme de fabrication

R & D

Génie industriel

Activités de fabrication des produits

Contrôle du déroulement de la production

Gestion des achats et des stocks de matières premières

Contrôle de la qualité

Entreposage des produits finis

Livraison aux clients (distributeurs)

Le sous-système production

Comme on l'a mentionné au chapitre 1, le système entreprise est composé de quatre sous-systèmes complémentaires, dont le sous-système production. La figure 5.6 nous expose le fonctionnement de ce sous-système dont le mandat est de fournir au système entreprise les produits nécessaires à l'accomplissement de sa mission. Il est à noter que les extrants de ce sous-système doivent faire l'objet d'une évaluation permanente et de mesures correctives, si nécessaire, pour garantir l'atteinte de ses objectifs le plus efficacement possible.

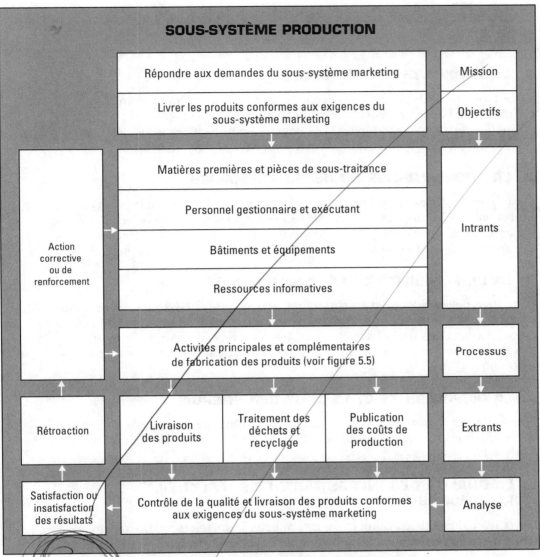

Figure
5.6

Illustration du fonctionnement du sous-système production

L'emplacement d'usine

Le choix de l'emplacement d'une usine, mis à part le fait que, dans bien des cas, l'entreprise soit très ancienne et que les propriétaires désirent utiliser le surplus de terrain dont l'entreprise dispose pour l'agrandissement de leur usine, demeure une question de rentabilité tant pour sa construction que tout au long de son fonctionnement.

Le choix d'un site dans une région par rapport à d'autres sites dans d'autres régions repose sur l'importance accordée à des critères de sélection propres à l'entreprise. En général, les critères qui servent de base à l'évaluation d'un site sont : la *proximité des marchés*, la *proximité des matières premières*, la *disponibilité de la main-d'œuvre*, la *disponibilité et le coût de l'énergie*, la *qualité des infrastructures d'accueil régionales ou municipales*, les *moyens de transport*, les *concentrations de développements économiques*, les *politiques gouvernementales* et les *attraits particuliers de régions pour ce qui est de la qualité de vie*.

LES CRITÈRES DE SÉLECTION D'UN EMPLACEMENT D'USINE

1. LA PROXIMITÉ DES MARCHÉS

Cette base de décision est considérée lorsque le marché que l'entreprise veut conquérir est concentré dans un espace géographique particulier. C'est le cas de raffineries de pétrole qui, après la guerre, se sont installées près des marchés (ex.: Montréal-Est), le pétrole brut étant importé des pays arabes.

2. LA PROXIMITÉ DES MATIÈRES PREMIÈRES

Cette base de décision est prise en considération lorsque les matières premières sont coûteuses à transporter à cause de leur poids ou de leur volume et aussi, dans certains cas, à cause de leur caractère périssable. C'est le cas des usines de pâtes et papiers et des scieries ou des usines de transformation du poisson, etc.

3. LA DISPONIBILITÉ DE LA MAIN-D'ŒUVRE

Cette base de considération est surtout retenue aujourd'hui dans les cas de main-d'œuvre très spécialisée que l'on trouve dans les centres urbains. Elle œuvre dans les domaines de la haute technologie, du génie de toutes sortes et de la santé. Pensons à la biotechnologie, aux produits chimiques, aux produits pharmaceutiques, etc.

4. LA DISPONIBILITÉ ET LE COÛT DE L'ÉNERGIE

Pour certaines industries telles que l'aluminium, l'énergie constitue une dépense de production très élevée, d'où l'importance de construire une usine près des sources énergétiques.

5. LA QUALITÉ DES INFRASTRUCTURES D'ACCUEIL RÉGIONALES

Les parcs industriels constituent un des milieux avantageux pour l'implantation d'une usine. Les communautés urbaines ont développé, depuis plus d'une décennie, des structures très appropriées à cet effet. Pensons au parc technologique de la Communauté urbaine de Québec.

6. LES MOYENS DE TRANSPORT

Les entreprises qui exportent à l'extérieur de leur milieu la majorité de leur production doivent compter sur des moyens de transport efficaces. Aussi doivent-elles considérer leur implantation en fonction de la livraison de leur produit, soit par terre (train, camion), soit par mer (installation portuaire à proximité) ou par air.

7. LES CONCENTRATIONS DE DÉVELOPPEMENTS ÉCONOMIQUES

Pour certaines industries, l'implantation dans une concentration de développements économiques constitue une base très importante lorsque l'on doit compter sur des contrats de sous-traitance, de services techniques, de recherche et de développement ainsi que de services complémentaires. À cet effet, les grands centres industriels sont tout désignés pour ce type d'industrie. Pensons à l'industrie de l'automobile.

8. LES POLITIQUES GOUVERNEMENTALES

Parfois, les entreprises étrangères qui désirent s'établir dans une région d'un pays jouissent d'avantages de toutes sortes de la part des gouvernements, quels qu'ils soient, pour les inciter à s'établir dans des régions que favorise ces gouvernements. Pensons aux exemptions de taxes municipales, aux subventions pour l'entraînement de la main-d'œuvre, aux exemptions d'impôt, etc. Ce fut le cas de Hyunday à Bromont et de Lauralco à Deschambault.

9. LES ATTRAITS PARTICULIERS DE QUALITÉ DE VIE D'UNE RÉGION

Cet élément peut avoir une certaine importance lorsque les autres facteurs sont plus ou moins importants dans la décision à prendre sur le choix du lieu d'implantation. Le climat serein d'une région sera certes un fait positif sur le rendement au travail, le taux d'absentéisme et la santé physiologique et psychologique du personnel de l'entreprise.

FINISH.

La sous-traitance

La sous-traitance est un phénomène de plus en plus fréquent dans le domaine de la fabrication.

Cette pratique permet aux fabricants d'épargner sensiblement non seulement sur les investissements en équipement nécessaire à la fabrication ou à l'amélioration de leurs produits mais aussi sur la recherche et le développement, qui sont de plus en plus coûteux.

La sous-traitance est surtout utilisée par les entreprises dont les produits sont composés de pièces ou de produits semi-finis, que l'entreprise ne peut ou ne veut pas fabriquer elle-même alors qu'un sous-traitant ayant l'expertise pour le faire peut fabriquer à un coût que l'entreprise ne pourra jamais égaler.

Jusqu'à maintenant, la sous-traitance n'était utilisée que localement ou régionalement selon la localisation de l'entreprise. Dans l'industrie de l'automobile par exemple, les entreprises de sous-traitance étaient localisées près des usines d'assemblage.

Avec les traités de libre-échange qui iront en s'accroissant, la sous-traitance se fera de plus en plus à l'étranger, dans les pays où les salaires et les coûts de production sont au minimum tels que l'Amérique Centrale, l'Amérique du Sud, l'Asie, pour ne nommer que ceux-là.

Cet état de fait sera certainement une cause importante, si ce n'est déjà fait, du taux de chômage élevé en Amérique du Nord et même en Europe.

Relation avec les autres fonctions

Comme vous avez pu le constater, la fonction production est la fonction la plus importante puisqu'elle engage la plus grande partie des dépenses de l'entreprise tant en ressources humaines qu'en ressources matérielles.

Figure
5.7

**Relation de
la fonction
production
avec les autres
fonctions**

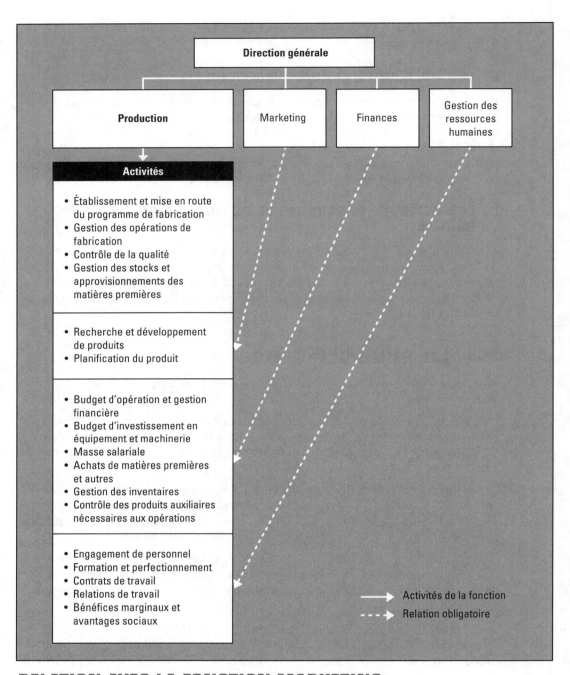

RELATION AVEC LA FONCTION MARKETING

La fonction production est dépendante de la fonction marketing, ses opérations étant commandées par cette dernière. Ses relations sont constantes et très étroites entre autres sur :

- la recherche et le développement conceptuel et matériel de nouveaux produits (prototype);
- la planification et la gestion du produit (date de fabrication et de livraison);
- la modification ou l'amélioration du produit suite aux plaintes pour défaut de fabrication ou de performance.

RELATION AVEC LA FONCTION FINANCE

La fonction production est sous le contrôle de la fonction finance quant à l'aspect financier de ses opérations, les dépenses d'opération constituant la partie la plus importante des dépenses de l'entreprise. Le directeur de la production doit obligatoirement faire approuver par le directeur des finances avant le début de l'année financière :

- tous ses budgets d'investissement en immobilisation et en équipement et machinerie ;
- toutes ses prévisions de dépenses relatives aux opérations régulières, entre autres en approvisionnement, en masse salariale, en énergie et en entretien et réparation.

De plus, le directeur des finances exercera un contrôle strict de ces dépenses pour prévenir et empêcher les dépassements de coûts.

RELATION AVEC LA FONCTION GESTION DES RESSOURCES HUMAINES

La fonction production est aussi sous le contrôle de la fonction gestion des ressources humaines pour tout ce qui concerne l'embauche, la formation et la gestion de son personnel et les relations de travail incluant la gestion des conventions collectives de travail ainsi que les avantages sociaux.

5.3 *La qualité des produits fabriqués*

La certification ISO

INTRODUCTION

Tout produit fabriqué au Canada et aux États-Unis susceptible de présenter des déficiences de fabrication et de fonctionnement doit recevoir, avant sa mise en marché, une approbation des gouvernements respectifs sur la sécurité dans son utilisation. Après études et tests des produits, les organismes des gouvernements émettent le certificat d'approbation. Au Canada, le certificat est décerné par la Canadian Standard Association (CSA), et aux États-Unis, par l'American Standard Association (ASA).

Ce système d'approbation existe dans tous les pays industrialisés qui produisent des biens de consommation semblables. Toutefois, cette norme n'évalue pas le degré de qualité du produit.

Depuis plus de 20 ans, les Japonais ont sensiblement élevé les standards de qualité des produits, obligeant les autres pays industrialisés à hausser leurs propres normes pour demeurer compétitifs. Le Canada, à cet égard, fut un pionnier car il avait déjà établi ses propres normes de qualité avec ACNOR Z299. Avec la mondialisation des marchés, une norme internationale de standard de qualité devait naître. Ainsi est né ISO.

HISTORIQUE

Le terme ISO provient du grec «ISOS» qui signifie «égal». C'est également le nom choisi, à Genève en 1987, par les fondateurs de l'Organisation Internationale de Normalisation (O.I.N.) qui fut traduit en anglais par International Organization for Standardization (I.S.O.).

Aujourd'hui, plus de 94 pays font partie de ISO. Son premier président fut un Canadien parce que, au Canada, nous avions déjà les meilleures normes de «qualité» avec ACNOR Z299. ACNOR signifie Association canadienne de normalisation et Z299 est une norme qui ne considère que l'aspect technique de la qualité du produit. Avant 1987, chaque pays avait ses propres normes de «qualité». Ainsi, un client œuvrant sur le plan mondial se devait de se conformer à presque autant de standards que de pays avec lesquels il faisait affaires. En 1991, le Canada a adopté ISO 9000 sous le titre CSA-Q 9000. C'est le Conseil canadien des normes (CCN) qui représente officiellement le Canada auprès de l'Organisation internationale des normes.

DÉFINITION

La certification ISO est un système de normes de qualité établi par l'Organisation Internationale de Normalisation (O. I. N.) qui a été introduit en 1987. Elle garantit la qualité selon des normes strictes et complexes relatives à la qualité des produits et services ainsi qu'à certains procédés de gestion relatifs à la production.

Aux fins d'identification on a réservé la série de chiffres 9000 à 10000 pour retrouver les cinq normes soit ISO 9000, 9001, 9002, 9003 et 9004 qui la composent, ISO 9000 servant d'introduction et de guide d'utilisation pour les autres normes de la série. Ainsi:

- ISO 9001 Système qualité est le modèle pour l'assurance de la qualité en conception/développement de produit pour tout ce qui touche la fabrication, l'installation et le support après la vente des;

- ISO 9002 Système qualité est le modèle pour l'assurance qualité en procédé de production et d'installation;

- ISO 9003 Système qualité est le modèle pour l'assurance qualité en système de contrôle et essaies finals;

- ISO 9004 Système qualité est un système de gestion des performances globales et durables d'un organisme.

Avec le système ISO les entreprises ont pu s'ajuster aux nouvelles réalités pour faire face à la mondialisation de marchés. Les normes ISO 9000 concernent:

- les systèmes d'assurance de la qualité des produits et services;
- les systèmes de vérification de la qualité;
- les systèmes de gestion de la qualité.

Les normes ISO ont donc pour but de maintenir un système unique de standard de qualité de produits et services à travers le monde et de démontrer que l'entreprise contrôle efficacement la qualité de ses produits ou services.

LA MISE À JOUR D'ISO 9000

Depuis son introduction en 1987, la norme ISO 9000 a été mise à jour en 2000 et 2005. Suite aux nombreuses critiques et plaintes concernant la lourdeur de sa gestion, les gestionnaires de la norme l'ont mis à jour avec le lancement en 2008 de

ISO 9001. 2008. Ces mises à jour comportent spécifiquement des ajouts aux normes de départ ainsi que des procédures simplifiées de gestion et d'utilisation.

ISO 14000

ISO 14000 a été conçu pour traiter les divers aspects de la gestion environnementale relative aux activités de l'entreprise. ISO 14001 : 2004 et ISO 14004 : 2004 ont été les premières normes à traiter de systèmes de gestion environnementale (SGE). Une entreprise, quelle que soit sa taille, dont le SGE répond aux exigences d'ISO 14001 : 2004 possède un outil de gestion environnementale qui permet:

- d'identifier et de maîtriser l'impact environnemental de ses activités, produits et services;
- d'améliorer d'une façon permanente sa performance environnementale;
- de mettre en œuvre une approche systémique pour définir des objectifs environnementaux, de les atteindre et de démontrer qu'ils ont été atteints.

Toutefois, l'adhésion à ISO 14000 n'étant pas obligatoire, son adhésion démontre que l'entreprise est très sensibilisée à la nécessité de protéger l'environnement.

QU'EST-CE QU'UN PROGRAMME D'ASSURANCE QUALITÉ ?

Un programme d'assurance de la «qualité» est basé sur quatre éléments fondamentaux. Ce sont:

- l'assurance de la qualité sur le plan technique;
- la conformité aux attentes du client (pas plus, pas moins);
- l'élimination des coûts reliés au manque de qualité;
- la mesure de sa vraie performance (dans le but d'y apporter les bons correctifs, immédiatement).

Implanter le système ISO implique une remise en question en profondeur de plusieurs façons de faire fondamentales de l'entreprise, entre autres:

- l'efficacité des méthodes et des procédés de fabrication;
- la qualité des produits et services;
- la qualité et la pertinence des stratégies de mise en marché;
- la qualité de la comparaison objective de la performance de l'entreprise avec celle de ses concurrents;
- un changement en profondeur, dans certains cas, de la culture de l'entreprise;
- une certaine résistance aux changements.

LES BÉNÉFICES D'UNE IMPLANTATION RÉUSSIE

Les bénéfices d'une implantation réussie d'ISO 9000 sont nombreux. Mentionnons entre autres:

1. UNE AMÉLIORATION DE L'IMAGE DE L'ENTREPRISE

L'image de la compagnie peut s'en trouver transformée, ce qui peut contribuer à conserver et même à augmenter le nombre de ses clients grâce à la confiance accrue générée par l'enregistrement ISO.

2. UN RENOUVEAU DE LA GESTION

L'implantation d'un tel système est synonyme d'un renouveau de la gestion impliquant un niveau élevé d'engagement et de participation des cadres et des employés à des objectifs communs existants.

3. UNE DIMINUTION DES REJETS

La mise en œuvre d'un système qualité ISO contribue à diminuer de manière significative les rejets de produits, permettant ainsi de réduire les coûts de production et les délais entraînés par les remises en conformité.

4. UNE MEILLEURE PRODUCTIVITÉ

Meilleure qualité peut être également synonyme de meilleure productivité. Pour reprendre les paroles d'un expert en gestion, est-il plus logique de produire 100 000 unités par jour pour en jeter 15 000 que d'en produire 90 000 conformes pour les vendre toutes en satisfaisant ainsi 90 000 clients au lieu de 85 000?

5. LA RÉDUCTION DES RISQUES DE MAUVAISE QUALITÉ

Grâce aux éléments de prévention du système, l'implantation peut également réduire les risques attribuables à la mauvaise qualité d'un processus de production ou d'un équipement défectueux dont les conséquences peuvent être extrêmement graves dans certains secteurs, comme celui des médicaments ou de l'alimentation.

6. L'AMÉLIORATION DES COMMUNICATIONS DANS L'ENTREPRISE

Enfin, grâce au nouveau langage commun de la qualité, grâce à la clarification des objectifs, des rôles et responsabilités, l'implantation du système qualité permet d'améliorer les communications verticales et horizontales dans l'entreprise et contribue ainsi à obtenir un climat de travail plus sain.

Ces informations ont été puisées dans le guide *Comprendre et implanter ISO 9000*, de Gérard Blin de Isonorm Groupe Conseil inc., publié par Les Publications de l'Association québécoise de la qualité (novembre 1994, version 3.5).

5.4 *La production des services*

Le domaine des services est, depuis plus d'une décennie, un champ d'activités en développement fulgurant dans les pays industrialisés. Ce développement a été provoqué autant par l'augmentation du nombre des activités quotidiennes et hebdomadaires de l'individu, du couple ou de la famille que par l'accroissement du revenu et des standards de vie associé au fait que dans la grande majorité des couples d'aujourd'hui les deux conjoints travaillent.

Pour le secteur commercial et industriel, l'augmentation et le développement des activités de plus en plus complexes des entreprises, conjugués au développement ultra rapide de la technologie, a obligatoirement amené la naissance de cette industrie spécialisée. Vous n'avez qu'à penser à toute cette nouvelle industrie des services-conseils en gestion et en informatique.

Au Québec seulement, plus de 70% des emplois créés au cours des dernières années l'ont été dans le domaines des services et il n'y a nul doute que cette tendance va se poursuivre.

Nous avons pensé qu'il serait opportun, vu l'importance de ce domaine d'activités économiques, d'aborder dans ce chapitre la question de la production des services.

Définition

Il n'est pas facile de définir la notion de «service» car elle est aussi, dans bien des cas, associée à la vente d'un produit. Dans le cadre de notre sujet, nous nous restreindrons à l'aspect service sans lien avec la vente d'un produit quelconque. L'AMA (American Marketing Association) a défini le service comme : «Une activité, un avantage, ou une forme de satisfaction vendus en tant que tels, destinés à satisfaire un besoin».

Cette définition comprend les services offerts à une communauté comme ceux offerts par les institutions financières, les services publics, les entreprises de transport, les communications, les médias d'information, etc. Elle comprend aussi les services professionnels destinés à un client ou à un groupe restreint de clients, tels que les services d'avocats, notaires ou comptables ainsi que les autres services divers que l'on peut qualifier de semi-professionnels soit : les studios, les instituts, les agences, les salons, l'hôtellerie, les loisirs de tout genre, etc., qui sont en grande majorité fournis par les petites entreprises.

Quant à la restauration, nous la considérerons uniquement sous son aspect service, la préparation de la nourriture étant reliée à l'aspect produit de l'entreprise : la préparation se range donc du côté du processus de fabrication des produits. Quant à la restauration dite «fast food», comme la chaîne McDonald's, l'aspect service y est au minimum. Elle n'est pas ici, à proprement parler, une référence valable pour être prise en considération.

Pour les besoins de cette section nous nous limiterons au domaine des services destinés à un seul client ou à un groupe restreint de clients.

Classification des services

Le spécialiste du marketing des services Dan R. E. Thomas a fait une classification des services en fonction de l'importance de la spécialisation de la main-d'œuvre et de l'équipement pouvant être utilisé dans la prestation du service. La figure 5.8 expose bien cette classification.

Cette classification permet de voir le degré de standardisation qui peut être implanté dans la prestation du service en fonction du degré d'utilisation de l'équipement dans sa prestation. Nous y reviendrons ultérieurement.

Le processus de production des services

Contrairement à la production des biens tangibles, il n'est pas facile de parler de la production des services car ils sont de plus en plus nombreux et de plus en plus variés. Alors que dans la fabrication des produits il est de plus en plus facile

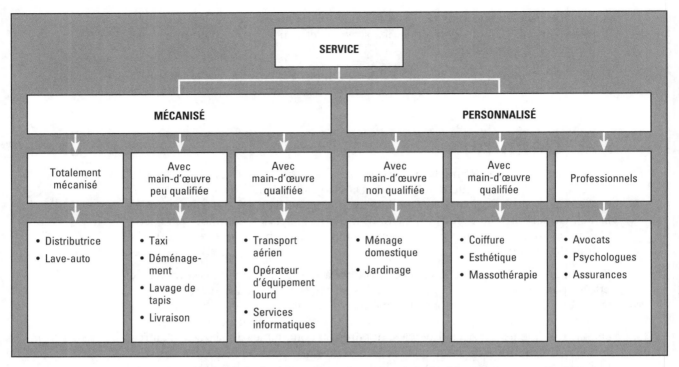

Figure

5.8

Classification des entreprises de service selon Dan R. E. Thomas

de réduire le rôle de l'ouvrier dans le processus de fabrication avec l'utilisation de la mécanisation ainsi qu'avec l'apparition de l'informatique et de la robotique, la réalité est tout autre dans la production des services, surtout personnalisés. Enfin, mentionnons que le terme «servuction» a été créé pour désigner la production des services.

Chaque entreprise de service possède sa spécificité qui la distingue de ses concurrentes. Toutefois dans l'élaboration d'un système de production d'un service, quels que soient son type et sa dimension, il y a des éléments de base à considérer dans l'étape de conception du processus de prestation. Pour ce faire il faut répondre aux questions suivantes:

1) **Quel est le degré de personnalisation du service? Est-il individuel ou collectif?**

En fait, le service s'adresse-t-il à une seule personne à la fois et sur mesure (comme le salon de coiffure ou le service de rapport d'impôt, etc.) ou à plusieurs personnes sur une base répétitive (comme un service de transport aux personnes en chaise roulante ou un service de taxi ou un service de photocopie)?

La réponse à cette question va permettre d'élaborer dans ses grandes lignes tout le type du processus de prestation du service.

2) **Quel est le degré de standardisation à intégrer dans le processus de prestation du service?**

La réponse à cette question va permettre dans le cas du service personnalisé collectif d'intégrer une certaine uniformité continue (standardisation) dans les aspects répétitifs du processus de prestation. Cette uniformité est la base même du contrôle de la qualité.

Dans le cas du service personnalisé individuel, celui d'un salon de coiffure par exemple, la standardisation ne peut s'implanter qu'au niveau de la communication avec le client. Elle s'inscrit généralement dans des politiques de fonctionnement de l'entreprise. À ce sujet nous vous référons aux outils de la planification vus antérieurement au chapitre 4.

3) Quel est le degré de mécanisation à intégrer dans le processus de prestation du service?

La réponse à cette question va permettre, à la suite d'une standardisation de certains éléments du processus de prestation, de confier à de l'équipement une partie plus ou moins importante de la prestation qui, selon le cas, ne peut être faite par une personne ou qui pourrait être faite par une personne avec moins de dextérité ou de perfection. L'apport de la mécanisation dans le service est donc plus que souhaitable, particulièrement dans le service à caractère technique; il garantit cette qualité uniforme et continue de la prestation et constitue du même coup le gage de satisfaction et de fidélité du client.

4) Dans le cas d'un service dispensé toujours au même endroit, quel est le degré d'importance du support de l'environnement immédiat dans le processus de prestation du service?

En répondant à cette question vous déterminez le degré d'importance de l'équipement et du mobilier nécessaires à la prestation du service, tant dans sa qualité que dans sa quantité, ainsi que le degré d'importance du lieu (terrain et ou bâtiment).

Il peut y avoir encore à considérer d'autres aspects spécifiques à ce type de service. Si votre service est lié à l'exploitation d'un lieu et de ses attraits spécifiques (rivière, lac, montagne, fleuve, etc.), il faut répondre à d'autres questions qui conditionnent aussi la qualité de la prestation du service.

5) Quel est le degré de participation du client dans la prestation du service?

Cette question trouve sa pertinence pour le type de service où le client est impliqué dans le processus de prestation. On retrouve cette situation surtout dans les services avec un certain degré de mécanisation, comme le service de photocopie ou le service de guichet automatique. Dans ces deux cas le débit élevé des demandes de service impose la participation du client.

Ce qu'il faut retenir dans la réponse à cette question, c'est l'aspect standardisation de la participation du client. Autrement dit, il faut se demander si, dans le processus de prestation du service, le client participe d'une façon planifiée ou d'une façon spontanée à la prestation du service, et dans quelle mesure.

En conséquence, la réponse à cette question va déterminer le degré de complexité du processus de prestation du service.

6) Dans la conception du processus de prestation du service, quelle importance doit-on accorder à la formation du personnel ?

Dans l'entreprise de service quelle qu'elle soit, le personnel de contact avec le client, qui généralement est le «prestateur» du service, constitue l'élément le plus important du succès de l'entreprise. Ce personnel personnifie l'image et le degré de prestige de l'entreprise. Il est donc de la plus haute importance de lui accorder une formation spécifique et cela d'une façon continue. Cette formation doit être élaborée à partir de la culture de l'entreprise et du concept de qualité totale que nous avons vu au chapitre précédent.

LA GESTION DE LA PRODUCTION DES SERVICES

La gestion de la production des services comporte aussi, comme dans l'entreprise de fabrication, plusieurs fonctions. Aussi étrange que cela puisse paraître, on y retrouve les mêmes types de fonctions et ils sont à peu près identiques. La figure 5.9 que nous allons expliquer démontre bien cette fonction.

Figure
5.9

Illustration de l'interrelation des fonctions dans la gestion de production de l'entreprise de services

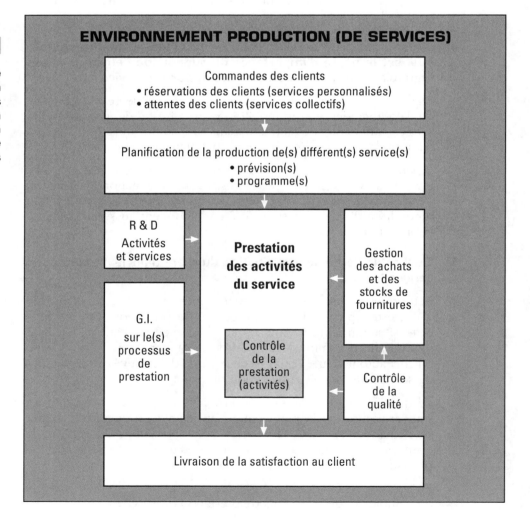

ENVIRONNEMENT PRODUCTION (DE SERVICES)

Commandes des clients
• réservations des clients (services personnalisés)
• attentes des clients (services collectifs)

Planification de la production de(s) différent(s) service(s)
• prévision(s)
• programme(s)

R & D
Activités et services

Prestation des activités du service

Gestion des achats et des stocks de fournitures

G.I.
sur le(s) processus de prestation

Contrôle de la prestation (activités)

Contrôle de la qualité

Livraison de la satisfaction au client

1. COMMANDES DES CLIENTS

Nous avons vu précédemment que dans la production d'un bien tangible la gestion de la production est lancée par la réception des commandes en provenance du département du marketing. Comme nous le verrons au chapitre suivant, dans le marketing des services, il n'y a pas, dans le service personnalisé à proprement parler, d'intermédiaire d'où proviennent les commandes de «services». Ce sont les clients eux-mêmes qui placent leurs commandes ou réservations (exemple : restaurant, hôtel, salon de coiffure, service professionnel, spectacle, etc.) soit par téléphone, fax ou Internet, soit sur le lieu même du service en s'y présentant (exemple : service de photocopie, etc.).

Quant aux services standardisés offerts à une collectivité (exemple un parc d'amusement ou un centre de ski), ce sont les attentes des clients qui représentent les commandes.

2. PLANIFICATION DE LA PRODUCTION

La planification de la production des services ne suit pas en soi les commandes des clients mais elle les précède : il faut être prêt à donner le service lorsque le client le demandera. La planification repose sur des prévisions qui exigent l'élaboration de programmes de prestation devant être dispensés pendant une période donnée selon un horaire ou un calendrier préalablement préparé. Vous n'avez qu'à penser à un complexe hôtelier de villégiature qui offre une multitude de services en fonction de plusieurs variables telles que la localisation, les attraits locaux, les saisons, les célébrations, les congrès, les réunions d'affaires, le flux touristique, etc. Il doit être prêt à «livrer la marchandise» selon la planification élaborée.

3. PRESTATION DES ACTIVITÉS DE SERVICE

Cet élément de la production du service est la prestation des activités (de service) que le client est venu recevoir ou va recevoir s'il se donne à distance (fax, courrier, Internet, etc.).

4. CONTRÔLE DE LA PRESTATION (DES ACTIVITÉS)

Cet élément représente la supervision aussi étroite que possible du personnel qui exécute des activités du service, comme dans la fabrication du produit à l'usine.

5. RECHERCHE ET DÉVELOPPEMENT (R&D) EN ACTIVITÉS ET SERVICES

Comme dans l'entreprise de fabrication, les dirigeants de l'entreprise doivent chercher constamment à améliorer leurs activités de service et aussi à innover par la création de nouveaux services pour demeurer concurrentiel.

6. GÉNIE INDUSTRIEL (G.I.) ET PRODUCTION DES SERVICES

Comme dans l'entreprise de fabrication les dirigeants doivent aussi constamment chercher à améliorer les processus et les méthodes de prestation des services de façon à les rendre à la fois plus efficaces et le moins coûteux possible.

7. GESTION DES ACHATS ET DES STOCKS DE FOURNITURES

La gestion serrée des achats et des stocks des produits nécessaires à la prestation est d'une absolue nécessité, surtout dans le cas de produits périssables, de façon à maximiser la rentabilité de l'entreprise. Cette activité est souvent négligée lorsque l'entreprise connaît une forte période de croissance, alors que l'attention des dirigeants est concentrée sur la prestation du service.

8. LIVRAISON DE LA SATISFACTION AU CLIENT

La vie du produit «service» est très courte. Elle dure le temps de sa prestation. Ce qui demeure c'est le degré de satisfaction donné au client. Au contraire de ce que l'on pourrait croire, cette composante ne relève pas de la performance des gens du marketing. La satisfaction fait partie intégrante du service. Un mauvais service, c'est comme un produit défectueux qu'on ne peut réparer, qu'il faut jeter. On perd le client.

Questions de RÉVISION

1. Expliquez brièvement, en donnant un exemple, les différents procédés de fabrication.

2. Quelles sont les caractéristiques de :
   - la fabrication à l'unité ?
   - la fabrication par commandes ?
   - la fabrication de masse ?

3. Expliquez brièvement les caractéristiques de la fabrication de masse.

4. Dans quels aspects de la fabrication la haute productivité doit-elle s'implanter ?

5. Quels sont les éléments à considérer dans la conception d'un département de production ?

6. Expliquez brièvement les différents types d'aménagement d'usine.

7. Nommez et expliquez brièvement les principales fonctions de la gestion de la production.

8. Dans quels éléments se manifeste l'efficacité dans la fabrication ?

9. Quels sont les avantages de la sous-traitance ?

10. Quel est l'avenir de la sous-traitance au Québec ?

11. Quels sont les principaux critères de sélection du choix de l'emplacement d'une future usine ? Expliquez brièvement chacun d'eux.

12. Dans la conception du processus de prestation du service, quels sont les éléments de base à considérer ?

13. Expliquez les fonctions de gestion de production des services ?

14. Qu'est-ce que ISO 9000 ?

15. Quels sont les éléments fondamentaux d'un programme d'assurance qualité ?

16. Exposez les bénéfices retirés de l'implantation réussie d'ISO 9000.

17. Qu'est-ce qu'un service ?

18. La planification de la production des services précède les commandes des clients. Expliquez brièvement.

ÉTUDES DE CAS

CAS 5.1
LES CHAUSSURES DROUIN

Les chaussures Drouin fabriquent, depuis plus de 30 ans, des bottes d'hiver pour enfants sous la marque BAM.

L'entreprise est en excellente santé financière. Sa production est cyclique, étant très forte de mars à septembre et faible d'octobre à décembre. L'entreprise est au ralenti entre le 15 décembre et le 15 février, ce qui lui permet de préparer sa nouvelle production débutant en mars. La compagnie fabrique trois modèles différents pour des enfants de 1 à 6 ans.

Durant le cours de sa fabrication, chaque paire de bottes circule dans quatre sections différentes : la salle de coupe, deux salles de premier montage, la salle de fabrication et la salle de finition. Les matériaux utilisés dans la fabrication des bottes sont le nylon, le feutre, le fil, le caoutchouc, la colle, les lacets et les fermetures à glissières. La machinerie utilisée est traditionnelle et comprend des machines à coudre, des colleuses, des perforeuses et des presses à couper le nylon, le feutre et le caoutchouc. Dans la salle de coupe, 20 personnes coupent par équipe de quatre les matériaux composant les pièces de la botte, soit les contours de pieds, les bas de jambes, les langues et les semelles. Dans une des salles de premier montage, 32 personnes montent la première partie de la botte en fabriquant la doublure, à la forme de la future botte. Dans la salle de fabrication, ces doublures sont insérées et collées dans l'enveloppe extérieure préalablement fabriquée par 32 autres employés dans l'autre salle de premier montage. Dans la salle de finition, il y a 20 personnes qui coupent les excédents de fil et de nylon, qui font des retouches aux défauts mineurs et fixent les étiquettes avant de les placer dans leurs boîtes respectives pour les livrer aux distributeurs, à partir de l'entrepôt de l'entreprise.

QUESTION

1. Comment classez-vous ce procédé et ce type de fabrication? Précisez vos réponses.
    a) Est-ce de la fabrication à l'unité, par commande, ou de masse?
    b) Est-ce de la fabrication manuelle ou mécanisée?

2. Y a-t-il de la spécialisation du travail dans l'usine? Justifiez votre réponse.

3. Peut-on qualifier cette usine de production de masse (continue)? Justifiez votre réponse.

4. Y a-t-il de la standardisation dans cette entreprise? Expliquez votre réponse.

5. Quel est le type d'aménagement d'usine? Donnez les éléments qui justifient votre réponse.

CAS 5.2
MOBILIA

La compagnie italienne Mobilia, fabricant de meubles haut de gamme pour résidences et chalets, voyant ses ventes augmenter en Amérique du Nord d'une façon très sensible au cours des trois dernières années a décidé de venir s'y implanter. Elle a choisi le Québec à cause de l'expertise de son industrie du meuble développée au cours des 50 dernières années.

L'entreprise veut construire une usine avec de la machinerie de la dernière technologie d'une valeur estimée à 25 000 000$. Elle a visité plusieurs régions en plus d'être sollicitée par plusieurs municipalités.

QUESTION

À titre de consultant, en vous référant aux sujets pertinents du chapitre, donnez les trois critères qui vous apparaissent les plus importants parmi ceux qui devraient guider la prise de décisions de Mobilia.

Annexe *Sujets complémentaires*

La fabrication cellulaire: la fabrication continue des pièces composantes

La fabrication de masse a été conçue, comme nous l'avons expliqué précédemment, pour répondre à une demande élevée de produits que la fabrication à l'unité ne pouvait combler. Il fallait toutefois que ces produits soient tous uniformes avec peu de pièces composantes différentes pour rendre efficace la chaine d'assemblage, base de ce type de fabrication.

Mais depuis plus de vingt ans les besoins des consommateurs se sont multipliés et le nombre de consommateurs a pris des proportions gigantesques maintenant mondiales. La fabrication de masse a dû se mettre à jour pour suffire à la demande. Il lui a fallu moderniser ses méthodes de fabrication, tout particulièrement celles qui touchent la fabrication des pièces composantes du produit destiné au consommateur. En effet il a fallu améliorer la productivité ainsi que la qualité des pièces composantes pour répondre à la demande de plus en plus grande de la chaine d'assemblage du produit au consommateur, ce dernier en étant le «commandeur». Des ingénieurs en génie industriel se sont penchés sur le problème. La solution trouvée fut celle de la création de «la fabrication cellulaire» dans un aménagement d'usine sur la base «cellule» (l'aménagement cellulaire).

Définition

La fabrication cellulaire est simplement un système de fabrication implanté dans un aménagement dit «cellulaire» axé sur la production à haut volume de pièces composantes devant être acheminées à la chaine d'assemblage pour leur montage sur le produit au consommateur en cours de fabrication. La fabrication cellulaire est une application de la «technologie de groupe» qui consiste à «regrouper» des pièces composantes similaires sur le plan de la conception et de la fabrication dans une unité de fabrication spécifique appelée «aménagement cellulaire». Les figures A et B, qui exposent les deux types opposés de fabrication, démontrent clairement les avantages de la fabrication cellulaire.

Figure
A

Fabrication de pièces composantes par type d'opérations (processus)

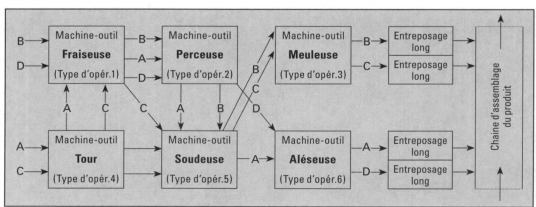

A B C D = Identification de chaque pièce composante à fabriquer

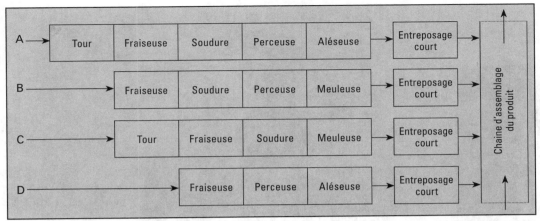

Figure

B

Fabrication de pièces composantes dans un aménagement cellulaire

Dans cette cellule, il y a quatre type de pièces composantes différentes de même conception où l'on retrouve une sorte de «chaine de fabrication continue» par type de pièce composante.

Source: La gestion des opérations, William Stevenson et Claudio Benedetti, Chenelière McGraw-Hill

Caractéristiques

La fabrication en aménagement cellulaire est en quelque sorte une «chaine de fabrication continue» qui permet alors une haute productivité puisque chaque type de pièce composante ayant ses propres machines-outils alors que la fabrication par type d'opérations (processus), utilisée dans la fabrication à l'unité, possède une machine-outil par opération pour tous les types de pièces composantes, chaque partie de pièce composante devant alors attendre son tour pour être fabriquée. Sa productivité est alors limitée. La fabrication cellulaire permet aussi une meilleure qualité uniforme des pièces composantes à des coûts unitaires beaucoup plus bas.

L'industrie automobile, par exemple, tire grand profit de la fabrication cellulaire. Sur une même plate-forme de châssis, plusieurs modèles de voitures différents peuvent être offerts aux consommateurs selon les segments de marché ciblés.

Avantages

Il y a plusieurs avantages à la fabrication cellulaire dont voici les deux principaux. En premier lieu, il y a un meilleur équilibre dans les processus de fabrication et une productivité très sensiblement accrue. En second lieu le mouvement de la pièce, le temps d'ajustage des machines-outils et les temps d'attente en entreposage sont aussi sensiblement réduits. Ces deux avantages résultent alors en des économies importantes qui libèrent des fonds pour affectation à d'autres utilisations. Si elle est conjuguée au processus du «juste-à-temps», il en résultera obligatoirement des économies importantes sur les coûts de fabrication et un meilleur contrôle général sur l'ensemble des opérations de production.

QUESTIONS

1) Qu'est-ce qui a amené la fabrication cellulaire?

2) Sur quel type de produit porte la fabrication cellulaire?

3) Qu'est-ce que la fabrication cellulaire? Expliquez brièvement.

4) Quelles sont le caractéristiques de la fabrication cellulaire?

5) Quels sont les avantages de la fabrication cellulaire?

Le produit

**UN MARKETING EFFICACE DÉBUTE
PAR UN NOM DE PRODUIT DISTINCTIF**

Chapitre 6

L'ENTREPRISE ET LE MARKETING

Objectif global

Connaître et comprendre l'importance du marketing autant dans l'entreprise manufacturière que dans l'entreprise de services et sa relation avec les autres fonctions de l'entreprise dans la réalisation de la mission de l'entreprise.

Objectifs spécifiques

Après avoir étudié les éléments de ce chapitre, vous serez en mesure:

- de comprendre l'importance des objectifs des activités du marketing-mix;
- d'expliquer les différents termes du marketing;
- de décrire les variables du marketing;
- de décrire et expliquer les activités du marketing;
- de décrire et expliquer le marketing-mix et ses composantes;
- de décrire les nouvelles tendances en marketing;
- d'expliquer la relation de la fonction marketing avec les autres fonctions de l'entreprise;
- de décrire et expliquer les particularités du marketing des services.

Aperçu du chapitre

6.1 | *L'environnement du marketing*

Une fois les produits fabriqués, l'entreprise doit passer à l'étape suivante soit les faire connaître aux consommateurs et les mettre à leur disposition sur le marché. Pré0ala-blement, l'entreprise devra avoir analysé la concurrence et avoir recueilli des données pour connaître les habitudes d'achat des consommateurs. Toute cette opération, qui comprend plusieurs tâches complexes, est accomplie par la fonction marketing et requière l'implication obligatoire d'expertises de spécialistes en la matière pour per-mettre à l'entreprise d'atteindre les objectifs dictés par sa mission.

L'optique marketing

L'optique marketing est une vision spécifique de conception et commercialisation de produits axée essentiellement sur la satisfaction des besoins du consommateur. De cette vision, apparue dans les années cinquante, s'est crée le phénomène marketing que nous connaissons aujourd'hui. Il a fait naître depuis des théories et des concepts particuliers de gestion sur plusieurs éléments de commerciali-sation que ce soit de promotion, de distribution ou encore de service divers au consommateur.

La définition du marketing

Marketing est la notion d'affaires dont le sens peut prendre une signification dif-férente selon le type de personne ou le contexte où il est employé. Pour certains, c'est de la promotion, alors que pour d'autres c'est du lancement de produit ou encore de la publicité. Cette constatation n'est pas étonnante puisque cette notion englobe toutes ces perceptions mais à différents degrés d'importance.

L'American Marketing Association définit essentiellement le marketing comme étant le processus comprenant le développement de produit, la fixation du prix, la communication et la distribution destiné à satisfaire les objectifs du consom-mateur et des entreprises.

Cette définition, qui date de 1985, est complexe et laisse place à interprétation. Nous nous en tiendrons à une définition plus simple qui rejoint celle de la grande majorité des gestionnaires de marketing d'aujourd'hui. Définissons le marketing comme étant:

Un concept de gestion commerciale constitué d'activités spécifiques de recherche, de conception, de distribution et de promotion d'un produit (ou service) dont le but est d'amener un groupe ciblé de consommateurs à se le procurer pour satisfaire leur besoin préalablement identifié

Il est important de préciser que la réalisation de la mission de l'entreprise ne peut se concrétiser entièrement si l'objectif de la satisfaction du besoin du consomma-teur n'a pas été atteint, les ventes de l'entreprise ayant souffert soit d'une mauvaise ou non identification des besoins du consommateur, soit d'une gestion stratégique déficiente des activités de marketing. Examinons ces activités pour en découvrir tout le pouvoir synergique.

L'approche client

L'approche client n'est pas une nouvelle vision du marketing. C'est une mise en application spécifique de l'optique marketing basée sur une philosophie et une gestion dont l'objectif est non seulement la satisfaction totale du client mais surtout sa fidélisation permanente à l'entreprise. Cette approche fait partie des composantes de la «Qualité totale» et d'une culture d'entreprise globale. Bien qu'elle interpelle directement le personnel en contact avec le client, elle interpelle aussi tout le personnel qui y est complémentairement impliqué.

Cette approche se concrétise dans un programme complet de service à la clientèle basé sur un plan spécifique de service après vente couplé à un plan permanent de communication avec le client débutant avec son premier contact avec l'entreprise.

Les variables du marketing

Des quatre fonctions de l'entreprise, le marketing demeure la fonction qui doit composer avec le plus grand nombre de contraintes et qui comporte le plus grand nombre d'éléments que l'on identifie sous le terme «variables».

Les variables du marketing sont des éléments changeants que les gens du marketing doivent considérer et évaluer pour arriver à établir la meilleure stratégie d'activités possible pour atteindre les objectifs fixés. Il y a deux catégories de variables : les *variables incontrôlables* et les *variables contrôlables*.

LES VARIABLES INCONTRÔLABLES

Les variables incontrôlables sont des éléments sur lesquels l'entreprise ne peut exercer d'influence. Ce sont des contraintes avec lesquelles les gens du marketing doivent composer dans l'élaboration de leur stratégie de marketing. Ces éléments sont : le *consommateur*, la *concurrence*, les *législations*, le *développement technologique* et la *conjoncture économique*.

1. LE CONSOMMATEUR

Il constitue la variable la plus importante. Le consommateur est la cible que l'entreprise veut atteindre. Elle doit bien le connaître et elle doit surtout s'ajuster à son comportement dans son processus d'achat. Il est roi.

2. LA CONCURRENCE

Elle est une variable très importante. La concurrence change, réagit et l'entreprise doit toujours essayer de la devancer pour au moins maintenir, sinon augmenter, sa part de marché. À cet effet, les spécialistes du marketing doivent être le plus innovateurs possible dans leur stratégie de façon à vaincre cette concurrence. Elle est source de dépassement.

3. LES LÉGISLATIONS

Cette variable touche les activités de l'entreprise sous l'aspect «protection» contre des abus potentiels. Elles ne peuvent être ignorées. Ainsi, elle intervient sur :

- les garanties que les entreprises doivent accorder sur leurs produits ;
- la protection du consommateur dans l'usage du produit ;
- la publicité faite sur les produits ;

- les pratiques commerciales ayant trait à la concurrence (pratiques déloyales; ex.: entente tacite entre concurrents);
- la protection de l'environnement pour certains produits.

4. LE DÉVELOPPEMENT TECHNOLOGIQUE

Plus que jamais le progrès technologique prend une place extrêmement importante aujourd'hui dans la guerre féroce qu'est la concurrence. Cette variable est incontournable. Elle fait partie du défi concurrentiel. L'entreprise qui ignore cet élément est vouée à disparaître si son champ d'activités est l'objet constamment de progrès technologiques importants.

5. LA CONJONCTURE ÉCONOMIQUE

La conjoncture économique est une variable que les stratèges du marketing ne peuvent ignorer. Elle a trait aux facteurs qui conditionnent le volume des dépenses de consommation du consommateur. Les principaux facteurs sont: les taux d'intérêt, les taxes à la consommation, l'endettement des consommateurs, les hausses potentielles des impôts sur le revenu, le taux d'inflation et la réduction des budgets de fonctionnement des différents paliers de gouvernements. En 1996, par exemple, l'endettement des consommateurs de la classe moyenne, en particulier, et les licenciements massifs des grandes entreprises et des gouvernements fédéral et provinciaux ont sensiblement ralenti la consommation, principalement dans le domaine des biens durables (habitation, meubles et automobile). Aujourd'hui la situation a changé sensiblement.

Tous ces facteurs doivent être pris en considération dans l'élaboration de la stratégie de marketing lorsqu'ils sont pertinents. La conjoncture économique est une variable incontournable.

LES VARIABLES CONTRÔLABLES

Les variables contrôlables sont, par contre, des éléments propres à la gestion du marketing qui constitueront sa stratégie globale. Elles sont les composantes du marketing-mix.

Le marketing-mix

Le marketing-mix est cette appellation donnée à cette combinaison des variables contrôlables qui, ensemble, vont constituer la stratégie globale de réalisation des objectifs de la planification stratégique. Chacune de ces variables va constituer une stratégie spécifique propre.

Cette stratégie globale est composée de deux phases distinctes:

- Phase 1: les stratégies avant la fabrication
- Phase 2: les stratégies pendant et après la fabrication

PHASE 1 (stratégies avant la fabrication)

Cette phase comprend deux stratégies qui sont:

- la stratégie Produit
- la stratégie Prix
- la stratégie Distribution

Bien qu'elles soient indépendantes les unes des autres, il demeure que chacune des stratégies de cette phase, avec ses différentes activités, doit produire son effet optimum pour générer l'effet synergique global escompté pour la réalisation des objectifs de vente préalablement fixés dans la planification stratégique. Ainsi, bien qu'une entreprise puisse avoir le meilleur produit face à ses concurrents, si le prix n'est pas bon, si la distribution est inadéquate ou encore si la promotion est mal orientée, c'est la stratégie globale qui en sera affectée et les dépenses encourues par les autres stratégies auront été, à toute fin pratique, inefficaces. La figure 6.1 illustre leur interrelation stratégique.

Figure
6.1

Illustration de l'interrelation des variables du marketing-mix dans la réalisation des objectifs de l'entreprise

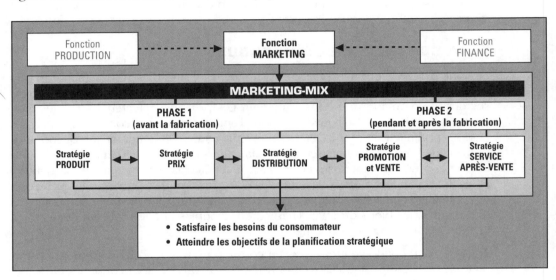

1. LA STRATÉGIE PRODUIT

La stratégie de produit est la première en importance dans la stratégie globale de marketing, le produit étant la raison d'être de l'entreprise. Elle consiste essentiellement à répondre aux questions suivantes :

- Quelle utilité doit avoir le produit ? Répond-il au besoin identifié ?
- Quelles caractéristiques particulières doit-on offrir ou modifier dans le produit pour le rendre le meilleur possible ?
- Quel nom devra-t-on donner au produit ?
- Quels formats devra-t-on offrir ?
- Quel conditionnement devra-t-on choisir ?

Pour répondre à toutes ces questions, une démarche systématique de recherche d'information et de développement d'idées et concepts doit être rigoureusement suivie. Cette démarche s'exécute à travers les activités suivantes : *la conception et le développement de produit, la détermination du marché-cible, l'étude du comportement du consommateur et la recherche commerciale.* Reprenons chacune de ces activités.

LA CONCEPTION ET LE DÉVELOPPEMENT DU PRODUIT

La conception d'un produit est le fruit de la concrétisation d'une idée qui résulte de l'observation d'un besoin non satisfait ou partiellement satisfait chez le consommateur. Toutefois, avant d'engager des frais dans le développement de l'idée, elle devra au préalable avoir été validée auprès du marché pour ensuite évaluer l'ampleur et la rentabilité potentielle éventuelle du produit, après une première évaluation des coûts de fabrication. Combien nombreuses sont les inventions qui n'ont pas dépassé la période du lancement parce qu'elles n'ont pas répondu à cette caractéristique d'utilité et de performance fondamentale dans la satisfaction d'un besoin.

Le développement du produit doit se faire obligatoirement et conjointement avec les services de recherche et développement (R&D) et de la production. Il doit porter sur le développement et la mise au point de caractéristiques spécifiques relatives tant à son utilité qu'à son aspect physique soit le design (forme et couleur), le nom du produit, le conditionnement et l'étiquetage pour ultimement, autant que possible, lui conférer un avantage concurrentiel. Un caractère distinctif est donc un élément de première importance pour le démarquer de la concurrence. Les ordinateurs Mac en sont un bel exemple.

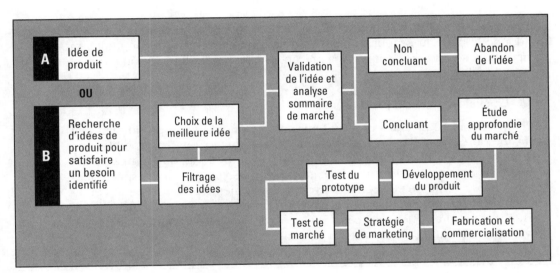

Figure **6.2**

Grandes étapes du développement d'un nouveau produit

• La standardisation

Dans la mise en marché d'un produit destiné à satisfaire un besoin commun chez un grand nombre de consommateurs homogènes, la standardisation, c'est-à-dire l'uniformité continue dans la conception et la fabrication des produits est d'une absolue nécessité. La standardisation permet, en plus de garantir une performance et une qualité uniforme des produits fabriqués, des économies d'échelle substantielles au niveau des achats de matières premières et des pièces de sous-traitance ainsi qu'un coût de fabrication unitaire très bas avec la fabrication de masse (continue). Elle est la base obligatoire d'une qualité uniforme.

• La marque de commerce

La marque de commerce, c'est-à-dire le nom du produit, est le premier véhicule publicitaire du produit. Un bon nom de produit permet au consommateur potentiel de le distinguer parmi ses concurrents en plus de favoriser la créativité dans la conception de sa promotion. Une bonne marque de commerce doit idéalement comporter au maximum trois syllabes pour pouvoir être retenue facilement et surtout offrir aux concepteurs de campagne de publicité un potentiel de créativité certain. Elle doit refléter autant que possible l'image du produit. Un bel exemple est la marque Kleenex (pour Clean nose) de Kimberley Clarck. Mentionnons la publicité du téléphone cellulaire Fido, et du site Web Jobboom.com pour ne mentionner que ceux-là.

● Le conditionnement et l'étiquetage

Le conditionnement (packaging) est essentiellement la forme physique extérieure du produit qui lui donne cet aspect visuel distinctif, caractéristique absolument essentielle à la réussite de sa mise en marché. Pour les produits de haute consommation vendus dans les supermarchés et les dépanneurs, le conditionnement sert aussi de surface à leur propre publicité en plus de servir de contenant, les produits étant tous en concurrence directe les uns à côté des autres sur la même étagère. Les fabricants engagent des sommes importantes en conception graphique pour rendre leur produit le plus attrayant et le plus distinctif possible face à ses concurrents. Un bon marketing-mix débute par une marque de commerce distinctive.

L'étiquetage est tout simplement l'information apposée sur le conditionnement qui donne le nom du produit et tous les renseignements quant à son utilité, sa composition, son mode d'emploi, les précautions à prendre lors de son usage et le nom du fabricant.

● Le cycle de vie du produit

Figure
6.3

Cycle de vie du produit A avec le remplacement du produit A par le produit B

Les concepteurs de produits doivent tenir compte du fait qu'un produit ne peut avoir une durée de vie et un succès commercial illimité. Tous les produits, sauf exception rare, ont une vie limitée qui passe par un cycle de quatre phases qui sont : *le lancement, la croissance, la maturité* et *le déclin*. Les profits spécifiques générés par la vente de ce produit suivent aussi le même cycle de vie et conditionnent les décisions stratégiques devant être prises à son sujet au cours de son existence. La figure 6.3 expose cette évolution du produit au cours de son cycle de vie et le tableau 6.1 décrit cette évolution.

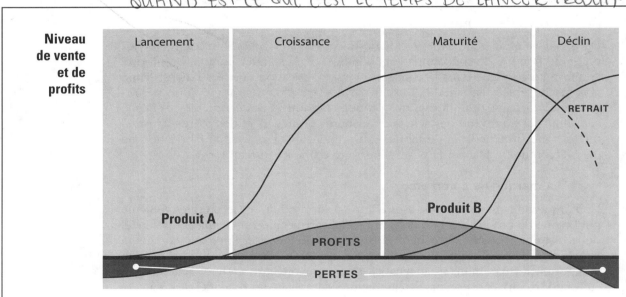

Tableau **6.1**

Description des phases du cycle de vie du produit

1. **Le lancement.** Dans cette première phase, l'entreprise mise sur le développement de la demande pour le nouveau produit. Les responsables du marketing mettent en œuvre des campagnes de promotion intenses pour faire connaître le produit et ses caractéristiques. Le développement, la mise au point, le lancement et la promotion d'un nouveau produit exigent des investissements importants. En cette première phase du cycle de vie d'un produit, l'entreprise encaisse des pertes importantes avec des ventes aux premiers consommateurs aimant les nouveautés.

2. **La croissance.** Pendant cette phase, les ventes augmentent rapidement. Les premiers utilisateurs renouvellent leurs achats et de nouveaux acheteurs suivent. Le bouche à oreille ainsi que la publicité intensive amènent d'autres utilisateurs à faire l'essai du produit. C'est au début de cette phase que l'entreprise commence à réaliser des profits qui iront en s'accélérant. Généralement, on considère qu'un délai moyen de trois ans est nécessaire pour récupérer les frais de recherche et de développement d'un produit. À la fin de cette phase, les concurrents commencent à lancer des produits similaires.

3. **La maturité.** En début de la phase de maturité, les ventes continuent d'augmenter pour atteindre un sommet. Les profits commencent à décliner en milieu de phase. La concurrence qui apparaît d'une façon significative provoque une augmentation de l'offre. Lorsque les ventes du produit atteignent le seuil de saturation, les entreprises ne peuvent accroître leur volume de vente qu'aux dépens de la concurrence, ce qui les amène à réduire leur prix pour rendre le produit encore plus attrayant. À la fin de cette phase, le volume des ventes et des profits a diminué sensiblement. Des concurrents délaissent le marché. Un nouveau produit de remplacement est déjà en phase de lancement.

4. **Le déclin.** Pendant cette phase, les ventes continuent de diminuer de même que les profits. Ils se transforment en pertes à la suite des réductions de prix amorcées à la phase précédente. Le déclin d'un produit est généralement causé par l'innovation (ex.: la planche à voile qui remplace le voilier dériveur traditionnel) ou par l'évolution des préférences des consommateurs. N'ayant plus d'avenir, il faut donc le retirer du marché.

Il n'est pas possible de déterminer exactement à l'avance la duré de vie d'un nouveau produit. Mais, par comparaison avec un produit qui peut s'y apparenter ou par évaluation de la durée de la mode ou du développement technologique dont peut dépendre son évolution, il est possible d'établir une durée approximative de la vie du produit permettant ainsi d'élaborer sa projection de rentabilité dans ses grandes lignes.

Lors de la conception du produit, les gens de marketing doivent prévoir la possibilité de retarder au maximum le retrait d'un produit lorsque l'analyse de l'évolution du marché du produit laissera présager un déclin éventuel des ventes. Devant cette perspective, pour certains types de produit, il est possible de prolonger la phase de maturité pour profiter d'une rentabilité allongée du produit.

Il y a des façons efficaces de prolonger la vie d'un produit en période de maturité et ainsi étirer avantageusement sa rentabilisation. Ainsi, peut-on:

- essayer d'augmenter la fréquence d'utilisation du produit;
- développer de nouvelles applications;
- essayer de trouver de nouveaux marchés (ex.: l'exportation);
- innover en trouvant, soit de nouveaux formats, soit de nouveaux emballages ou de nouvelles étiquettes pour améliorer l'image.

La figure 6.4 nous expose l'effet de l'application de ces procédés.

Figure
6.4

Prolongement de la phase maturité

Le cycle de vie du produit est un élément très important dans la stratégie du produit. Il permet d'ajuster la stratégie globale de marketing du produit en fonction des variations du marché et de la concurrence. Ainsi, par exemple, on transformera la publicité d'information en une publicité de persuasion en période de croissance, on réduira les prix lorsque la concurrence sera devenue menaçante et enfin on essayera de prolonger la vie du produit à la phase de maturité. Le cycle escompté de vie permettra de planifier toute la rentabilité du produit selon ses phases d'évolution.

CYCLE DE VIE

Niveau $ de vente et de profits	Lancement	Croissance	Maturité	Déclin

RETRAIT

Durée du prolongement →

PROFITS

PERTES

Temps

■ LA DÉTERMINATION DU MARCHÉ-CIBLE

Le marché-cible est le nombre potentiel de consommateurs composant le groupe de consommateurs que l'entreprise veut atteindre, qu'elle aura bien identifié et qui sera à la base d'élaboration de sa stratégie de marketing. De quelle façon peut-on déterminer le marché-cible? Le marché-cible est déterminé par la segmentation de marché, qui est la division d'un marché global en groupes de consommateurs ayant des caractéristiques homogènes de consommation. La segmentation s'effectue par l'utilisation de bases de références. Il y a plusieurs approches ou critères différents et complémentaires pour faire de la segmentation à partir de bases de référence. Voici les principales : l'approche démographique, l'approche géographique et l'approche psychographique.

● L'approche démographique

Cette approche catégorise le marché à partir de caractéristiques socio-économiques dont les principales sont : le sexe, l'âge, le revenu, le statut civil, la profession, la langue, la religion et la scolarité.

● L'approche géographique

Cette approche utilise surtout les données statistiques à partir des recensements de la population afin de localiser les concentrations de marché et de comparer les habitudes d'achat d'une région à l'autre.

● L'approche psychographique

Cette approche renvoie aux habitudes et au style de vie des consommateurs ainsi qu'à leurs types d'activités, leurs intérêts et leurs motivations, pour pouvoir diviser le marché. Cette approche est utilisée pour identifier les différents groupes types d'une société.

Mentionnons enfin que, pour certains produits, l'utilisation de plus d'une approche est souvent nécessaire pour déterminer le plus précisément possible les caractéristiques spécifiques du marché-cible visé. C'est particulièrement le cas, entre autres, du marché de l'automobile.

■ L'ÉTUDE DU COMPORTEMENT DU CONSOMMATEUR

Le consommateur est la préoccupation centrale des gens du marketing. Son comportement vis-à-vis l'achat en est le centre d'intérêt. La satisfaction du besoin du consommateur est à la base même de l'acte d'achat. La motivation, par contre, est le facteur déclencheur du processus d'achat.

Ainsi que nous l'avons déjà vu, la hiérarchie entre aussi en ligne de compte dans les priorités des besoins de consommation à satisfaire. Les besoins primaires (besoins physiologiques et besoins de sécurité) sont d'abord satisfaits alors que les besoins secondaires (besoins d'appartenance, besoins d'estime de soi et besoins d'auto-réalisation) le seront en second lieu. Toute la stratégie de promotion sera élaborée à partir des résultats de cette recherche.

Comment le consommateur achète-t-il ? Il suit un processus logique dans sa démarche vers la décision d'acheter. Cette démarche est plutôt courte dans les actes quotidiens alors qu'elle est relativement longue dans le cas de l'achat d'un bien durable. Le tableau 6.2 vous expose le processus d'achat d'une automobile.

■ LA RECHERCHE COMMERCIALE

En plus de faire de la segmentation de marché pour déterminer son marché-cible, l'entreprise a besoin d'utiliser d'autres informations nécessaires à l'élaboration de sa stratégie de marketing. Ainsi aura-t-elle besoin de recueillir de l'information sur l'environnement externe de l'entreprise, entre autres :

- la concurrence ;
- les goûts et habitudes d'achat des consommateurs du marché-cible ;

Tableau **6.2**

Étapes du processus d'achat d'une automobile
1. **Constatation du problème.** Le consommateur constate une déficience de son état actuel par rapport à celui désiré: «ma voiture me laisse tomber».
2. **Recherche de solutions.** Le consommateur recherche consciemment ou inconsciemment, selon le type d'achat, les différentes possibilités de solution à son problème. Acheter ou louer une voiture neuve, acheter une voiture usagée, choisir les marques qui peuvent convenir. Comparer les services après-vente.
3. **Évaluation des solutions possibles.** En regard des critères d'évaluation préalablement fixés, le consommateur compare les solutions avec la situation qu'il juge idéale. Quelle option choisir: acheter ou louer? acheter neuf ou usagé?
4. **Décision sur l'achat après évaluation de chacune des solutions retenues.** Le consommateur arrête son choix sur la solution qui se rapproche le plus de la solution idéale.
5. **Évaluation après l'achat.** Le consommateur évalue toujours son achat, consciemment ou inconsciemment. La répétition à l'achat, même inconsciemment, constitue une évaluation positive. Le refus de répéter l'achat signifie une insatisfaction du besoin et un mauvais choix. Dans le cas d'un bien durable, l'évaluation est plus profonde et souvent technique.

- les éléments pertinents particuliers au produit concernant des variables incontrôlables mises en cause telles que:
  - le développement technologique;
  - les législations;
  - des éléments de conjoncture économique pertinents tels que les taux d'intérêts.

Ces informations que l'entreprise doit recueillir elle-même par l'embauche de personnel spécialisé sont d'ordre *primaire*. Toutefois, il existe une multitude d'informations et de données statistiques d'ordre *secondaire* qu'il est nécessaire de connaître avant de recueillir les données primaires.

2. LA STRATÉGIE PRIX

La stratégie Prix est tout aussi importante que la stratégie Produit. En dernier lieu, c'est le prix qui sera le facteur déterminant dans la décision d'achat pour une majorité de produits. Plusieurs questions surgissent lorsqu'il s'agit d'établir un prix. Ainsi, il faut tenir compte des éléments suivants, à savoir:

- le coût de fabrication du produit;
- la marge bénéficiaire à accorder aux intermédiaires, le cas échéant;
- le prix que le consommateur s'attend à payer;
- le prix de la concurrence;
- la phase du cycle de vie du produit;
- la marge bénéficiaire nécessaire à l'entreprise.

■ LES OBJECTIFS DE LA FIXATION DES PRIX

Il y a trois objectifs principaux que l'entreprise peut rechercher dans la fixation des prix. Il y a :

- la pénétration du marché ;
- l'augmentation d'une part du marché (et des ventes) ;
- la maximisation des profits générés par le produit.

Ces trois objectifs s'inscrivent dans l'évolution du produit au cours de son cycle de vie à travers ses phases. La pénétration du marché et l'augmentation d'une part de marché nécessitent l'obligation de fixer le prix le plus bas possible et de devoir absorber des pertes d'opération généralement planifiées dans la stratégie de marketing.

D'autres objectifs complémentaires peuvent être aussi envisagés pour soutenir ou renforcer les objectifs principaux en fonction des exigences du moment, conditionnés soit par la concurrence, soit par l'évolution du marché ou du comportement du consommateur. Mentionnons :

- La politique de maintien du prix aligné sur le leader de l'industrie ;
- La politique de l'amélioration de l'image un produit.

Ces dernières politiques ne sont envisagées que lorsque l'évolution du produit se trouve en situation particulière nécessitant un ajustement de la planification stratégique.

■ LES POLITIQUES DE PRIX

Les responsables de la stratégie du marketing devront décider de la politique de prix à adopter lors du lancement du produit. Il y a deux politiques possibles : la politique de prix d'écrémage et la politique de prix de pénétration par la base.

● La politique de prix d'écrémage

La politique de prix d'écrémage consiste à établir le prix élevé au départ et à l'abaisser progressivement par la suite, soit durant la phase de lancement soit au début de la phase de croissance. Cette politique permet à l'entreprise de récupérer ses frais de développement et de lancement du produit. Les ordinateurs personnels en sont un exemple typique.

● La politique de prix de pénétration

La politique de pénétration du marché par la base consiste à établir le prix du produit nouvellement lancé à un niveau peu élevé par rapport aux produits jugés apparentés, créant ainsi une réception favorable auprès des consommateurs tout en laissant croire aux concurrents éventuels que ce produit a peu de rentabilité.

3. LA STRATÉGIE DISTRIBUTION

Une fois le produit fabriqué, il faudra le rendre disponible auprès du consommateur. Toutefois, cette opération doit être planifiée avant même la fabrication du produit. Elle fera donc l'objet de l'élaboration d'une stratégie appelée «Stratégie distribution» afin de déterminer le ou les types d'intermédiaires, tels que grossistes et détaillants entre autres, le ou les plus stratégiquement appropriés pour rendre le produit disponible, d'une façon régulière, entre les mains du consommateur. Vu l'importance et la complexité de cette stratégie, ce sujet fera l'objet du chapitre 7.

PHASE 2 (stratégies pendant et après la fabrication)

Cette phase comprend deux stratégies qui sont :

- la stratégie Promotion
- la stratégie Service après-vente

Bien qu'elles aient été planifiées en même temps que celles de la phase 1, les stratégies de cette phase mettent en action la partie active du marketing-mix.

4. LA STRATÉGIE PROMOTION

Une fois le produit fabriqué ou en cours de fabrication, les dirigeants du marketing doivent s'attaquer à sa promotion auprès du consommateur. La promotion se définit donc comme étant l'ensemble des activités entreprises par la fonction marketing pour stimuler la vente du produit auprès du consommateur. L'objectif de la stratégie promotion est de permettre la réalisation des objectifs de la stratégie Prix qui découlent de la stratégie de marketing.

▩ LE MIX-PROMOTIONNEL

La promotion des produits auprès du consommateur nécessite au préalable l'élaboration d'un programme bien équilibré d'activités promotionnelles que l'on appelle le mix-promotionnel. L'élaboration de ce programme repose sur l'analyse des éléments suivants :

- les ressources financières nécessaires à son financement ;
- la phase du cycle de vie du produit afin de choisir la stratégie promotionnelle appropriée ;
- le type de consommateur, d'utilisateur, d'intermédiaire vers lequel la promotion est dirigée ;
- la nature du produit qui dicte la forme de promotion à adopter ;
- la dimension du marché visé.

▩ LE CHOIX D'UNE STRATÉGIE PROMOTIONNELLE

Avant d'élaborer la composition du mix-promotionnel, le responsable du marketing doit décider de la façon de promouvoir son produit auprès du marché-cible. Deux stratégies sont à considérer : la *stratégie d'aspiration* ou la *stratégie de pression*. Le choix de l'une ou l'autre ou une combinaison des deux déterminera la composition du mix-promotionnel.

● La stratégie d'aspiration

Cette stratégie est surtout utilisée par les grandes entreprises à très haut volume de vente de produits de consommation courante. Toutefois, plusieurs fabricants et détaillants de bien durables comme les automobiles ou les meubles et appareils ménagers utilisent cette stratégie en attirant le consommateur par des facilités de paiement (crédit) très alléchantes. C'est le cas de plusieurs fabricants d'automobiles et de Brault et Martineau ainsi qu'Ameublements Tanguay entre autres.

Tableau
6.3

Comparaison des stratégies d'aspiration et de pression

Stratégie d'aspiration		
Fabricant	**Stratégie**	**Consommateur**
Produits de haute consommation vendus chez les détaillants et supermarchés.	Publicité intensive dans les médias de masse faite par le vendeur pour stimuler la demande.	Demande du produit par le consommateur chez le détaillant.
Stratégie de pression		
Fabricant	**Stratégie**	**Distributeur**
Produits de biens durables. Ex.: les produits annoncés et vendus par Canadian Tire, Rona ou Réno Dépôt.	Pression exercée par le vendeur auprès du distributeur pour l'inciter à se procurer le produit.	Il fait la promotion du produit en collaboration avec le vendeur pour créer la demande chez le consommateur.

● **La stratégie de pression**

La stratégie de pression, par opposition, est axée sur la vente aux intermédiaires. Il s'agit de vendre le produit aux grossistes et détaillants composant les canaux de distribution. Les représentants vendeurs exercent une pression pour convaincre les intermédiaires de distribuer les produits de l'entreprise en leur offrant un rabais spécial, du matériel de promotion et un programme de publicité à frais partagés. Tous ces éléments visent à inciter les intermédiaires à promouvoir la vente du produit auprès de la clientèle.

Quelle stratégie doit-on choisir? Généralement les stratèges du marketing utiliseront les deux stratégies, l'une étant habituellement prédominante. Mais il demeure que fondamentalement, la stratégie d'aspiration est utilisée pour les produits de haute consommation, tandis que la stratégie de pression a été adoptée pour les biens durables tels que les meubles et appareils ménagers. Le tableau 6.3 vous expose l'effet comparatif de ces deux stratégies.

EXEMPLE DE PRODUITS À STRATÉGIES PROMOTIONNELLES DIFFÉRENTES

Le 4 litres de peinture **SICO**, un bien durable, fait l'objet d'une stratégie de pression tandis que le savon *Tide*, un produit de haute consommation, fait l'objet d'une stratégie d'aspiration.

* produits.

■ **LA COMPOSITION DU MIX-PROMOTIONNEL**

Lorsqu'arrive le moment d'élaborer la stratégie Promotion, trois types d'activités sont à considérer: la *publicité*, les *activités de promotion des ventes* et la *vente personnelle*. La combinaison de ces activités constitue le mix-promotionnel.

Les dirigeants du marketing déterminent la proportion accordée à chacun de ces éléments en fonction de la stratégie globale de promotion dictée par la stratégie de marketing. La figure 6.5 vous expose un exemple de cette proportion.

● **La publicité**

La publicité constitue une dépense très importante pour les entreprises, surtout pour celles qui œuvrent dans le secteur des biens de haute consommation et de biens durables s'adressant à un marché important. Cette dépense doit donc être le plus efficace possible.

Définition : La publicité se définit comme étant *toute forme de présentation non personnelle de produits, de services ou d'idées à un groupe de consommateurs déterminés payée par un commanditaire donné*. Cette présentation non personnelle utilise obligatoirement les moyens de communication de masse qui sont de plus en plus variés, Internet étant le dernier né de ces moyens.

La publicité a donc pour but de présenter un produit ou service à un groupe de consommateurs donnés afin de le persuader de l'acheter ou de continuer à l'acheter. À cette fin, une stratégie publicitaire spécifique s'impose pour atteindre les objectifs préalablement fixés. Le plan communication média en est l'instrument.

PLAN DE COMMUNICATION-MÉDIA

L'usage des médias de masse pour la publicité constitue la plus grande dépense de tout le budget alloué à la publicité. Il est donc primordial de bien choisir ses médias. Une fois le message publicitaire élaboré, il convient de choisir les supports publicitaires appropriés pour le transmettre aux consommateurs. Le choix d'un ou de plusieurs médias et la durée du message de la campagne sont les composantes du plan de communication-média.

DÉFINITION : plan d'utilisation stratégique d'un ensemble de médias de masse destiné à atteindre l'objectif de la stratégie publicitaire le plus efficacement possible.

L'élaboration du plan de communication-média dépend, en premier lieu, du budget alloué à la dépense dans les médias et de l'auditoire à rejoindre.

Choix d'un média de masse

Pour rejoindre l'auditoire ciblé, le choix d'un média de masse est d'une très grande importance. Ce choix est conditionné par les éléments suivants :
- l'objectif de la campagne de publicité ;
- la dimension, la localisation et la nature de l'auditoire ;
- la capacité du média à rejoindre le marché visé dans l'auditoire du média.

Principaux médias de masse

Les médias de masse sont les organismes d'information publics qui vendent de l'espace (journaux et revues) ou du temps d'antenne (radio et télévision) à des entreprises qui désirent annoncer leur produit ou service. Il y a : les *journaux*, les *revues*, la *radio*, la *télévision et internet*. Le tableau 6.4 vous expose les caractéristiques de chacun d'eux.

Le publiciste élabore les grandes lignes d'un plan de communication avec le marché-cible à partir des caractéristiques du produit, de la fréquence d'achat, de la stratégie des concurrents, de la phase du cycle de vie du produit ainsi que du budget alloué, ce dernier élément conditionnant le choix et la fréquence d'utilisation des médias.

Tableau
6.4

Caractéristiques des principaux médias de masse

Média	Description	Avantages	Désavantages
Journal	Publication à grand tirage publiée à tous les jours pour le quotidien et une fois la semaine pour l'hebdo.	Il peut rejoindre une grande proportion du marché local ou régional. Le coût du placement média par mille personnes est relativement bas. Des cahiers spéciaux sur des sujets précis peuvent rejoindre des segments de marché ciblés.	Souvent lu trop rapidement et certaines pages sont sautées. Le segment de marché n'est pas aussi précis que chez certains autres médias.
Revue	La publication est soignée et publiée en couleur une fois par mois sur des sujets relatifs aux intérêts du lecteur.	Elle est appropriée pour rejoindre un marché provincial ou national. Elle peut atteindre un segment de marché précis (ex.: Vélomag). Elle est lue plus attentivement que le journal et les annonces sont plus frappantes.	Le message doit être préparé jusqu'à 3 mois à l'avance et ne peut être modifié. Elle ne peut rejoindre un marché local aussi facilement que le journal. Elle ne rejoint pas un marché national aussi vaste que la télévision. Le message ne paraît qu'une fois par mois.
Télévision	Le média le plus utilisé. Il rejoint la majorité des auditoires des autres médias avec ses émissions spécialisées.	Elle permet une publicité animée et efficace avec son et image. Un réseau permet de rejoindre un marché national. Le message peut être répété plusieurs fois.	Le coût du placement peut être trop élevé pour un petit annonceur. Le message doit être préparé à l'avance et peut être difficile et coûteux à modifier. Les segments de marchés précis ne peuvent être rejoints.
Radio	Média utilisé aux heures de pointe (de 6h30 à 9h30, de 11h30 à 13h30 et de 16h à 18h30).	La publicité est persuasive avec le son. L'attention de l'auditeur est totale. Le contact avec le marché local est souvent très bon.	Les messages sont souvent perdus dans la programmation. Les réseaux ne rejoignent pas le marché national des réseaux de télévision.

● **Les activités de promotion des ventes**

De nos jours, les fabricants utilisent de plus en plus, dans leur mix-promotionnel, des activités de «promotion des ventes» qui sont des activités précises pour un temps limité dont le but est de donner plus d'impact à leurs campagnes publicitaires.

De plus, ces activités ont un objectif complémentaire qui vise à vérifier d'une façon quantifiable l'efficacité de la stratégie promotionnelle et de l'activité choisie en regard de l'objectif fixé avant le début de la campagne.

Les principales activités de promotion des ventes sont :

- des avantages particuliers de crédit (payer dans un an, aucun comptant) ;
- des garanties supérieures à celles des concurrents ;
- des ventes à rabais de lancement (ou de liquidation) ;
- des coupons rabais dans les emballages ;
- des échantillons pour essai pendant une période limitée ;
- des concours avec tirages ;
- des objets-réclames.

Le choix d'une de ces activités dépend de plusieurs facteurs dont les principaux sont le type de produit, la fréquence et le comportement à l'achat ainsi que le prix de vente. La figure 6.5 vous expose la répartition du budget d'un mix-promotionnel.

Figure
6.5

Exemple de répartition du budget d'un mix-promotionnel

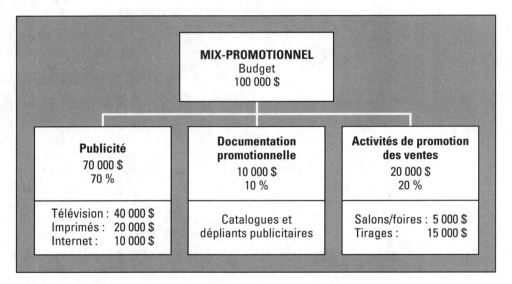

● **La vente**

La vente est l'activité centrale autour de laquelle s'élabore la stratégie de marketing. Le but ultime de l'entreprise n'est-il pas de vendre le produit ou le service qu'elle a mis au point pour assurer sa mission et atteindre ses objectifs?

On aura beau élaborer la meilleure stratégie de marketing, si l'activité *vente* est inefficace, tous ont travaillé pour rien.

Il y a deux grands types de vente : la vente personnelle et la vente non personnelle.

La vente personnelle. Dans l'entreprise, la vente personnelle est une préoccupation constante et aucun effort n'est ménagé pour la rendre efficace. Les entreprises manufacturières, en particulier, lui consentent des sommes importantes portant sur :

- la formation des nouveaux vendeurs ;
- le perfectionnement périodique des vendeurs ;
- la motivation des vendeurs.

Le vendeur est, en quelque sorte, le soldat au front qui fait avancer l'entreprise. Bien qu'il soit efficace, il doit être supporté par les autres activités du marketing-mix pour assurer son succès. Les vendeurs sont généralement très bien rémunérés étant soit à salaire de base et commission ou uniquement à commission. Dans les commerces de détail, les vendeurs sont généralement rémunérés à salaire fixe, bien que certains y ajoutent une commission sur leurs ventes.

Les types de vente personnelle. Il y a trois sortes de ventes personnelles : la *vente au comptoir,* la *prise de commandes* et la *vente à l'extérieur (représentant sur la route).*

La vente au comptoir (magasin de détail). Généralement, le vendeur au comptoir ne fait que servir le client en lui donnant toute l'information sur le produit qu'il veut acheter pour l'aider à choisir celui qui satisferait le mieux son besoin. Il est très important que le vendeur connaisse très bien ses produits pour faciliter la décision rapide du client.

La prise de commandes (bureau de ventes). Les fabricants et les grossistes qui vendent à des intermédiaires ont des comptoirs de vente ou des réceptionnistes vendeurs qui prennent les commandes provenant des détaillants ou des entreprises (marché industriel).

Ces vendeurs, au téléphone, enregistrent les commandes des clients sans avoir à faire un effort particulier de ventes, si ce n'est de suggérer des solutions de rechange (ex. : spéciaux ou achat en grande quantité) pour économiser à l'achat. Toutefois, ce type de vente tend à disparaître avec le développement d'internet et le B2B (achat sur internet).

La vente à l'extérieur (représentant sur la route). La vente à l'extérieur est faite par des représentants qui se déplacent pour aller chez les clients. Ce type de ventes est surtout effectué dans le secteur industriel et chez les intermédiaires, à l'exception des vendeurs itinérants, tel que spécifié dans la Loi de la protection du consommateur sur la vente itinérante.

La vente à l'extérieur est beaucoup plus complexe, car elle exige au préalable :

- une prospection de clients éventuels ;
- une sélection de clients potentiellement acheteurs ayant répondu à des critères de sélection.

Une fois cette première étape franchie, il faut passer à l'étape de la vente. Cette étape comporte six phases :

- l'obtention d'un rendez-vous ;
- la présentation auprès du client ;
- la démonstration et l'argumentation ;
- la réfutation des objections ;
- la fermeture de la vente ;
- le suivi après la vente.

La vente non personnelle. Avec la venue d'Internet, ce type de vente prend de plus en plus d'importance surtout dans le marché industriel, soit d'entreprise à entreprise (B2B : business to business). Les ventes se font en ligne. Selon les dernières données de Statistiques Canada, en 2002 plus de 75 % des ventes en ligne ont été faites dans le marché industriel. Ce sont les acheteurs qui recherchent les vendeurs de produits qu'ils désirent se procurer, soit pour la fabrication de leurs produits ou pour leurs opérations courantes. Nous y reviendrons au chapitre suivant.

◼ LES RELATIONS PUBLIQUES

Les relations publiques sont les relations que l'entreprise désire maintenir avec son environnement externe, à savoir ses clients, ses actionnaires, ses fournisseurs, les différents gouvernements et les organismes socioculturels.

Les efforts de relations publiques sont habituellement centrés sur le maintien du prestige et de l'image de tous les services de l'entreprise. C'est à l'occasion de circonstances particulières que l'entreprise se manifeste sur des sujets ou événements tels que :

- impact négatif d'une grève ou lock-out ;
- accidents aux conséquences environnementales néfastes ;
- critiques sur l'entreprise ou ses produits par les médias ou groupes de consommateurs ;
- tentatives de prise de contrôle par des groupes d'actionnaires ;
- toute autre circonstance qui exige une intervention publique pour protéger l'image de l'entreprise.

Les relations publiques ne constituent pas une activité routinière du marketing. Il n'y a donc pas ou peu de budget alloué à cette fonction qui relève habituellement de la haute direction de l'entreprise.

◼ LES COMMANDITES

Qu'est-ce qu'une commandite ? Une commandite est une formule promotionnelle où un annonceur obtient l'exclusivité de la promotion d'un événement ou d'une programmation dans un médium électronique, le plus souvent la télévision. Ainsi, des événements tels que les séries mondiales, le Super Bowl, le Grand Prix du Canada, la Soirée du hockey et des séries télévisées.

Quelles sont les caractéristiques de la commandite ? Elle se caractérise par :

- le caractère exclusif de la promotion du produit ou de l'entreprise. Il n'y a pas de concurrence promotionnelle pendant la durée de l'événement ou du programme de télévision ;
- la très grande latitude laissée à l'annonceur dans son programme promotionnel. Il peut faire des promotions spéciales, des relations publiques, amorcer une nouvelle annonce publicitaire et avoir un grand nombre de messages durant le programme commandité ;
- le fait qu'elle permet à l'annonceur, dans bien des cas, de mesurer l'efficacité de sa promotion et ainsi de tirer des conclusions sur le succès ou l'échec de la commandite.

Pourquoi la commandite prend-elle de plus en plus d'ampleur ? La commandite prend de plus en plus d'ampleur parce qu'elle représente un avantage concurrentiel et promotionnel du fait de son caractère exclusif.

Il faut ajouter que les produits ne sont pas tous, par principe, candidats à la commandite. La commandite demeure, en général, une forme de promotion complémentaire à la campagne promotionnelle traditionnelle. Les stratèges du marketing ont la responsabilité de décider de son usage et de son intensité dans la stratégie globale de promotion.

■ LES NOUVELLES TENDANCES

Devant la concurrence de plus en plus forte, les gens de marketing ont imaginé de nouveaux moyens moins coûteux et plus efficaces pour rejoindre la clientèle visée.

● Le marketing direct

Le marketing direct est un terme nouveau véhiculé dans le monde des gens du marketing. Par opposition au marketing traditionnel qui est une philosophie d'action axée sur un marché composé d'un nombre important de consommateurs inconnus, le marketing direct a la caractéristique de diriger sa promotion sur l'individu plutôt que sur la masse, démarche ayant pour but d'établir entre l'entreprise et le client potentiel une interaction immédiate et continue.

Le marketing direct a l'avantage d'être mesurable dans son efficacité dès le début de sa mise en marche. Le marketing traditionnel ne peut qu'attendre la fin d'une campagne pour en évaluer le résultat, la réaction du consommateur pouvant être retardée dans le temps. Les moyens utilisés par le marketing direct sont : le publipostage, le télémarketing et Internet.

> **Le publipostage**. C'est l'envoi postal publicitaire que le consommateur reçoit dans son courrier de tous les jours ;
>
> **Le télémarketing**. C'est la vente par téléphone ou la prise de rendez-vous pour une vente éventuelle par un représentant. Bien que ce mode de vente indispose en général les récepteurs d'appels, cette technique demeure efficace par rapport aux techniques de marketing traditionnelles.
>
> **Internet**. Internet est sans contredit plus qu'une nouvelle tendance, c'est une révolution dans le domaine des télécommunications, autant pour l'internaute consommateur que pour l'entreprise. En marketing direct, Internet, dans son utilisation par l'entreprise, se compare à l'annonce classée d'un quotidien, d'un hebdo ou encore aux annonces classées télévisées mais dont le marché visé est mondial, absolument illimité. Internet procure à l'entreprise l'avantage exceptionnel d'avoir une communication bidirectionnelle avec un client potentiel et intéressé (et non un prospect inconnu comme c'est le cas avec le télémarketing) et cela dans un laps de temps qui peut être extrêmement court.
>
> À plusieurs égards, l'efficacité de ce moyen est nettement supérieur au publipostage et au télémarketing. Comme les autres moyens exposés précédemment, Internet a ses limites, entre autres celle où l'internaute entreprise doit attendre que l'internaute consommateur se manifeste. Mais il n'en demeure pas moins que le potentiel de développement est énorme et que bien des entreprises, qui ne considéraient pas dans le passé le marketing direct comme une alternative ou un complément aux moyens de promotion de masse traditionnels, réévaluent maintenant leur position pour le considérer sérieusement, à tout le moins, comme moyen complémentaire important dans leur stratégie globale de communication-marketing.

Au chapitre suivant nous traiterons du commerce électronique.

● **La publicité interactive**

La publicité interactive est tout simplement de la publicité imprimée (dans les revues) où on a incorporé un coupon-réponse pour obtenir le produit ou le service en le retournant à l'annonceur. Avec le retour du coupon, l'annonceur mesure immédiatement l'efficacité de sa publicité. À cet égard, la publicité par Internet est l'autre forme de publicité interactive.

Les caractéristiques du marketing direct sont:

- la relation de personne à personne entre l'entreprise et le client;
- l'interaction immédiate surtout sur Internet;
- la mesure de l'efficacité de chacune des activités de marketing.

■ **LE E-MARKETING**

Comme vous le savez sûrement, Internet a permis plusieurs nouveautés dans plusieurs domaines de la communication tant interpersonnelle que de masse. Parmi elles il y a le e-marketing (marketing électronique).

Les spécialistes s'entendent généralement pour affirmer que le e-marketing est tout simplement l'utilisation dans la stratégie marketing, et ses variables tant contrôlables qu'incontrôlables concernées, des technologies de communication électronique telles que Internet (site web et courriel), e-book (livre électronique), téléphone cellulaire ainsi que la base de données. C'est une définition plus générale que le marketing en ligne (Online marketing) qui se restreint exclusivement à l'utilisation d'Internet pour faire du marketing avec ses applications et objectifs particuliers mais aussi avec ses limites.

Le e-marketing est particulièrement efficace lorsque certaines de ses composantes telles que le télémarketing, l'envoi postal, la vente personnelle, la publicité, la promotion des ventes et les autres techniques à caractère promotionnel sont intégrées stratégiquement aux autres canaux de communication sélectionnés dans la stratégie de communication marketing.

Le e-marketing sera de plus en plus utilisé comme nouvelle «approche marketing» suite à la dépendance maintenant de plus en plus grande et presque obligatoire des consommateurs à internet sans oublier l'importance de plus en plus grande des réseaux sociaux tels que Facebook, My Space, Twitter, etc.. Toutefois, le choix d'un réseau doit faire l'objet d'analyse du profil de ses membres pour s'assurer qu'il soit le plus judicieux possible en fonction de la clientèle ciblée et des objectifs établis.

5. **LA STRATÉGIE SERVICE APRÈS-VENTE**

Jusqu'à il y a quelques années, le service après-vente était considéré comme une fonction découlant de la garantie accordée au produit qui relevait principalement du département de production.

Aujourd'hui le service après-vente, qui fait partie de la stratégie globale de service à la clientèle sous la notion «Approche client», est considéré comme le maillon complémentaire du marketing-mix qui ferme la boucle du processus de mise en marché. Cette stratégie constitue le fondement même de la stratégie globale de service à la clientèle. Par cette stratégie, l'entreprise non seulement fournie le service au produit qui le requiert, mais fidélise le client par des mesures stratégiques spécifiques de rétention pour développer la répétition de ses achats.

Bien que cette fonction stratégique généralement confiée au détaillant ou au grossiste selon le type de marché desservi (consommateur ou industriel), les entreprises, devant la concurrence féroce, ne ménagent aucun effort de créativité et d'imagination pour conserver un client couteusement alors que sa fidélité est toujours à conquérir.

▰ LES FONCTIONS DE SERVICE APRÈS-VENTE

La stratégie service après-vente comporte deux types de fonctions: les fonctions de service au produit et les fonctions de rétention du client.

● Les fonctions de service au produit

Les fonctions diverses de service au produit sont partie intégrante de la variable produit. Pour le client, le service fait partie du produit puisqu'il fait consciemment ou inconsciemment partie de son processus d'achat.

Ces fonctions doivent être exécutées dans un environnement et dans des conditions qui soient les plus accueillantes possibles. Ces fonctions sont:

- le respect des garanties rattachées au produit;
- l'encouragement du client à respecter le programme de service après-vente;
- la réparation du produit à la satisfaction du client ou son remplacement;
- la présentation du meilleur système de service qui soit.

● Les fonctions de rétention (fidélisation) du client

Les fonctions de rétention (fidélisation) du client sont les fonctions complémentaires aux fonctions de service au produit. Elles comprennent des actions tant à l'interne qu'à l'externe.

Actions à l'interne:

- développement d'attitudes cordiales du personnel en contact avec la clientèle;
- rappel constant de l'importance de cette attitude positive;
- perfectionnement permanent du personnel affecté au service à la clientèle;
- mise sur pied d'une base de données sur la clientèle pour fin de contacts et de statistiques;
- traitement et règlement rapide des plaintes.

Actions à l'externe

- mise sur pied de programme permanent ou ponctuel de promotion après de la clientèle
- envoi de courriel ou lettre personnalisée pour rappel ou promotion

La figure 6.6 expose les fonctions d'un système de service après vente efficace.

Les statistiques démontrent qu'il est beaucoup plus coûteux de conquérir un client que d'en conserver un. Il ne faut jamais oublier qu'un client insatisfait est fortement tenté d'aller voir si un concurrent ne ferait pas mieux.

La lecture en fin de chapitre *Le service à la clientèle: une nouvelle dimension au marketing-mix* expose toute l'importance du service à la clientèle dans le contexte de concurrence de plus en plus intense.

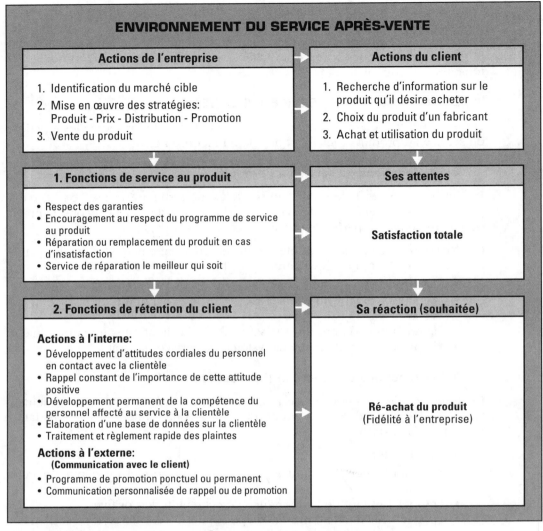

ENVIRONNEMENT DU SERVICE APRÈS-VENTE

Actions de l'entreprise	**Actions du client**
1. Identification du marché cible 2. Mise en œuvre des stratégies: Produit - Prix - Distribution - Promotion 3. Vente du produit	1. Recherche d'information sur le produit qu'il désire acheter 2. Choix du produit d'un fabricant 3. Achat et utilisation du produit
1. Fonctions de service au produit	**Ses attentes**
• Respect des garanties • Encouragement au respect du programme de service au produit • Réparation ou remplacement du produit en cas d'insatisfaction • Service de réparation le meilleur qui soit	**Satisfaction totale**
2. Fonctions de rétention du client	**Sa réaction (souhaitée)**
Actions à l'interne: • Développement d'attitudes cordiales du personnel en contact avec la clientèle • Rappel constant de l'importance de cette attitude positive • Développement permanent de la compétence du personnel affecté au service à la clientèle • Élaboration d'une base de données sur la clientèle • Traitement et règlement rapide des plaintes **Actions à l'externe:** (Communication avec le client) • Programme de promotion ponctuel ou permanent • Communication personnalisée de rappel ou de promotion	**Ré-achat du produit** (Fidélité à l'entreprise)

SYNERGIE DES ACTIVITÉS DU MARKETING

Comme vous avez pu le constater, les activités du marketing, autant dans l'étude des variables incontrôlables que dans l'élaboration de la stratégie du marketing-mix avec les variables contrôlables, sont les éléments de base du développement et de la croissance de l'entreprise. Lorsque les vendeurs rencontrent ou dépassent leurs objectifs, automatiquement l'enthousiasme se développe rapidement au sein des gens du marketing mais aussi dans toute l'entreprise.

Toutefois, le bon résultat ne tient pas uniquement à l'effort de l'équipe de vente mais bien à un effet synergique résultant de l'effort conjugué de chacune des activités du marketing, plus particulièrement celles du marketing-mix, ayant produit chacune leur effet individuel maximal. Si une seule de ces activités est déficiente, cet effet synergique sera alors grandement affecté, se traduisant automatiquement par des résultats en deçà des objectifs pouvant être plus importants qu'on ne l'aurait pensé. Vous n'avez qu'à imaginer ce que pourraient être les résultats de vente suite à une mauvaise analyse de la concurrence ou des habitudes d'achat du consommateur. La figure 6.7 expose cet effet synergique.

Figure

6.7

**Illustration
de l'effet
synergique des
activités du
marketing**

6.2   *L'encadrement des activités du marketing*

Le département de marketing

Le département de marketing, comme les autres départements de l'entreprise, doit évoluer avec le rythme de croissance de l'entreprise, tant au niveau de l'étendue territoriale à desservir qu'au niveau des services qu'elle doit se donner pour demeurer en affaires et devancer la concurrence. Le développement de la structure du département dépend :

- du type de marché à desservir ;
- de la dimension de l'entreprise ;
- du nombre de produits différents à mettre sur le marché.

LE DÉPARTEMENT DE MARKETING DANS LA PETITE ENTREPRISE

À ses débuts, l'entrepreneur se donnera une structure simple qui correspond à la dimension de son entreprise. Il contrôle bien la gestion de ses activités de marketing, n'ayant qu'un seul marché à desservir et qu'un seul produit à promouvoir. La figure 6.8 l'illustre bien.

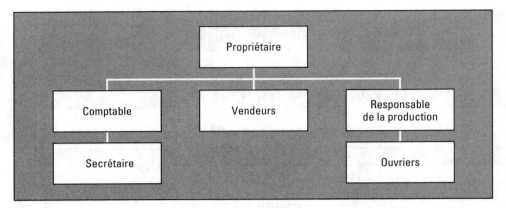

LE DÉPARTEMENT DE MARKETING DANS L'ENTREPRISE DE TAILLE MOYENNE

Au fur et à mesure que l'entreprise grandit, la structure initiale ne suffit plus. L'entrepreneur devient débordé et les autres fonctions de l'entreprise continuent de se développer. À ce moment, l'entrepreneur doit déléguer à des spécialistes la gestion des tâches exigeant plus d'expertise. Ainsi, dans la figure 6.9, il confiera à un gérant des ventes toute la responsabilité de la gestion des ventes et de la force de vente. De plus, il transmettra à un spécialiste toutes les autres tâches relatives à l'encadrement du service des ventes, à savoir les services de marketing et la communication-marketing.

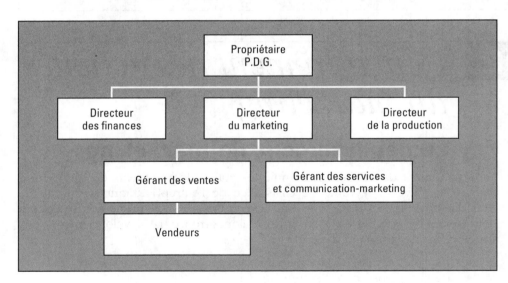

La figure 6.10 illustre une structure un peu plus élaborée où le développement d'un nouveau marché, avec la création de nouveaux produits ou de produits modifiés, a imposé un changement à la structure précédente (figure 6.8), exigeant du même coup une modification de la section des ventes en créant une unité pour chaque type de produit, soit une unité pour les produits consommateurs et une autre pour les produits industriels.

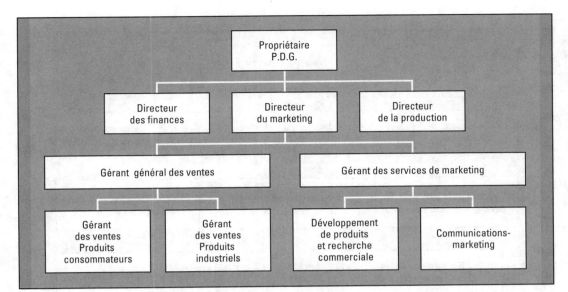

Figure
6.10

Organigramme type du département de marketing d'une entreprise moyenne développée

La section «services de marketing», service de support au service des ventes, a été aussi modifiée, On a scindé ce service en deux spécialités pour en faire deux sections indépendantes, soit le service de développement de produits avec la fonction recherche commerciale, et le service de communication-marketing.

La modification de la structure du «service des ventes», provoquée par l'addition de nouveaux produits destinés à un nouveau marché, a eu comme conséquence d'amener la haute direction de l'entreprise à devoir modifier la structure du service «communication-marketing» existante afin de libérer le gérant du surcroît de travail qui lui aurait été imposé du fait de devoir s'occuper à la fois des deux services de vente. Avec la nouvelle structure, chacun de ces deux services pourra servir efficacement chacun des deux services de vente. Si un troisième service de vente spécialisé devait s'ajouter à la structure actuelle, le nouveau service «service de marketing» n'aurait pas à être modifié à nouveau. Il suffirait d'ajouter du personnel.

LE DÉPARTEMENT DE MARKETING DANS LA GRANDE ENTREPRISE

Bien que l'évolution d'une entreprise soit sans limite, la structure d'un département de marketing repose, dans la grande entreprise, sur la mise sur pied de blocs de fonctions dictés par l'efficacité et la rentabilité. À cet égard, il y a, entre autres, les éléments produits, clientèle et région, qui orientent l'élaboration d'une structure de département de marketing. La figure 6.11 en est un exemple.

Cette nouvelle structure s'inscrit dans la structure fondamentale de commandement de la grande entreprise. Au niveau des cadres supérieurs, il faut remarquer que nous avons maintenant des vice-présidents au lieu de directeurs, la charge administrative et les responsabilités attachées y étant nettement plus grandes. Dans la grande entreprise les vice-présidents sont considérés comme des présidents de divisions d'entreprise (des entreprises dans l'entreprise).

Dans la grande entreprise, la fonction marketing est généralement appelée «Division du marketing». Cette division est habituellement répartie en trois fonctions distinctes :

Figure
6.11

Organigramme type du département de marketing d'une grande entreprise

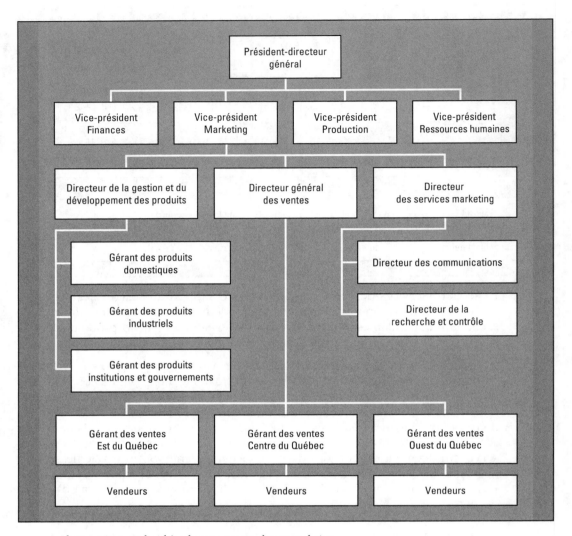

- la gestion et le développement des produits;
- la gestion des ventes;
- la gestion des services de support appelés «services de marketing».

Comme dans la figure 6.10 nous retrouvons à 6.11 un service des ventes mais cette fois-ci structuré sur la base de la région (territoire). Dans chacun des territoires il y aura trois catégories de vendeurs, à savoir une catégorie par type de produit, soit les produits domestiques, les produits industriels et les produits gouvernementaux.

Le sous-système marketing

Le marketing, comme la production, est un autre des sous-systèmes du système entreprise. La figure 6.12 expose le fonctionnement de ce sous-système dont le mandat est de concevoir, mettre au point et acheminer entre les mains du consommateur les produits une fois fabriqués par le sous-système production. À nouveau, les extrants et la mission ne peuvent être dissociés sans affecter la rentabilité du système entreprise.

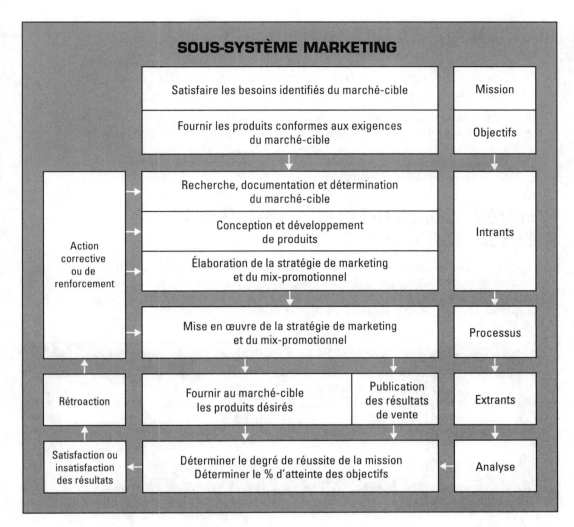

SOUS-SYSTÈME MARKETING

Satisfaire les besoins identifiés du marché-cible	Mission
Fournir les produits conformes aux exigences du marché-cible	Objectifs
Recherche, documentation et détermination du marché-cible	
Conception et développement de produits	Intrants
Élaboration de la stratégie de marketing et du mix-promotionnel	
Mise en œuvre de la stratégie de marketing et du mix-promotionnel	Processus
Fournir au marché-cible les produits désirés / Publication des résultats de vente	Extrants
Déterminer le degré de réussite de la mission / Déterminer le % d'atteinte des objectifs	Analyse

Action corrective ou de renforcement

Rétroaction

Satisfaction ou insatisfaction des résultats

Figure

6.12

Illustration du fonctionnement du sous-système marketing (voir figure 1.2 du système entreprise)

▮ Relation avec les autres fonctions

Vous avez pu constater que cette fonction sur les activités du marketing est complexe. Bien qu'elle soit la fonction de première ligne et qu'on puisse la croire autonome, l'apport des fonctions production, finance et gestion des ressources humaines dans l'atteinte des ses objectifs est absolument essentiel.

RELATION AVEC LA FONCTION PRODUCTION

Le lien de la fonction marketing avec la fonction production est très étroit. En fait cette fonction n'existerait pas sans la fonction production. Ce lien porte plus particulièrement sur le travail conjoint de conception et surtout de développement du produit, sur les tests du produit dans le marché test, sur la documentation de la garantie du produit et sur la mise au point du produit suite aux défauts de fabrication ou de conception du produit le cas échéant.

RELATION AVEC LA FONCTION FINANCE

L'apport de la fonction finance porte sur l'étude des budgets des dépenses élaborés devant être encourues et approuvées par le département des finances. Ces dépenses portent principalement sur les budgets :

- de promotion, de recherche commerciale et de développement de produit,
- de rémunération, d'opération et de perfectionnement du personnel de vente
- de support financier de départ à apporter aux nouveaux comptes clients (distributeurs) lorsque nécessaire.

RELATION AVEC LA FONCTION GESTION DES RESSOURCES HUMAINES

La fonction marketing est aussi sous le contrôle de la fonction gestion des ressources humaines pour tout ce qui concerne la gestion de l'embauche, de la formation, du perfectionnement de son personnel de vente sans oublier les avantages sociaux et bénéfices marginaux. La figure 6.13 illustre bien cette relation.

Figure
6.13

Relation des activités de la fonction marketing avec les autres fonctions

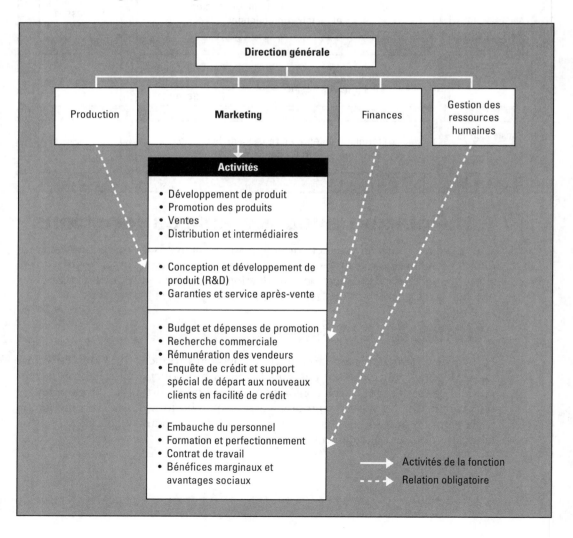

La gestion du marketing

La gestion du marketing n'est pas similaire à celle de la production ou à la gestion financière, du simple fait qu'elle traite des opérations qui, pour la plupart, s'effectuent à l'extérieur de l'entreprise : c'est le cas des opérations de vente sur la route et de la publicité créée dans les agences de publicité et placée dans les médias de masse. Elle est aussi différente du fait qu'elle porte la plus grande responsabilité dans la réalisation des objectifs de l'entreprise.

L'ÉLABORATION DES PROGRAMMES

La gestion débute par l'élaboration de la planification stratégique, c'est-à-dire l'établissement d'objectifs de ventes et l'élaboration de programmes de plans d'action pour les stratégies Promotion et Service après vente, les stratégies Produit, Prix et Distribution ayant déjà été élaborées et mises en œuvre dans leurs plans d'action respectifs. Les programmes sont tous fondés sur la réalisation des objectifs de l'entreprise. Cette tâche, effectuée avant le début de l'année financière par l'équipe des gens de marketing, est dirigée par le vice-président ou le gérant du marketing.

La première tâche des gestionnaires des stratégies Promotion et Service après vente est d'élaborer les plans d'action spécifiques des programmes de ces deux stratégies, composantes du mix-promotionnel.

1. PROGRAMME DE PROMOTION

Le programme de promotion comprend les plans d'action suivants :

PLAN D'ACTION PUBLICITÉ

- Conception et impression de matériel informatif tels que dépliants, brochures et catalogues, sans oublier le catalogue du site web de l'entreprise ;
- Conception des messages publicitaires pour les médias électroniques et imprimés ;
- Achat de temps et espace en placement média.

PLAN D'ACTION FORMATION ET PERFECTIONNEMENT DE LA FORCE DE VENTE

- Séance de formation ou perfectionnement des vendeurs sur la connaissance du produit avec ses caractéristiques concurrentielles et sur les méthodes spécifiques de sa promotion pour conclure les ventes.

PLAN D'ACTION PROMOTION DES VENTES

- Selon le cas, l'organisation de ces activités est généralement confiée en partie ou en totalité à des firmes spécialisées lorsqu'il s'agit d'activités qui ne font pas partie des tâches des gens du marketing et pour lesquelles ils n'ont pas de compétence. Exemple : participation à des foires avec kiosques ou organisation de concours ou tirages, etc.

2. PROGRAMME DE SERVICE APRÈS VENTE

Le programme Service après vente comprend principalement :

- l'élaboration des portées des garanties sur les produits qui nécessite un entretien ;
- l'élaboration des plans de service de garantie de produits qui nécessitent un entretien ;
- l'élaboration de la base de données des clients pour fin de suivi et de promotion le cas échéant ;
- l'élaboration d'un plan d'action de consultation de la clientèle sur la satisfaction à l'égard du produit et du service dispensé par l'entreprise ;
- l'élaboration d'activités de promotion du service auprès de la clientèle par l'entreprise et ses distributeurs selon le type de produit (exemple : les produits motorisés avec des offres de garantie prolongée) ;

Ces deux programmes devront au préalable faire l'objet d'élaboration de budgets respectifs détaillés par le directeur du marketing à partir des prévisions budgétaires globales de l'entreprise élaborées par le directeur des finances.

LE DÉMARRAGE DES PROGRAMMES

Le démarrage des programmes et ses plans d'action comprend :

1. AFFECTATION DES RESSOURCES AUX DIFFÉRENTS PLANS D'ACTION

- Ressources humaines spécifiques si nécessaire (ajout de personnel temporaire) ;
- Ressources financières soit l'allocation des budgets préalablement approuvés.

2. SIGNATURE DE CONTRATS AVEC DES FIRMES SPÉCIALISÉES

Des contrats avec des firmes spécialisées sont régulièrement signés pour la réalisation de parties de plans d'action ne pouvant être exécutées par l'entreprise. Ces firmes sont entre autres les agences de publicité, les agences spécialisées dans les activités promotionnelles spécifiques ainsi que les firmes de relations publiques, le cas échéant.

LA GESTION ROUTINIÈRE DES PLANS D'ACTION

Une fois les plans d'action démarrés, il faut en faire la gestion routinière. Cette gestion porte principalement sur :

1) la production selon un échéancier précis de rapports d'activités (exemple : rapports de vente) ;
2) l'analyse des résultats périodiques en regard des objectifs préalablement établis ;
3) l'apport de mesures correctives si nécessaire ;

À cela il faut ajouter les activités de support routinier en recherche commerciale portant sur le comportement de la concurrence et du consommateur ainsi que sur les activités relatives à l'évaluation constante de la performance de la force de vente et sur l'évaluation périodique du programme de service à la clientèle.

LA GESTION DE LA DISTRIBUTION

La gestion de la stratégie constitue une activité très importante et particulière puisqu'elle traite des activités avec les membres du réseau de distribution ainsi que des activités de transport des produits. Nous traiterons de ce sujet au chapitre suivant.

6.3 *Le marketing des services*

Le domaine des services destinés autant aux entreprises qu'aux consommateurs constitue un domaine qui dans les pays occidentaux représente aujourd'hui plus de 70% de l'activité économique. Les notions de marketing élaborées par les spécialistes depuis la fin de la deuxième guerre mondiale l'ont été essentiellement en fonction des produits manufacturés. On a élaboré le modèle du «marketing-mix», qu'on a appelé les 4 «P» (produit, prix, place et promotion), qui demeure toujours la référence des gens de marketing et que vous venez de voir. Ce n'est que récemment qu'on y a ajouté la variable «Service à la clientèle».

La présente section qui fait suite à la «production des services» vue au chapitre précédent, vous présente l'essentiel des notions de marketing adaptées au produit intangible qu'est le «service». Le marketing des services est semblable au marketing des produits mais en diffère à plusieurs égards, notamment celui de la variable «produit» et de sa relation avec le client.

Les caractéristiques du service

En comparaison du produit, le service possède des caractéristiques propres qui l'en distinguent du produit et qui forcent les entreprises à adopter une vision de développement de leur entreprise axée totalement sur le client et la formation du personnel lorsque l'usage de l'équipement n'est pas dominant dans la prestation du service. Voyons ces caractéristiques.

LE SERVICE EST INTANGIBLE

Si vous comparez l'achat d'un séchoir à cheveu au service fourni par un psychothérapeute, il n'y a aucun doute sur le caractère d'intangibilité du service. Il y a donc beaucoup d'avantages reliés au marketing des produits qu'on ne retrouve pas dans le marketing du service. On peut essayer le produit avant de l'acheter ou le retourner si on est insatisfait après l'avoir acheté. On peut exposer le produit dans la publicité et on peut le donner en échantillon. On ne peut retrouver ces avantages dans le service, il est intangible.

LE SERVICE EST MOMENTANÉ

Le produit tangible durable, une fois fabriqué, a une vie potentiellement illimitée. Il peut être remisé s'il n'est pas vendu au moment de sa promotion et il peut être utilisé plusieurs fois. Il est non périssable.

Le service n'a pas ces caractéristiques. Il dure le temps de sa création et de sa prestation. On le qualifie aussi de périssable car il n'existe plus une fois exécuté.

LE SERVICE EST NON STANDARDISÉ

Contrairement au produit de consommation manufacturé en série qui doit être standardisé pour assurer l'uniformité dans sa qualité et sa performance (comme nous l'avons vu au chapitre 5), le service ne peut l'être parce qu'il est unique et fait sur mesure pour une exigence précise, comme c'est le cas d'un service de coiffure pour dames ou d'une agence de voyage.

Il faut toutefois apporter des nuances. Dans les services avec usage d'équipement, un certain degré de standardisation peut être apporté en fonction de l'importance de l'équipement dans la prestation du service. Il ne s'agit que de comparer par exemple un service de lave-auto automatisé avec un studio de conditionnement physique avec appareils et un studio de massothérapie. Il est facile de percevoir le degré de standardisation dans chacun des cas, le dernier n'ayant aucune standardisation.

LE SERVICE EST ROUTINIER OU NON ROUTINIER

Cette caractéristique du service conditionne nécessairement sa conception et son opérationnalisation. Le service à caractère routinier sera relativement facile à concevoir et à opérationnaliser surtout si une certaine mécanisation y est intégrée. Pensons par exemple au studio de conditionnement physique.

Quant au service non routinier, qui est nécessairement personnalisé, sa conception ou son opérationnalisation est par contre basée sur une formation particulière permettant une prestation sur mesure pouvant répondre à toute demande relative à ce service. Le salon de coiffure en est un bel exemple tout comme, dans un tout autre ordre d'idées, le service de psychothérapie.

LA PARTICIPATION DE L'ACHETEUR

Dans un certain nombre de types de services le «prestateur» du service a besoin d'une certaine participation de l'acheteur pour pouvoir donner sa prestation, comme c'est le cas dans la coiffure, la massothérapie, l'agence de voyage ou les services juridiques pour ne citer que ceux-là.

Dans la figure 6.14, vous trouverez cet état de fait, incluant l'attitude (degré de domination) du client dans la prestation du service tel que conçu par Eric Langeard de l'I.A.E. d'Aix-en-Provence.

◼ Les variables incontrôlables

Les variables incontrôlables sont les mêmes que celles du marketing des produits telles que vous avez vues au début de ce chapitre. Il faut toutefois apporter des changements aux variables «législation» et «développement technologique».

LES LÉGISLATIONS

La variable législation porte surtout sur des cas particuliers comme les contrats à exécutions successives tels que ceux des studios de santé qui sont régis par la lois de protection du consommateur. De la documentation sur ce sujet est disponible auprès de l'Office de protection du consommateur de votre région.

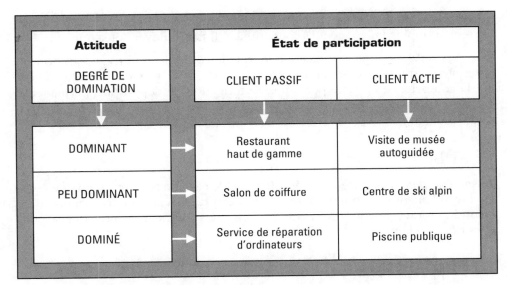

Figure
6.14

Attitude et état de participation du client dans la prestation du service

LE DÉVELOPPEMENT TECHNOLOGIQUE

Cette variable a son importance pour ce qui est de l'équipement qui doit être utilisé dans la prestation d'un service. Un service comptable par exemple doit utiliser les logiciels les plus récents pour être à la hauteur de la concurrence et des nouvelles exigences des clients tout comme un studio de conditionnement physique tel Nautilus Plus.

Les variables contrôlables (le marketing-mix)

Tout comme le produit, le service a aussi son marketing-mix. Toutefois, à cause de ses caractéristiques dont nous avons parlé précédemment, le marketing-mix du service diffère quelque peu de celui du produit. Reprenons ces variables.

LE PRODUIT

Le service dans sa phase de conception ne suit pas le même cheminement que le produit. Bien qu'il faille faire de la recherche commerciale, faire de la segmentation de marché pour identifier le marché-cible, on ne peut concevoir un prototype de service et le valider dans un marché test comme c'est le cas pour le produit. La validation d'un concept de service passe donc par une collecte de données primaires auprès d'un marché-cible bien identifié pour connaître le degré d'intérêt des clients potentiels désirant se procurer le service que vous désirez lancer.

Tout comme le produit, bon nombre de services passent par le cycle de vie traditionnel. Pour retarder la phase de déclin, bien des entreprises de service prolongent, comme pour le produit, la phase de maturité. C'est le cas par exemple des disco-bars qui, périodiquement, refont la décoration des lieux lorsqu'un déclin de l'achalandage est prévu à la suite de l'annonce de la venue d'un concurrent dans le voisinage.

Enfin, tout comme le produit, le service doit être amélioré pour demeurer leader ou tout au moins faire face à la concurrence. Il faut innover constamment.

Dans les services, il ne faut pas oublier que le «produit» est en quelque sorte le «prestateur» qui donne le service. La qualité de votre produit «service» repose sur la compétence de cette personne. Sa formation de départ puis permanente, est votre gage non seulement de succès mais de survie. Nous y reviendrons ultérieurement.

LE PRIX

La variable prix du service n'est pas différente de celle du produit. Le prix demeure encore l'élément déterminant dans la décision d'achat du service comme dans celui du produit. Je vous réfère aux notions vues antérieurement sur ce sujet au début de ce chapitre.

LA PROMOTION

Pour la plupart des services, la promotion est un des éléments-clés du marketing-mix. L'importance relative de chacun des types de promotion varie selon le type de service.

Le grand défi dans la publicité d'un service est de l'illustrer. Une des stratégies consiste à le personnaliser en utilisant un porte-parole, très souvent une vedette, ou en montrant les avantages liés à l'utilisation du service. Pensons à la promotion télévisée «liberté 55» de La Prudentielle, compagnie d'assurance. À cet égard, en fonction du budget alloué et de la dimension du marché que l'on veut atteindre, il faut choisir la formule la plus efficace. Les spécialistes en publicité vous aideront à choisir.

LA DISTRIBUTION

Le caractère intangible du service lui impose un canal de distribution court. Fondamentalement, le service n'a pas besoin d'intermédiaire. C'est le «prestateur» qui sert directement le client. Toutefois, lorsque le service peut être fourni à une clientèle dispersée dans une vaste région ou une grande ville, le «prestateur» du service se fait représenter. C'est le cas du courtier ou de l'agent qui peuvent représenter le fournisseur d'un service comme les assurance, les voyages, les valeurs mobilières, etc., dans plusieurs locaux bien situés. Une constante demeure, le fournisseur du service doit être près de son client, sauf si le service est en relation avec un lieu ou une région comme un centre de ski ou les excursions en mer aux baleines.

LE SERVICE APRÈS-VENTE

Dans le service il n'y a pas à proprement parler de service après-vente comme c'est le cas dans la vente d'un produit. Toutefois il est essentiel que vous gardiez contact avec vos clients pour cultiver leur fidélité à l'entreprise, car si la fidélité ne s'installe pas, c'est comme si vous démarriez en affaire à chaque jour. À cet égard, il n'en tient qu'à vous de développer votre stratégie de développement de la fidélité d'une façon imaginative et autant que possible innovatrice. Rappelez-vous qu'il en coûte très peu cher pour conserver un client en comparaison de ce qu'il en coûte pour aller en conquérir un nouveau. De plus, rappelez-vous que dans le domaine du service personnalisé le bouche à oreille constitue une forme de promotion importante et sans frais.

Comment se démarquer

Le succès d'une entreprise de service repose sur des éléments propres à ce domaine d'activité. Pour se démarquer, une entreprise doit miser sur des éléments «gagnants», c'est-à-dire des éléments qui au départ assurent un développement certain. Dans une entreprise de service la personne qui fournit le service est le fondement même de l'entreprise et c'est sur elle que repose la qualité du service qui devrait la démarquer.

Voici ces principaux éléments gagnants. Pour pouvoir se démarquer, il faut :

- développer une culture d'entreprise propre basée sur la qualité totale (voir chapitre 4);
- mettre l'accent sur la formation et le perfectionnement permanent du personnel et le faire adhérer à la culture de l'entreprise;
- bien concevoir votre produit dans toutes ses phases de développement et de prestation en essayant toujours d'innover, car, dans le service, il n'y a jamais d'acquis;
- tirer avantage des faiblesses de vos concurrents;
- particulièrement bien choisir son personnel de contact avec le client à partir de critères dictés par la culture, l'image et la mission de l'entreprise ainsi que la stratégie de marketing, sans oublier la qualification requise;
- développer un contact permanent après-vente solide, imaginatif et innovateur. Le courrier électronique, par exemple, peut être un outil de développement de la fidélité très approprié pour certains types de services.

Questions
de RÉVISION

1. Qu'est-ce que l'optique marketing ?

2. Qu'est-ce que l'approche client ?

3. Quelles sont les variables incontrôlables du marketing ? Expliquez-les brièvement.

4. Quelles sont les variables contrôlables du marketing ? Expliquez-les brièvement.

5. Quelles sont les fonctions marketing qui précèdent la fabrication ? Expliquez-les brièvement.

6. Quelles sont les principales approches utilisées dans la segmentation de marché ? Expliquez-les brièvement.

7. En recherche, sur quels éléments précis peuvent porter les informations recueillies par l'entreprise ? Précisez brièvement.

8. De quoi est composé le marketing-mix ?

9. Quels sont les composantes de la stratégie produit ? Expliquez brièvement.

10. Quel est le but de la standardisation des produits ?

11. Quelle est la différence entre le conditionnement et l'emballage ?

12. À quoi sert la marque de commerce ?

13. Donnez et expliquez brièvement les phases du cycle de vie d'un produit.

14. De quelle façon peut-on prolonger la phase de maturité ?

15. Donnez et expliquez les deux politiques de prix possibles lors du lancement d'un produit.

16. Quels sont les objectifs de la fixation des prix que l'entreprise peut rechercher ?

17. Y a-t-il d'autres objectifs de fixation des prix que l'entreprise peut rechercher ? Quels sont-ils ?

18. Qu'est-ce que le mix-promotionnel ?

19. Quels sont les éléments qui influencent la composition du mix-promotionnel ?

20. Quelles sont les stratégies promotionnelles que l'on peut choisir ? Expliquez-les.

21. Quels sont les deux buts que peut poursuivre la publicité ?

22. De quoi est composé le plan de communication-média ?

23. De quoi peut dépendre le choix d'un médium de masse ? Quels sont les éléments relatifs à la vente personnelle pour lesquels l'entreprise dépense le plus ?

24. Expliquez ce que sont les relations publiques.

25. Quelle est la caractéristique du marketing direct ? Quels moyens utilise-t-il ?

26. Qu'est-ce que la publicité interactive ?

27. Quels sont les avantages du marketing direct ?

28. De quoi dépend le développement de la structure d'un département de marketing ?

29. Nommez et expliquez brièvement les caractéristiques du service.

30. Nommez et expliquez brièvement les éléments gagnants qui permettent à une entreprise de service de se démarquer avec succès.

ÉTUDES DE CAS

CAS 6.1
VTT PREMIER CHOIX

Jacques Dion, mécanicien de 34 ans et amateur de plein air, pratique la randonnée en véhicule tout terrain (VTT) depuis huit ans. Il a possédé plusieurs de ces véhicules et, selon lui, il n'existe pas encore de VTT idéal sur le marché.

Bricoleur autant que mécanicien, Jacques Dion est en train de mettre au point un prototype de véhicule tout terrain à quatre roues motrices qui, selon lui, serait très près du VTT idéal: robuste, léger, amphibie, puissant, non polluant et peu bruyant en comparaison des marques existantes.

Caressant le rêve de fabriquer et de commercialiser son prototype, Jacques, qui a reçu en héritage dernièrement une somme de 100 000 $, demande à son ami Paul Lambert, ingénieur en mécanique et également fervent pratiquant de cette activité, de s'associer à lui pour fonder une entreprise afin de fabriquer et commercialiser sur une grande échelle son prototype. Jacques prétend qu'ils n'auraient pas de mal à vendre son produit à cause de ses caractéristiques particulières qui le démarqueraient de la concurrence.

QUESTION

En vous référant aux différentes variables qui précèdent la fabrication du produit, exposez les éléments que Jacques Dion et Paul Lambert devront considérer avant de mettre leur projet à exécution.

CAS 6.2
JEUX PLUS INC.

La compagnie Jeux Plus de Montréal qui fabrique des casse-tête traditionnels, veut mettre au point un casse-tête à trois dimensions. Elle mettra sur le marché trois casse-tête différents : le château de Versailles, la Maison-Blanche et le Tãdj Mahall. Ce type de casse-tête est plus coûteux à produire que le produit traditionnel.

La compagnie est convaincue, après une étude de marché restreinte, que cette innovation dans le domaine du casse-tête connaîtra un grand succès. De plus, elle compte diffuser son produit aux États-Unis et en Europe.

QUESTIONS

1. Quelle politique de prix Jeux Plus devrait-elle adopter lors du lancement de son produit? Expliquez les raisons de votre choix.

2. Quelle(s) base(s) de segmentation devrait(ent) être utilisée(s) pour déterminer le marché-cible? Justifiez votre réponse.

3. Croyez-vous que ce nouveau type de casse-tête connaîtra le succès escompté?

    *   Si oui, donnez les éléments qui justifient votre affirmation.
    *   Si non, donnez-en aussi les raisons.

Lecture

LE SERVICE À LA CLIENTÈLE :

Une nouvelle dimension au marketing-mix

Source : Article écrit par André Coupet paru, sous le titre « Le service à la clientèle : de la stratégie de marketing à la gestion de la qualité », et tiré de Gestion, revue internationale de gestion de novembre 1990, vol. 15, no 4, p. 27-36.

Les années 90 seront celles du service à la clientèle. Cet énoncé n'est nullement un slogan : nombre d'entreprises commencent à redéfinir leurs plans d'action autour du pivot que constitue le service à la clientèle. De fait, le service devient le véritable avantage différentiel de l'entreprise par rapport à ses concurrents et constitue un terrain nouveau sur lequel le concept de qualité totale peut et doit s'implanter. Il est un outil de marketing particulier puisqu'il permet une différenciation : le service à la clientèle exigeant une nouvelle vision de l'organisation et de la gestion des ressources humaines au niveau des opérations. Branché sur le consommateur, sur le client, le service à la clientèle signifie ajout et gestion d'une « relation » avant, pendant et après l'achat ou l'usage, une relation profondément et simplement humaine, une relation de grande qualité. La difficulté d'implanter un service à la clientèle tient au fait qu'il s'agit ici d'une fonction qui est pratiquement nouvelle et au fait que cette fonction se situe au confluent du marketing et de la gestion des ressources humaines au niveau des opérations. Les responsables de cette fonction auront donc à intégrer, d'une part, les enjeux stratégiques vis-à-vis de la clientèle (enjeux reliés essentiellement au marketing), et d'autre part, les enjeux organisationnels reliés à la qualité et, à la mobilisation du personnel.

Le consommateur

L'éclatement de la demande bouscule les entreprises dans la définition de leur offre. « Le consommateur moyen est mort », a-t-on déjà dit de façon lapidaire, ce qui signifie qu'il est à la fois monolithique et extrêmement divers. L'entreprise se voit donc contrainte soit d'adopter un ciblage de plus en plus pointu, soit encore de proposer non plus un seul, mais plusieurs marketing-mix pour répondre aux besoins des différents segments qu'elle a choisi de servir.

Dans la mesure où il prend en compte les différences entre les consommateurs et leurs besoins d'information, de conseils, de sécurité, et ce, avant, pendant et après l'achat, le service à la clientèle devient un élément déterminant du marketing-mix (voir figure 6.15). Nombre d'ouvrages s'en tiennent encore aux célèbres 4P du marketing-mix. Évidemment, il est bien plus facile, pour une entreprise qui veut contrer un ralentissement de ses ventes, d'accorder un escompte supplémentaire à la clientèle ou d'ajouter un million de dollars à son budget de publicité que de s'attaquer à la définition d'un concept de service ainsi qu'à la formation et à la mobilisation constante du personnel en contact avec les clients.

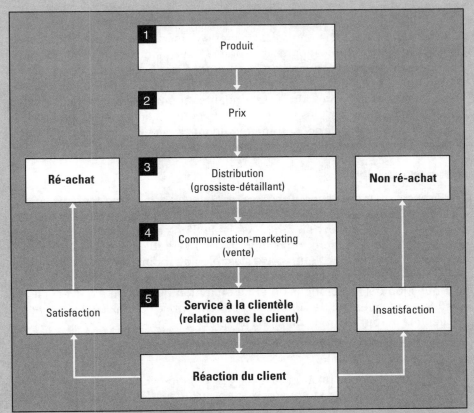

Figure

6.15

**Illustration de
l'importance
de la
5ᵉ variable du
marketing-
mix**

Les changements dans le style de vie des consommateurs font que le critère du prix, dans bien des cas, devient bien secondaire, et se situe loin après les deux critères les plus recherchés que sont la fiabilité et la courtoisie. Le consommateur est prêt à payer une prime pour faire réparer sa voiture en toute confiance, sans ajouter de stress supplémentaire à celui qu'il subit déjà dans la vie quotidienne. Le consommateur est désormais prêt à payer pour être sûr de la qualité, sûr du délai de livraison, et pour être considéré comme un être humain qui a droit au respect et qui a bien d'autres préoccupations dans sa vie que celles de prestataire.

La concurrence

La mondialisation des marchés amène chaque jour de nouveaux concurrents capables de fournir des produits meilleurs ou équivalents à l'offre du marché intérieur, et ce à un prix comparable. Les technologies sont de plus en plus difficiles à protéger et elles se propagent de plus en plus vite.

Le service, par contre, centré sur une relation humaine entre un vendeur et un acheteur, demeurera toujours un bien intangible où la spécificité et la différence pourront s'exprimer. Le service n'est d'ailleurs que l'expression d'un savoir-vivre où les valeurs et la culture d'un individu, d'une entreprise ou d'une région peuvent s'exprimer.

Les produits

Qu'est-ce qui différencie une carte de crédit d'une autre carte de crédit, si ce n'est le service? La question et la réponse pourraient être les mêmes pour une foule de biens et services, de l'assurance-vie aux services bancaires, en passant par l'installation de portes et fenêtres ou l'achat d'un billet d'avion. Nous faisons face à une offre surabondante, et plus nous sommes envahis de biens et de services, plus notre demande pour le service s'accroît. Ce n'est donc pas un hasard si le consommateur un tant soit peu critique constate que si les services se multiplient, le service, lui, se raréfie.

Incompréhension

Le désenchantement observé chez les responsables des départements suite à l'incompréhension du service à la clientèle, ou de relations avec les consommateurs, est bien sûr extrêmement variable d'une entreprise à l'autre, selon que l'entreprise a plus ou moins compris les véritables enjeux du service à la clientèle et selon que l'entreprise s'est plus ou moins engagée à respecter les règles du jeu. La cause majeure de ce malaise est tout d'abord reliée à une question de compréhension et de définition du service à la clientèle, et ensuite à une question de volonté. Trop d'entreprises définissent le service à la clientèle autour de trois fonctions simples:

1) informer et éduquer le consommateur;

2) gérer les plaintes;

3) s'occuper des relations avec les associations de consommateurs, les journalistes de la consommation, ou, dans le cas des organismes publics, avec les groupes sociaux, les communautés culturelles, etc.

En créant un département «Consommateurs» centré sur ces trois seules fonctions, nombre d'entreprises n'ont fait que suivre le grand courant du «consommateurisme», un peu comme aujourd'hui on embarque dans le train de l'environnement.

La gestion des plaintes occupe une place primordiale dans ces départements, d'autant plus qu'il est rentable de s'occuper des plaintes comme l'ont démontré plusieurs études américaines (celles de TARP, entre autres; voir figure 6.16). Il s'avère en effet que le taux de réachat ou de fidélité est d'autant plus élevé que l'on réussit non pas à résoudre le problème du client, mais simplement à lui faire exprimer son insatisfaction.

Avec une définition aussi étroite, le département «Consommateurs» s'enferme cependant dans la gestion pure et simple d'un système de traitement d'informations et de plaintes, et ne peut être jugé comme efficace par la haute direction qu'à travers des statistiques, comme le nombre d'informations fournies par jour, le nombre de plaintes traitées par jour, par employé, etc. On voit alors apparaître toutes les pressions habituelles destinées à accroître la productivité des représentants qui répondent au téléphone.

Cette inadéquation de la mission même du département chargé des relations avec la clientèle a également été observée dans plusieurs entreprises par Claude Picard, directeur du service à la clientèle chez Bombardier. Dans le cadre d'une thèse présentée à l'Université de Sherbrooke, il a réalisé une

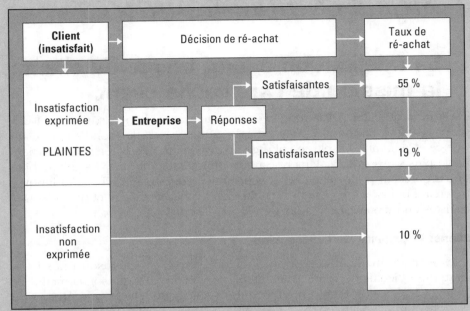

Figure
6.16

**Illustration de
la rentabilité
d'un système
de traitement
des plaintes**
(Source:
Samson, Bélair,
Deloitte &
Touche/TARP)

enquête auprès d'une quinzaine de grandes entreprises allant de General Motors à Xerox Canada, en passant par Hydro-Québec, Gaz Métropolitain, etc. Cette enquête a révélé une très grande disparité dans les définitions du service à la clientèle, un peu comme si les entreprises ne savaient pas encore très bien quoi faire en la matière. La fonction est nouvelle, il est vrai: il est normal qu'on se cherche.

Conclusion: provoquer le changement

Bien ancrés dans la réalité du marché, aussi bien en ce qui concerne le consommateur qu'il faut désormais satisfaire qu'en ce qui concerne les concurrents dont il faut impérativement se démarquer, les responsables du service à la clientèle font face à l'énorme défi, le seul en définitive, de faire bouger leur organisation: du président qui doit s'impliquer à l'employé de la ligne de front qu'il faut responsabiliser, en passant par les cadres de premier niveau qu'il faut sensibiliser et motiver, tout doit vibrer dans l'entreprise en fonction du client, en fonction de cet individu qu'il faut servir personnellement, honnêtement, totalement... et sans lequel l'organisation n'existe pas.

QUESTIONS

1. « Le consommateur moyen est mort. » Que signifie cette affirmation? Expliquez brièvement.

2. « Le consommateur est désormais prêt à payer pour être sûr de la qualité. » Expliquez brièvement le pourquoi de cette affirmation.

3. Sur quoi repose le désenchantement des responsables des départements de service à la clientèle? Expliquez brièvement.

Annexe *Sujets complémentaires*

La fidélisation à long terme du client: la mission de l'approche client

La fidélisation du client à l'entreprise est maintenant la préoccupation no 1 des dirigeants d'entreprises après celle de sa conquête. Avec la mondialisation du commerce et le nombre de plus en plus grand de concurrents, la rétention du client acquis le plus souvent difficilement est devenu maintenant «une obligation» bien plus qu'un objectif pour demeurer concurrentiel. Pour ce faire, il a fallu innover et être créatif pour rendre cette tâche réalisable le plus efficacement possible. Des spécialistes en marketing ont alors développé «l'approche client».

Le client: la priorité de l'entreprise

Pour les gens de marketing, la préoccupation première a été jusqu'à nos jours l'atteinte des objectifs de vente avec une «approche produit» qui soit la meilleure possible, la fidélisation étant un fait acquis et sur lequel était fondé un service après vente minimal. Maintenant que les produits concurrents sont de plus en plus nombreux (ex: l'automobile), il a fallu rechercher un nouvel avantage concurrentiel qui permet à l'entreprise de se démarquer. Le focus sur le client est ressorti comme étant la solution à retenir.

Le focus sur le client

Le focus signifie qu'il faut miser sur le client pour faire en sorte qu'il devienne convaincu de rester fidèle à l'entreprise. À produits égaux, à tout le moins, c'est le service au client qui fait la différence. Contrairement au produit dont l'avantage concurrentiel repose uniquement sur ses caractéristiques distinctives supérieures à celles des produits concurrents, le service au client interpelle plusieurs valeurs et fonctions de l'entreprise pour le développement d'avantages concurrentiels.

Au niveau des valeurs, il faut se référer à la culture de l'entreprise (page 101) dans laquelle on retrouve la considération du client comme composante de cette culture. Au niveau des façons de faire, il y a l'approche Qualité totale, à laquelle il faut aussi se référer (page 98), dont l'énoncé de base est la satisfaction du client. Ces deux éléments constituent en soit le fondement de l'approche client sur lesquels vont se développer les programmes de rétention et de fidélisation avec leurs plans d'action concrétisés dans un service à la clientèle de premier ordre. Quels sont les composantes de ces programmes? Il y a deux composantes fondamentales: la formation du personnel et la communication avec le client. Toutefois, au préalable, la satisfaction des attentes du client doit absolument avoir été constatée. Sur quoi porte donc la satisfaction des attentes du client?

La satisfaction des attentes du client

Les attentes du client portent sur la pleine satisfaction de la performance du produit ainsi que sur la qualité du service reçu soit sur l'accueil, sur le contact avec le personnel de vente et autre lors de l'achat du produit et sur le service reçu lors du service après vente. Si ces éléments ne sont pas de premier ordre, tous les efforts déployés sur l'élaboration et la mise en place pour fidéliser le client auront été vains. Il est très difficile de regagner la confiance d'un client insatisfait. À cet égard, l'entreprise n'a pas droit à l'erreur. Une fois la pleine satisfaction des attentes du client constatée après vérification, le programme de rétention et de fidélisation peut être implanté.

La formation du personnel

La formation du personnel directement et complémentairement en contact avec le client est d'une nécessité absolue. La formation doit porter principalement sur la compréhension et l'opération des programmes avec leurs plans d'action ainsi que sur le contact et le comportement verbal et non verbal (écrit ou gestuel) avec le client. Des mesures de contrôle et des séances de perfectionnement continu doivent être mises en place pour assurer la permanence des performances conformes aux objectifs des différents programmes en cause.

La communication avec le client

La communication étant le contact unique avec le client après l'achat du produit, elle doit être optimisée au maximum. À cet égard un programme de communication continue avec le client composé de plans d'action spécifiques doit être mis en place et constituer une partie très importante de la planification stratégique et du plan marketing. En fait, dans ces programmes, le client doit être considéré comme la priorité complémentaire à la priorité principale qu'est celle de sa conquête. Sur cet aspect, la créativité des spécialistes du marketing doit être mise à contribution pour bâtir des programmes pour mettre en évidence des avantages concurrentiels basés sur la qualité des services offerts ainsi que sur la valeur et les privilèges de l'appartenance à la famille de l'entreprise.

La fidélisation du client n'est jamais acquise

De nos jours, le client est de plus en plus mobile pour ne pas dire infidèle. Devant cette constatation, il n'y a, comme mentionné précédemment, que la créativité et l'imagination des gens de marketing et des hauts gestionnaires pour mettre au point, dans un programme de service à la clientèle, une stratégie de rétention et de fidélisation du client. Il y va de soi que la qualité du produit ou service doit être au moins à la hauteur du niveau de la concurrence, sinon supérieure, en termes de qualité et de performance pour que la stratégie puisse rencontrer ses objectifs. Les entreprises qui s'imposent d'excéder les attentes de leur clientèle se garantissent une rétention et une fidélisation assurément plus longue, sinon permanente, que celle des entreprises qui ne se contentent que de les satisfaire.

QUESTIONS

1) Qu'est-ce qui a amené l'approche client?

2) Pourquoi le client est-il devenu une priorité de l'entreprise?

3) Que veut dire le focus sur le client?

4) Sur quoi porte la satisfaction des attentes du client?

5) Nommez deux composantes d'un programme approche client

6) Pourquoi la fidélisation du client n'est jamais acquise?

Le marketing interactif au Canada : Publicité nouveau genre

Par: Anick Perreault-Labelle
Article tiré du portail Canoe.ca, 3 mars 2011

Le marketing interactif englobe toutes les publicités dans lesquelles on utilise Internet ou d'autres technologies numériques, comme les téléphones mobiles, pour faire connaître une entreprise, un produit, un service, un événement ou même un message d'intérêt public.

Le champ du marketing interactif est vaste et varié. Il s'étend des réseaux sociaux jusqu'aux téléphones intelligents. Pour illustrer les diverses formes que prend ce type d'activités au Canada, prenons l'exemple du compte **Facebook** de la librairie Chapters Indigo qui regroupe près de 115 000 abonnés. Voilà un cas qui représente bien une publicité interactive. Le réseau social permet d'annoncer des événements directement en magasin. De plus, il fidélise aussi les clients en répondant de manière personnalisée aux questions des internautes et en leur permettant de discuter de livres.

Sites Web, infolettres, etc.

Le site Internet **The Weak Shop** est un autre bon exemple de marketing interactif. Commandité par la *British Columbia Dairy Foundation*, ce site utilise l'humour pour encourager la consommation de produits laitiers. À la manière des infopublicités de la télévision, on y fait la promotion d'accessoires fictifs pour venir en aide aux personnes affaiblies en raison d'une carence en produits laitiers, dont un chariot pour transporter son portefeuille!

Les infocourriels (lettres d'information) comme ceux de **Jobboom.com**, qui offrent des conseils et de l'information sur la formation et le monde du travail, ou encore ceux des magasins **Mountain Equipment Co-op**, (d'équipements de plein air) qui annoncent, par exemple, les promotions à venir, entrent aussi dans la catégorie du marketing interactif. C'est aussi le cas de **la stratégie d'un magasin Nike** de Colombie-Britannique, qui a transformé sa vitrine en écran de télévision lors des Jeux olympiques 2010 pour diffuser en direct des images des compétitions, pour mettre en valeur les athlètes commandités par la compagnie et susciter ainsi un intérêt pour la marque.

Une industrie jeune et en croissance

«Le marketing interactif est né avec la prolifération des sites Web, au milieu des années 1990», indique Samuel Parent, directeur régional au Québec du Bureau de la publicité interactive du Canada **(Interactive Advertising Bureau)** un organisme qui regroupe quelque 230 organismes et entreprises à travers le pays. Aujourd'hui, l'industrie de la publicité interactive est en pleine croissance au Canada : entre 2008 et 2009, elle a augmenté d'environ 14 %, selon l'IAB.

Pourquoi une telle croissance? La réponse est simple : «Les entreprises vont sur le Web parce que les consommateurs y sont», explique Marty Yaskowich, directeur du bureau de Vancouver de l'agence de publicité internationale Tribal DDB. De fait, en 2009, 80 % des adultes canadiens ont utilisé Internet à des fins personnelles, selon Statistique Canada et la moitié des liaisons téléphoniques au pays sont maintenant sans fil, d'après l'Association canadienne des télécommunications sans fil.

Les annonceurs apprécient aussi le fait que le marketing interactif touche un grand nombre de consommateurs. «De plus, un site Web ou un infocourriel coûte bien moins cher qu'un message publicitaire télévisuel ou un envoi postal», ajoute Samuel Parent. Un autre atout pour les annonceurs!

QUESTIONS

1) Qu'est-ce que le marketing interactif ? Expliquez brièvement.

2) De quoi est né le marketing interactif ? Expliquez brièvement.

3) Quelle a été la stratégie d'un magasin Nike en Colombie Britannique ? Expliquez brièvement.

3) En 2009, quel pourcentage des canadiens adultes ont utilisé Internet à des fins personnelles ?

4) Pourquoi les annonceurs apprécient-ils le marketing interactif ?

La distribution

LES INTERMÉDIAIRES :
DES PARTENAIRES STRATÉGIQUES

Chapitre 7

L'ENTREPRISE ET LA DISTRIBUTION

Objectif global

Connaître et comprendre l'importance de la distribution et des intermédiaires ainsi que celle du commerce électronique dans l'acheminement des produits aux divers types de consommateurs.

Objectifs spécifiques

Après avoir étudié les éléments de ce chapitre, vous serez en mesure :

- de décrire et expliquer les différents termes de la distribution ;
- de décrire les différents types de marché ;
- de distinguer et expliquer les différents types de biens de consommation ;
- de décrire et expliquer les différents types d'intermédiaires ;
- de décrire et expliquer les différents canaux de distribution ;
- de décrire et expliquer les différents grossistes et leurs fonctions ;
- de décrire et expliquer les différents détaillants et leurs caractéristiques ;
- de comprendre la gestion de la distribution ;
- d'expliquer ce qu'est le commerce électronique.

Aperçu du chapitre

7.1 *L'environnement de la distribution*

Une fois le produit fabriqué et publicisé, l'entreprise doit pouvoir acheminer ses produits entre les mains du consommateur, qu'elle a préalablement déterminé dans son marché-cible, qu'il soit un simple citoyen, une entreprise ou un organisme public.

Cette fonction s'est développée intensivement au cours des dernières décennies et demeure d'une très grande importance pour les gens du marketing. À cet égard, les recherches commerciales portent beaucoup plus sur le comportement du consommateur, plus précisément celui qui concerne directement l'achat, qui change constamment, que sur d'autres éléments de recherche.

La distribution est la fonction qui consiste, suite à la détermination du marché-cible et son comportement à l'achat, à élaborer un réseau plus ou moins complexe composé d'intermédiaires en place dont la mission est de mettre à la disposition du consommateur les produits de l'entreprise. Les réseaux d'intermédiaires varient selon le type de produit, la fréquence d'utilisation, la dimension du marché et le type d'utilisateur. Mais avant de voir plus en détail ce sujet, voyons auparavant les différents marchés et les types de biens et services.

Les types de marchés

Il y a plusieurs types de marché auxquels l'entreprise peut s'attaquer. Ils sont au nombre de quatre : le *marché domestique*, le *marché industriel*, le *marché gouvernemental* et le *marché de l'exportation*.

LE MARCHÉ DOMESTIQUE

Ce grand marché est constitué de tous les individus d'une société qui achètent des biens et services pour eux-mêmes ou pour quelqu'un d'autre.

Ce marché est composé de groupes de consommateurs qu'il est nécessaire de bien identifier pour plusieurs catégories de produits. Mis à part les produits de haute nécessité qui s'adressent à tous les consommateurs sans exception, il est primordial de bien déterminer ces groupes de consommateurs pour permettre à l'entreprise de définir son marché-cible et ses caractéristiques de consommation, point de départ de l'élaboration de la stratégie de marketing.

LE MARCHÉ INDUSTRIEL

Le marché industriel regroupe les entreprises qui achètent des fabricants des produits ou services pour leur propre usage. Ces produits sont, d'une part, des produits de consommation tels que produits de nettoyage, lubrifiants, fournitures de bureau, etc., et, d'autre part, des produits dits «de capital» tels qu'équipement, machinerie et pièces ou encore matières premières utilisées dans le procédé de fabrication.

Ce marché possède un comportement à l'achat différent du marché du consommateur final. La décision d'achat sera basée beaucoup plus sur l'aspect rationnel que sur l'aspect émotionnel, la rentabilité étant le critère ultime de la décision d'achat. Les principaux éléments qui influencent cette décision sont : la qualité, le prix, le délai de livraison, le service après-vente et les facilités de crédit.

Dans ce marché, la réputation et la solidité financière des fournisseurs représentent deux facteurs très importants dans la décision d'achat. Dans la mise en marché de produits au marché industriel, le fournisseur est un partenaire aussi important que l'intermédiaire. Imaginez les conséquences qui peuvent survenir lorsqu'un fournisseur ne respecte pas ses engagements avec un fabricant.

LE MARCHÉ GOUVERNEMENTAL

Les différents gouvernements de notre pays (fédéral, provinciaux, municipaux) et leurs agences ou compagnies (hôpitaux, commissions scolaires, collèges) représentent un marché non négligeable pour toutes sortes de produits et services. Pensons aux routes, aux édifices, aux réseaux d'égout et d'aqueduc, aux barrages hydroélectriques et à tous les produits et services reliés aux activités routinières de ce vaste marché.

Généralement, les décisions d'achat de ce marché reposent sur l'allocation au plus bas soumissionnaire qui offre une combinaison du prix, de la haute qualité et de la bonne réputation pour son service après-vente ou pour l'exécution de travaux.

LE MARCHÉ DE L'EXPORTATION

Avec la mondialisation des marchés et les traités de libre-échange, le marché de l'exportation pour les entreprises canadiennes prend une nouvelle dimension.

La créativité, l'ingéniosité et la haute qualité des produits, mise à part la faiblesse de notre dollar qui favorise nos produits d'exportation traditionnels tels que le bois d'œuvre, le papier journal et nos matières premières, vont permettre à nos entreprises de faire de grands progrès dans le secteur des produits finis à la consommation ou industriels. Plus de 75 % de nos exportations vont vers les États-Unis.

Il va sans dire que l'exportation représente désormais un marché très intéressant pour nos entrepreneurs, qui envisagent la conquête de ce marché avec beaucoup plus d'assurance étant donné les nouvelles ouvertures et les facilités de communication maintenant en place.

Les types de biens et services

LES BIENS DE CONSOMMATION

Les biens de consommation sont des biens achetés par le consommateur final pour sa survie et son bien-être. Il y a trois classes de biens de consommation : les *biens de haute consommation*, les *biens durables* et les *biens de spécialité (de luxe)*.

1. LES BIENS DE HAUTE CONSOMMATION

Ces biens sont ceux que le consommateur utilise régulièrement dans ses activités routinières et quotidiennes et qui se détruisent à l'usage. Dans cette classe, il y a trois catégories différentes : les *biens de nécessité*, les *biens d'achat impulsif* et les *biens d'achat d'urgence*.

▨ LES BIENS DE NÉCESSITÉ

Les biens de nécessité sont des biens que le consommateur consomme tous les jours pour son bien-être élémentaire. Les biens d'épicerie, les journaux, les cigarettes, les eaux gazeuses, etc. en sont les principaux exemples. Le nombre d'établissements pour ces produits est très élevé. Pensons aux supermarchés, aux dépanneurs, aux tabagies, aux kiosques à journaux et autres dans les centres d'achat et les complexes à bureaux dans les grandes villes.

▨ LES BIENS D'ACHAT IMPULSIF

Les biens d'achat impulsif ne font pas l'objet d'une décision d'achat réfléchie. La décision se prend sur l'impulsion du moment. Mentionnons, par exemple, l'achat d'une crème glacée en passant devant un bar laitier.

De plus en plus, dans les établissements de détail, on installe aux endroits stratégiques des présentoirs pour ces produits. Pensons, à nouveau, aux présentoirs de tablettes de chocolat en pleine allée ou près des caisses enregistreuses dans les pharmacies ou dépanneurs.

▨ LES BIENS D'ACHAT D'URGENCE

Les biens d'achat d'urgence sont des biens dont le consommateur a besoin dans une situation d'urgence. Ils doivent être disponibles dans le plus d'endroits possibles. Le prix du produit est secondaire par rapport à sa disponibilité.

2. LES BIENS DURABLES

Les biens durables sont des biens qui ne se détruisent pas à l'usage, qui ne sont achetés qu'occasionnellement et qui font l'objet de comparaison avant l'achat. Ils sont très dispendieux par rapport aux biens de haute consommation. Ainsi nous y trouverons les meubles, les appareils électriques et électroménagers, les voitures, les vêtements, les bijoux, etc.

La fréquence d'achat de ces produits étant peu élevée, le nombre de points de vente est restreint par rapport à celui des biens de haute consommation.

3. LES BIENS DE SPÉCIALITÉ (DE LUXE)

Les biens de spécialité (de luxe) sont des biens qui ne sont achetés que par une catégorie de gens, à l'aise, et que l'on ne trouve que dans très peu d'établissements. Ainsi, les magasins d'antiquités, les magasins de vêtements très chers et les galeries d'art sont des établissements de biens de spécialité.

▨ LES SERVICES AU CONSOMMATEUR

Dans la classe des biens de consommation, nous incluons les services que le consommateur se paie régulièrement et qui constituent de plus en plus une part importante de son budget de consommation. Mentionnons, entre autres :

- les services de base : nettoyage, coiffure, entretien de la voiture, services bancaires, salon d'esthétique, etc. ;
- les services de loisirs : ski, camping, voyages, restauration, spectacles, etc. ;
- les services relatifs à la santé : services de psychologie, chiropraxie, masso-thérapie, acupuncture, etc.

LES BIENS INDUSTRIELS

Les biens industriels sont des biens achetés par les entreprises ou les profession-nels, liés à leurs activités d'affaires. D'une part, il y a certains biens qui entrent dans la fabrication de produits finis destinés au consommateur. Ce sont des matières premières telles que le bois par exemple pour la fabrication de meubles. Il y a, d'autre part, des produits dits semi-finis qui entrent dans la fabrication d'un produit fini. Mentionnons l'aluminium brut qui servira à fabriquer des blocs moteurs pour les automobiles, des poignées de tiroirs pour les comptoirs de cuisine, etc.

■ Les canaux de distribution

La distribution des biens, tant au consommateur qu'à l'industriel, est une opération complexe étant donné le nombre important de catégories de produits.

LES BIENS DE CONSOMMATION

Il y a plusieurs canaux que les entreprises peuvent choisir pour acheminer leurs produits auprès du consommateur. Depuis un certain temps, les canaux de distribution changent pour s'adapter aux habitudes d'achat des consommateurs. Mentionnons la venue récente des grandes surfaces telles que Costco, Réno-Dépôt, Wal-Mart, etc.

Traditionnellement, il existe quatre canaux de distributions distincts dans la mise en marché des biens de consommation. La figure 7.1 nous les expose.

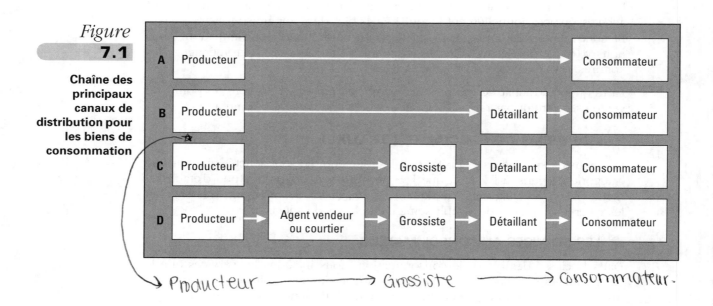

Figure **7.1**

Chaîne des principaux canaux de distribution pour les biens de consommation

Producteur ———→ Grossiste ———→ Consommateur.

1. LE CANAL DIRECT (A)

Il s'agit d'un *canal direct* entre le producteur et le consommateur. Il n'y a aucun intermédiaire. Ce canal est utilisé pour la vente par catalogue ou par la vente de «porte à porte» par des représentants itinérants, employés du producteur. Aujourd'hui, «la vente en ligne» sur internet, de plus en plus grandissante, utilise ce canal par le biais de la «boutique en ligne» sous l'appellation B2C (Business to Consumer).

2. LE CANAL À UN INTERMÉDIAIRE (B)

Ce canal utilise *un seul intermédiaire*, soit le détaillant qui vend directement au consommateur. Ce canal est surtout utilisé pour la distribution des biens durables tels que les appareils électro-ménagers et électroniques, les meubles, les vêtements et l'automobile. Il y a même des producteurs de petits biens durables qui possèdent leur propre réseau de détaillants. Pensons à Radio Shack ou Hallmark avec ses boutiques de cartes de souhait.

 oui

~~3~~. LE CANAL À DEUX INTERMÉDIAIRES (C)

Il s'agit du canal traditionnel pour les biens de consommation. Des milliers de petits producteurs n'ayant pas les moyens d'employer des représentants s'adressent à des *grossistes* pour atteindre la multitude de *détaillants* dispersés, pour la plupart, dans des centres d'achats de toute dimension.

~~4~~. LE CANAL À TROIS INTERMÉDIAIRES (D)

La distribution de certains produits tels que produits agricoles frais ou autres produits vendus en vrac, suppose souvent la collaboration, en plus d'un grossiste, d'un autre intermédiaire tel que le *courtier* ou *l'agent manufacturier*, par exemple.

LES BIENS INDUSTRIELS *pas exam # 2.*

La distribution de biens industriels n'a pas vraiment changé au cours des années puisque les activités relatives à la mise en marché de ces biens sont demeurées les mêmes. Il y a quatre canaux traditionnels de distribution pour les produits industriels. La figure 7.2 nous les expose.

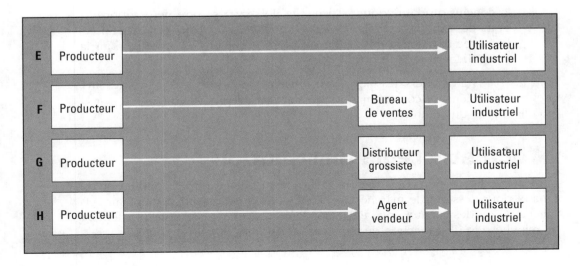

Figure
7.2

Chaîne des principaux canaux de distribution de produits industriels

1. LE CANAL DIRECT (E)

Il s'agit de la *distribution directe* au consommateur. Lorsqu'un producteur possède un marché spécialisé avec gamme de produits restreinte, ce canal est le plus simple et le plus rentable. Pensons au producteur de tuyaux de ciment pour égouts sanitaires et pluviaux destinés aux municipalités. Ici encore, les affaires se font de plus en plus en ligne sur internet sous l'appellation B2B (Business to Business).

2. LE CANAL AVEC BUREAUX DE VENTE (F)

Le canal à *bureaux de vente régionale* est en voie de disparition. Les vendeurs en région éloignée travaillent maintenant seuls avec le téléphone cellulaire et internet/courriel pour communiquer avec leurs clients et placer leurs commandes.

3. LE CANAL AVEC GROSSISTES INDÉPENDANTS (G)

Il s'agit de la distribution indirecte. Le producteur cède à un *grossiste indépendant* la distribution de ses produits dans un territoire (région) donné. En général, c'est le domaine des produits industriels ou de pièces composantes de produits. NAPA, dans l'industrie des pièces de remplacement d'automobile, en est un exemple.

4. LE CANAL AVEC AGENTS VENDEURS INDÉPENDANTS (H)

Par exception, certains producteurs utiliseront un *agent vendeur indépendant* qui ne pourra distribuer des lignes de produits de producteurs concurrents.

Le marché de l'exportation

La distribution de produits canadiens et québécois à l'étranger nécessite aussi la contribution d'intermédiaires. Il y a plusieurs possibilités. Généralement, pour les *biens de consommation*, les moyens utilisés sont les suivants :

1) la conclusion d'une entente de distribution avec:
   - soit un grossiste important,
   - soit avec un agent vendeur (agent manufacturier) du pays concerné;

2) la conclusion d'un contrat de ventes avec un important distributeur du pays ;

3) la conclusion d'un contrat d'échange de services entre deux fabricants ayant des produits complémentaires. Ce fut le cas de Louis Garneau Sports inc. avec une compagnie italienne pour fabriquer des produits pour la clientèle cycliste.

Pour les *biens industriels*, les fabricants utilisent à peu près les mêmes canaux que pour les biens de consommation. Ce sujet sera repris au chapitre 11 sur la mondialisation du commerce.

La stratégie distribution

La stratégie distribution consiste donc à choisir un canal ou une combinaison de canaux pour desservir le marché visé. Le choix repose essentiellement sur l'efficacité du ou des canaux envisagés dans leur capacité de desservir rapidement les marchés visés en fonction de leurs caractéristiques et leur diversité.

Prenons par exemple le cas typique de la compagnie Goodyear. La compagnie utilise pour le marché du pneu de remplacement les réseaux des stations-service et des garages indépendants. Parallèlement, Goodyear utilise son propre réseau de détaillants pour desservir le reste du marché du pneu de remplacement. Il faut mentionner enfin le marché des constructeurs de voitures auxquels le producteur de pneus s'adresse directement.

L'entreprise doit donc choisir les canaux de distribution d'après les marchés dont ces canaux assurent le service. Les systèmes mixtes auront tendance à se répandre davantage dans l'avenir. Dans certains domaines, les responsables du marketing chercheront à doubler la concurrence.

7.2 *Les intermédiaires*

Nous venons de voir de quelle façon les produits que nous achetons nous sont acheminés. Des canaux dont nous avons parlé, nous allons en étudier deux de façon plus détaillée : le grossiste et le détaillant.

Les grossistes

Le grossiste est un intermédiaire qui prend en charge le produit en le faisant passer du fabricant au détaillant. Il y a deux catégories de grossistes : le *grossiste marchand* et le *grossiste agent*.

LE GROSSISTE MARCHAND

Le grossiste marchand est un grossiste qui achète et prend livraison du produit du fabricant pour le distribuer à un réseau de détaillants. D'une façon générale, ce grossiste offre les services suivants aux détaillants :

- l'entreposage ;
- la livraison chez le détaillant ;
- les facilités de crédit (paiement) ;
- la cueillette des données sur l'évolution du marché qu'il dirige autant vers le fabricant que vers le détaillant.

LE GROSSISTE AGENT

Le grossiste agent, contrairement au grossiste marchand, n'achète pas les produits du fabricant. Il ne fait que prendre les commandes des détaillants. Il n'est rémunéré que par une commission sur les ventes (commandes) qu'il a conclues. Il y a plusieurs types de grossistes agents, dont les plus importants sont : le *courtier*, *l'agent vendeur* et les *agents manufacturiers*.

1. LE COURTIER

Le courtier est un agent grossiste qui vend pour plusieurs fabricants qui peuvent être concurrents, à des grossistes marchands ou détaillants. Il ne touche pas au produit. Les fruits et légumes frais sont généralement fournis aux grossistes marchands par les courtiers.

2. L'AGENT VENDEUR

Ce grossiste agent vend pour le compte d'un fabricant les produits de ce dernier à des utilisateurs industriels. Il est rémunéré sur une base de commission.

3. L'AGENT MANUFACTURIER

Ce grossiste remplit la même fonction que l'agent vendeur. Il ne peut représenter des fabricants concurrents et ne prend généralement que de petites commandes pour ses clients qui sont soit des détaillants, soit des grossistes.

LE CHOIX D'UN GROSSISTE

Il y a deux raisons qui amènent certains fabricants à utiliser les grossistes pour distribuer leurs produits :

- le fabricant peut se trouver dans une situation où il ne peut faire lui-même la mise en marché avec succès de ses produits par manque de ressources financières, de temps ou d'expertise ;
- le fabricant peut ne pas pouvoir accomplir les fonctions de mise en marché à un coût aussi bas que celui du grossiste.

C'est souvent le cas, par exemple, de petites entreprises fabriquant des produits alimentaires distribués dans les supermarchés.

■ Les détaillants

Les détaillants sont des intermédiaires qui achètent des grossistes, ou directement du fabricant pour vendre au consommateur. Bien que ce ne soit pas toujours évident pour le consommateur, il y a plusieurs types de détaillants. Ils sont regroupés en trois catégories :

1) les détaillants à petit volume de ventes :
   - le dépanneur,
   - le magasin à ligne unique,
   - la boutique spécialisée,
   - le magasin général,
   - la franchise ;

2) les détaillants à haut volume de ventes :
   - le magasin à rayons,
   - le supermarché,
   - le magasin d'aubaines,
   - les grandes surfaces ;

3) les détaillants marginaux :
   - les distributrices automatiques,
   - la vente par catalogue,
   - la boutique en ligne.

Reprenons chacun de ces types de détaillants.

LES DÉTAILLANTS À PETIT VOLUME DE VENTES

1. LE DÉPANNEUR

Il est caractérisé, au départ, par sa vocation de procurer au consommateur tous les produits, soit de dépannage, soit d'achat sur l'impulsion du moment. Ces magasins sont souvent, et de plus en plus, membres d'un groupe ou d'une chaîne appartenant à une entreprise de distribution. Couche-Tard en est un bel exemple. De plus, il y a le service pour l'automobile avec la vente de l'essence, ce qui amène l'automobiliste à entrer dans le magasin et à acheter en même temps son billet de loterie, un paquet de cigarettes, etc.

2. LE MAGASIN À LIGNE UNIQUE

Le magasin à ligne unique d'aujourd'hui concentre ses activités sur une ligne de produits à la fois distinctifs et complémentaires telles que les meubles et appareils ménagers, les appareils électroniques, les produits pharmaceutiques et de soins du corps pour ne mentionner que ceux-là. La grande majorité d'entre eux sont généralement situés dans des centres d'achat ou dans des centres commerciaux de quartier.

3. LA BOUTIQUE SPÉCIALISÉE

La boutique spécialisée concentre sa ligne de produits sur une catégorie de produits spécifiques, généralement très couteux. Les parfumeries Yves Rocher ou Dans un Jardin en sont deux beaux exemples. La particularité de ces boutiques tient au service spécialisé et aux marges de profits très élevées.

4. LE MAGASIN GÉNÉRAL

Le magasin général est un mini-magasin à rayons que l'on retrouve maintenant uniquement dans les localités éloignées des grands centres urbains. En plus de certains biens durables qu'il garde en petite quantité, entre autres dans le vêtement et les articles de maison, il possède une section d'alimentation en produits généralement non périssables.

5. LES FRANCHISES

Le franchisage fait aujourd'hui partie d'une façon importante du réseau de détaillants que nous visitons presque quotidiennement. Il y a de plus en plus de franchises disponibles et elles sont de plus en plus coûteuses à acquérir.

Dans le franchisage, il y a le franchiseur, celui qui vend la franchise et le franchisé, celui qui achète la franchise pour en faire le commerce. Ces deux parties sont liées par un contrat (de franchisage) qui décrit les droits et les obligations de chacune des parties.

■ CARACTÉRISTIQUES DES FRANCHISES

Les caractéristiques des franchises sont les suivantes :

- une centralisation des achats de matières premières et d'équipement par le *franchiseur* (celui qui accorde la franchise ou la concession) ;
- une standardisation des matières premières, des équipements et du produit fini ;

- une marque de commerce unique;
- des campagnes publicitaires centralisées;
- des prix standardisés dans tous les points de vente d'un pays donné;
- des services de conseil, de recherche commerciale, de comptabilité et de publicité commune.

Ce sujet sera repris plus en détail au chapitre 10.

LES DÉTAILLANTS À HAUT VOLUME DE VENTES

1. LE MAGASIN À RAYONS

Le magasin à rayons est un magasin (à départements) qui est, en quelque sorte, composé de boutiques à ligne unique de produits à l'intérieur d'une seule unité administrative. Le consommateur peut y trouver tout ce dont il a besoin pour ses biens de consommation durable. Sears, La Baie en sont deux exemples typiques.

2. LE SUPERMARCHÉ

Le supermarché est un grand magasin spécialisé dans l'alimentation et les produits complémentaires. La présentation des produits est soignée, l'ambiance est agréable et les heures d'ouverture s'étendent sur les sept jours de la semaine.

3. LE MAGASIN D'AUBAINES

Le magasin d'aubaines est, en quelque sorte, un magasin à rayons, mais pour petits articles avec des sélections restreintes sur les lignes de produits, à un prix généralement plus bas que le magasin à rayons traditionnel. Il est aménagé sur une grande surface sans démarcation particulière d'une section à une autre. Zellers en est un exemple.

4. LES GRANDES SURFACES

La venue des grandes surfaces, telles que Costco, Wal-Mart et Home-Dépôt, pour ne nommer que celles-ci pour le moment, constitue un phénomène relativement nouveau dans le commerce de détail mais qu'il est important de souligner. La grande surface n'est pas en soi un nouveau type de commerce de détail.

Sa caractéristique réside dans l'avantage pour le consommateur d'y trouver des prix très concurrentiels: les établissements achetant directement des fabricants ou distributeurs exclusifs et cela en grande quantité.

Cette situation inquiète bon nombre de petits détaillants. Pensez aux nombreuses quincailleries qui seront affectées par l'ouverture de Réno-Dépôt et de RONA L'entrepôt. Le même phénomène s'est produit avec Wal-Mart et aussi dans les articles de sport et les jouets.

Il est à prévoir qu'une transformation s'effectuera dans le commerce de détail, où nous assisterons à des regroupements d'achat et un nouvel accent sera mis sur le service à la clientèle pour pouvoir survivre devant ce nouveau type de détaillant.

LES DÉTAILLANTS MARGINAUX

1. LES DISTRIBUTRICES AUTOMATIQUES

Les distributrices automatiques ont connu une grande expansion au cours de la dernière décennie. Généralement utilisées pour la vente de produits alimentaires enveloppés, prêts à être consommés, leur utilité va maintenant en s'élargissant à d'autres domaines. Nous avons les breuvages chauds, les sandwichs, etc. Que nous réserve l'avenir?

2. LA VENTE PAR CATALOGUE

La vente par catalogue est encore un moyen relativement populaire, surtout dans les localités éloignées. Le client qui a reçu par le courrier un catalogue des produits du vendeur peut commander par courrier le produit choisi dans ce catalogue, qui lui sera livré par courrier au cours des semaines suivantes. Sears Canada est encore une entreprise qui offre ce service. La compagnie possède à certains endroits des bureaux de commandes où les clients acheminent leurs commandes plutôt que de les envoyer par courrier, mais avec l'arrivée de la boutique en ligne, combien de temps pourra-t-elle résister?

3. LA BOUTIQUE EN LIGNE

La boutique en ligne connaît de plus en plus de succès avec le développement d'internet et surtout avec la sécurité de plus en plus grande du paiement par carte de crédit et débit sur Internet avec le service de firmes comme Verisign, Paypall, Optimal payments ou Desjardins ici au Québec pour ne nommer que quelques uns des plus utilisées.

Tous les détaillants de même que toutes les entreprises, lorsque leur volume d'affaires et de clientèle le requiert, créent leur boutique en ligne à même leur site web, comme Archambault Musique (archambault.ca).

Mais il demeure que la boutique en ligne, même si elle va continuer à connaître un développement constant ne remplacera pas le détaillant traditionnel. Les achats en ligne sont des achats réfléchis de produits ou services qui ont fait l'objet de recherche et de comparaison avant la décision d'achat.

Le consommateur qui aime l'ambiance des boutiques et des centres d'achats pour faire ses achats courants ne prend pas le temps, avant de partir magasiner, de chercher sur Internet pour trouver les boutiques qui annoncent les promotions ou les spéciaux sur les produits qu'il désire acheter.

Rappelez-vous qu'à son arrivée, la télévision n'a fait disparaître ni le journal ni la revue; ils sont toujours là. Même si le contexte est différent, il en sera de même pour la boutique en ligne et le détaillant traditionnel.

Bien qu'elle soit classée dans la catégorie des détaillants marginaux, il faudrait plutôt qu'elle soit classée dans la catégorie «détaillant alternatif ou complémentaire».

7.3 *La gestion de la distribution*

Dans les deux types d'intermédiaires que nous avons étudiés précédemment, la distribution par le grossiste est une activité particulièrement importante. Le grossiste est l'intermédiaire qui manipule le plus grand volume et le plus grand nombre de produits différents et qui distribue au plus grand nombre de clients, tous généralement localisés sur un grand territoire. Dans ce type d'intermédiaire, la distribution est autant extensive qu'intensive et nécessite un inventaire permanent complet sur tous les produits qui sont habituellement commandés par les clients, qu'ils soient des détaillants ou des entreprises qui achètent en grande quantité.

Pour le grossiste, quel que soit le domaine, la gestion de la distribution est maintenant devenue, avec l'augmentation des commandes, une fonction à caractère stratégique de moins en moins routinière. Bien qu'elle soit fondamentalement basée sur l'anticipation de la demande appuyée sur un passé statistiquement validé année après année, la gestion quotidienne de sa distribution demeure une préoccupation conditionnée par l'évolution du comportement du consommateur influencé par des facteurs environnementaux variés.

La gestion de l'approvisionnement et de la livraison des produits

Bien que la gestion de l'approvisionnement et de la livraison de produits soit une des fonctions des opérations courantes de toute entreprise, celle du grossiste constitue sa principale préoccupation, soit l'essentiel de ses opérations.

Bien que l'alimentation soit la première référence qui nous vient à l'esprit en pensant à tous ces nombreux camions-remorque qui quotidiennement parcourent nos rues en affichant le nom de leur chaîne d'alimentation, il y a de nombreux autres domaines de produits et pièces autant nouveaux que de remplacement tels que ceux de la construction et rénovation, de l'automobile, des produits sportifs et récréatifs, de l'électronique, pour ne nommer que ceux-là, qui dépendent aussi d'un système de grossistes bien structuré.

LE « JUSTE-À-TEMPS » : BASE DU SERVICE EFFICACE

L'efficacité d'une entreprise de distribution repose principalement sur la livraison de la commande au client «au moment désiré» par ce dernier. Compte tenu du grand nombre de clients à desservir et surtout de la multitude de produits différents qui doivent être gardés en stock, sa rentabilité repose alors non seulement sur le contrôle strict de ses coûts d'opération mais surtout sur les niveaux d'inventaire stratégiques à conserver pour chacun des produits de façon à répondre exactement à la commande du client.

Précédemment nous avons mentionné au chapitre sur la fonction production, sur la question des achats et des stocks de matières premières, que les inventaires sont des coûts «passifs» qui retiennent les profits. Cette affirmation est on ne peut plus juste chez le grossiste et la gestion de ses stocks a donc un impact direct sur sa rentabilité qui est basée sur le roulement (remplacement) de ses produits sur les étagères. Plus le roulement sera élevé, plus la rentabilité le sera aussi.

C'est avec la création de logiciels spécifiques qu'est apparue le système «Juste-à-temps» basé sur la Gestion de la Chaîne d'Approvisionnement (GCA), aussi appelée Supply Chain Management (SCM). Ce système implique tous les intervenants en cause, du sous-traitant au fabricant jusqu'au détaillant.

À partir des statistiques de ventes par produit selon le type, la gamme, le format, le mois, la semaine ou la période de consommation (ex. : Noël, Pâques, Fête des mères, vacances d'été. etc.) le logiciel est en mesure de compiler et d'anticiper les commandes de chacun des clients détaillants et ainsi permettre au gestionnaire de commander ses produits chez le fabricant au moment opportun. Maintenant

PROVIGO
Un système de distribution exemplaire

LOGISTIQUE

TRAFIC ET TRANSPORT

Afin d'approvisionner les magasins de son réseau, Provigo possède une flotte de transport parmi les plus importantes au Canada. En effet, au Québec, aucun autre parc que celui de Provigo ne compte autant de remorques multi-températures, qui peuvent transporter simultanément un chargement comprenant de la viande fraîche, de la viande surgelée, des fruits et légumes, des produits laitiers et des produits d'épicerie.

Le reste du parc de véhicules de Provigo impressionne également: en plus de ses remorques multi-températures, il comprend aussi des camions porteurs, tracteurs et autres remorques qui parcourent 16 millions de kilomètres par année. Le service du trafic de Provigo s'applique à optimiser la circulation des fruits et légumes, de l'épicerie et des surgelés entre les installations des fournisseurs et les entrepôts.

DISTRIBUTION

LE RÉSEAU

Provigo approvisionne ses magasins par des centres de distribution répartis à travers le Québec. En plus d'un souci de qualité et de ponctualité vers les magasins, les centres de distribution accordent une attention particulière à la santé et la sécurité et à la propreté des lieux de travail.

LE SYSTÈME D'APPROVISIONNEMENT *JUSTE-À-TEMPS*

La logistique constitue un facteur de première importance dans le domaine de l'alimentation. Non seulement les centres de distribution reçoivent de la marchandise de plusieurs milliers de fournisseurs mais ils doivent en contrôler les coûts, l'entreposer dans des conditions optimales, et finalement la livrer plusieurs fois par semaine aux magasins, qui ont une capacité d'entreposage limitée.

Pour atteindre ses objectifs, Provigo a mis en place un réapprovisionnement à la fine pointe de la technologie. Ce système élimine ou réduit considérablement les inventaires et les opérations de manutention car on commande uniquement ce qui est nécessaire pour regarnir les présentoirs. Il enregistre sur une base continue le mouvement de chaque produit depuis son arrivée au magasin jusqu'à sa vente. Appuyé par la technologie de radiofréquence pour recueillir avec précision les données à la réception et dans l'aire de vente, ce système permet de connaître en tout temps le profil précis d'un produit, les quantités reçues et disponibles, les pertes, les retours et les ventes. Basé sur les délais de réapprovisionnement de chaque article, le système s'assure que le niveau d'inventaire en magasin soit suffisant pour répondre aux besoins des consommateurs.

de plus en plus fréquemment, ces commandes sont traitées directement par le logiciel et acheminées au fabricant par Internet lorsque le niveau de réapprovisionnement est atteint.

Avec ce système, on constate maintenant avec surprise que les inventaires sont en réalité dans les remorques des camions et non plus dans les entrepôts, le temps de transport étant devenu plus long que le temps d'entreposage.

LE TRANSPORT : LA CONTRAINTE DU « JUSTE-À-TEMPS »

Le «juste-à-temps», vous le comprendrez bien, exige un système de transport et de livraison des plus efficaces. Voilà pourquoi vous voyez circuler jour et nuit sur nos routes et autoroutes autant de camions remorques. Les moments de livraison sont maintenant programmés dans les logiciels, en fonction du lieu d'origine du produit (le fabricant), du lieu de livraison chez le client (le détaillant), et en fonction du temps d'arrêt (entreposage) chez le grossiste, imposant ainsi un stress énorme aux camionneurs, qui ne peuvent se permettre aucun retard même lorsqu'ils sont pris dans une circulation urbaine intense.

7.4 *La logistique de la distribution*

Les opérations de livraison et de manutention des produits en transit entre le producteur et le consommateur, appelé «logistique de ditribution» constituent la seconde partie de la fonction distribution. Cette fonction complexe est exposée en détail à l'annexe à la fin du chapitre à la page 229A.

7.5 *Le commerce électronique*

Dans le présent chapitre nous venons de parler essentiellement des types de biens autant industriels que de consommation et des différents canaux de distribution servant à acheminer ces biens du fabricant jusqu'au consommateur. Jusqu'à présent toute l'économie d'une région, quel que soit le pays, se développe et s'active à travers ce support systémisé et complexe qui conditionne l'expansion des activités des entreprises. D'ailleurs ce système est en constante évolution à la suite du changement continu dans les habitudes d'achats du consommateur. La venue d'Internet devait nécessairement ajouter une nouvelle dimension à cette fonction qu'est la distribution.

L'évolution rapide du système Internet avec toutes ses applications, que ce soit dans le courrier électronique, le système Web, le EDI (Electronic Data Interchange) et le EFI (Electronic Funds Transfert) pour ne nommer que ceux-là, a fait naître cette nouvelle façon de faire des affaires par Internet qu'est le commerce électronique.

◼ Définition

Par les temps qui courent, plusieurs auteurs et spécialistes d'Internet ont écrit sur le sujet. Nous avons retenu la définition de David Kosiur, exposée dans son livre intitulé «*Understanding Electronic Commerce*», qui se lit comme suit: «le commerce électronique se définit essentiellement comme un processus de vente et d'achat de produits et services sur Internet».

Cette définition semble simpliste et très générale mais elle englobe aussi tout ce qui va avec une transaction d'achat-vente, autant de la part du vendeur que celle de l'acheteur, comme dans le commerce traditionnel. Comme le dit Kosiur, cette définition est loin d'être arrêtée.

Produits vendus sur Internet

À première vue on serait porté à croire que le commerce par Internet ne se limiterait qu'à certains types de produits. En réalité, tout peut se vendre par Internet. Le problème n'est pas au niveau de la transaction elle-même mais, dans bien des cas, dans ce qui précède ou ce qui suit la transaction.

Avec l'engouement pour Internet toujours en croissance et l'amélioration des facilités électroniques de paiement, les achats par Internet iront toujours en grandissant, et cela très rapidement. Il faudra attendre de nouveaux sondages et les statistiques des entreprises sur leurs ventes par Internet pour le confirmer. On peut affirmer sans chance de se tromper que les petits produits sans mécanisme ou sans besoin d'examen ou d'essayage avant l'achat et à coût de livraison peu élevé, de même que certains services sans prestation, comme l'achat de billets de tout genre, avion, autobus, train, spectacles, etc., sont de bons candidats pour le commerce par Internet.

Le commerce par Internet pour les produits et services dit «industriels», d'entreprise à entreprise ou d'institution à institution (B2B), est beaucoup plus actif et volumineux. Une recherche sur le Web peut vous procurer la liste des acheteurs et ou des vendeurs qui sont chaque jour à la recherche de nouveaux produits et services ou de nouveaux clients autant pour la fabrication de leurs produits que pour les autres opérations de l'entreprise ou de l'institution. Cette façon de faire a l'avantage de faire économiser beaucoup de temps entre la recherche et la transaction puisque tout se fait par courrier électronique et Internet.

Types de canaux de distribution

Lorsque l'on parle de commerce par Internet, de quel type de canal de distribution parle-t-on? Le commerce par Internet ne peut être identifié à un seul type de canal de distribution. Comment peut-on exposer la situation?

Pour répondre à cette question, il faut séparer le commerce des produits industriels de celui des produits de consommation.

Pour les produits industriels, Internet est un outil de consultation et de commande. Le vendeur, qui peut être un fabricant ou un distributeur grossiste, annonce sur son site Web, sous forme de catalogue, tous ses produits à ses clients tant actuels que potentiels, ces derniers allant visiter son site pour éventuellement placer une commande qui sera traitée dans toutes ses étapes par Internet. Cette transaction suit le même cheminement que le cheminement traditionnel, c'est-à-dire le canal direct ou le canal avec grossistes indépendants. En conséquence, le grossiste ou le fabricant dans certains cas pourrait éventuellement, après analyse à la suite du succès constaté, laisser tomber la représentation personnelle auprès de ses clients, ce qui constituerait une économie importante au niveau des frais de vente.

Pour les produits de consommation, la boutique en ligne est maintenant le complément au détaillant traditionnel, que l'achat soit fait chez le fabricant ou chez un grossiste. Cette façon de faire est semblable à la vente par catalogue. L'acheteur par Internet place la commande et précise le mode de paiement, qui peut se faire par carte de crédit ou par paiement électronique direct. À titre d'exemple, Amazon.com est un intermédiaire grossiste et vend, entre autres, sur Internet seulement, des livres et des CD à travers le monde entier. Le succès est fulgurant. Enfin Internet a cet avantage nouveau par rapport à la vente par catalogue traditionnel, d'offrir aussi un «service» comme les voyages, les assurances, etc.

Il ne faut pas se surprendre de l'évolution constante dans ce domaine. Tout comme Amazon.com, Archambault Musique, le plus gros détaillant de matériels imprimés de musique, de CD et de cassettes audio au Québec, vend maintenant parallèlement ses produits aussi par Internet.

Des avantages transactionnels

Le commerce par Internet procure d'autres avantages à l'entreprise si celui de la distribution est déjà acquis : c'est celui des économies des coûts reliés à la gestion de la transaction.

Tableau **7.1**

Avantages du commerce électronique pour les produits industriels

Étapes du processus d'achat	Commerce traditionnel	Commerce électronique
Recherche d'information sur le classeur (acheteur)	Magazines, catalogues à consulter, représentants	Pages Web
Commande du classeur (acheteur)	Lettre, formulaire à remplir, télécopie	Courriel
Confirmation de réception de la commande (vendeur)	Lettre, formulaire à remplir, télécopie	Courriel
Vérification du prix (vendeur)	Catalogue à consulter	Catalogue en ligne
Vérification de la disponibilité du classeur (acheteur)	Téléphone, télécopie	Courriel
Passation de la commande à l'entrepôt (vendeur)	Formulaire à remplir	Courriel, pages Web
Planification de la livraison (vendeur)	Formulaire à remplir, télécopie, téléphone	Courriel, base de données en ligne
Génération de la facture (vendeur)	Formulaire à remplir	Base de données en ligne
Confirmation de réception du classeur (acheteur)	Formulaire à remplir	Courriel
Envoi de la facture (vendeur)	Courrier, télécopie	Courriel
Réception de la facture (acheteur)	Courrier, télécopie	Courriel
Paiement de la facture (acheteur)	Courrier	EDI, EFT
Réception du paiement (vendeur)	Courrier	EDI, EFT

Dans la façon traditionnelle, la conclusion de la transaction doit passer par plusieurs étapes et plusieurs personnes toutes affectées à une tâche précise, de la consultation d'un catalogue chez un client jusqu'à la livraison du produit chez l'acheteur. Ce processus implique, entre autres, de la correspondance, maintenant par télécopie, des conversations téléphoniques, des envois de commandes sur formulaires imprimés, des vérifications de disponibilité en inventaire sur formulaires imprimés et envoyés par télécopie, des confirmations encore par fax, la génération de la facture et du bon de livraison, la confirmation de réception du produit, toujours sur des formulaires imprimés, et tout ce qui touche les étapes du processus de paiement.

Avec la venue d'Internet, tout ce processus est devenu archaïque. Les pages Web, le catalogue en ligne, les bases de données en ligne, le courrier électronique ainsi que le EDI et le EFT ont concentré sur des logiciels et des ordinateurs reliés en réseau tout ce processus autour d'un minimum de personnes et qui fonctionnent dans un laps de temps on ne peut plus court. Le tableau 7»1 expose cette nouvelle réalité.

Chez Wal-Mart, tous les achats chez les fournisseurs se font électroniquement. Il n'y a aucun document qui voyage autrement qu'électroniquement. Wal-Mart exige même de ses fournisseurs qu'ils tiennent à jour le niveau de stock minimum à maintenir dans ses entrepôts, et cela d'une façon permanente. Cette façon de faire s'appelle «extranet».

L'avenir du commerce électronique

En regard de ce que nous venons d'exposer, il va de soi que le commerce par Internet n'ira qu'en se développant d'une façon ultrarapide. Il y aura, et c'est déjà commencé, un ajustement en cours puisque plusieurs entreprises qui croyaient augmenter substantiellement leurs ventes via Internet, ou d'autres ayant été créées pour commercer uniquement sur Internet, ont connu des insuccès et même des échecs, la concurrence étant devenue trop forte.

Faire des affaires sur Internet n'assure pas nécessairement le succès automatique et instantané, loin de là. Il y a une stratégie de marketing particulière à adopter car ce ne sont pas, comme nous l'avons mentionné précédemment, tous les produits qui se prêtent à la vente sur Internet bien que tous les fabricants possèdent leur site web avec leur catalogue de produits; un étude sérieuse s'impose au préalable. De plus, il faut au départ développer une culture d'entreprise axée sur le commerce par Internet. Ils sont des milliers à annoncer et à vendre sur Internet; il faut donc être imaginatif pour se démarquer, ou du moins se faire remarquer. De plus en plus de volumes s'écrivent sur le sujet et des spécialistes ont été formés pour aider les entrepreneurs à réussir leur entrée dans le commerce électronique, qui est mondial et où le potentiel de vente est presque illimité.

Questions
de **RÉVISION**

1. Qu'est-ce que la distribution?

2. Expliquez brièvement les caractéristiques de chacun des types de marché.

3. Donnez les différents types de biens de consommation et expliquez brièvement chacun d'eux.

4. Énumérez les principaux types de services que le consommateur se paie régulièrement.

5. En quoi consistent les biens industriels?

6. Expliquez les différents canaux de distribution des biens de consommation. Donnez les caractéristiques de chacun d'eux.

7. Quels sont les éléments à considérer dans le choix d'un canal de distribution? Expliquez brièvement votre réponse.

8. Qu'est-ce que le grossiste marchand?

9. Qu'est-ce que le courtier?

10. On dit que maintenant les inventaires sont dans les camions. Expliquez cette affirmation brièvement.

11. Qu'est-ce qui a amené le système d'approvisionnement «juste-à-temps»?

12. Définissez brièvement le commerce électronique.

13. Au niveau des canaux de distribution, en quoi le commerce électronique diffère-t-il du commerce traditionnel?

14. Décrivez brièvement les avantages transactionnels du commerce électronique.

15. Quelles sont les raisons qui amènent certains fabricants à distribuer leurs produits par l'intermédiaire de grossistes indépendants?

16. Donnez quatre types de détaillants et exposez leurs caractéristiques.

17. Expliquez brièvement les avantages du système d'approvisionnement «juste-à-temps».

18. Qu'est-ce qu'Internet pour les produits industriels? Expliquez brièvement.

19. Quel type de canal de distribution représente Internet pour les produits de consommation?

ÉTUDE DE CAS

CAS 7.1
VITALIS INC.

La compagnie Vitalis inc. de Montréal vient de conclure une entente de distribution exclusive pour le Canada avec la compagnie Vitak de Suède pour tous ses produits.

Vitak fabrique des suppléments alimentaires en capsule et gélule qui combattent le développement d'anomalies physiologiques telles que l'arthrite et l'arthrose. De plus, ces produits provoquent un ralentissement significatif du vieillissement tout en fournissant un supplément énergétique. Ces produits n'exigent pas de prescription médicale pour leur obtention.

À titre de consultant, on vous demande de donner vos recommandations à Vitalis sur le ou les types de canaux de distribution ainsi que le ou les types d'intermédiaires que la compagnie devrait adopter pour l'acheminement de ses produits aux consommateurs.

QUESTION

1. Avant de formuler vos recommandations, veuillez identifier :

   - le ou les marchés-cibles ;
   - les bases de segmentation qui ont servi à déterminer le marché-cible ;
   - le ou les types de besoins auxquels ces produits répondront selon Maslow.

2. Formulez vos recommandations.

Annexe *Sujets complémentaires*

La logistique de la distribution: une opération complexe conditionnée par de multiples exigences

Les opérations de livraison et de manutention des produits en transit entre le producteur et le consommateur, appelée «logistique de distribution», constituent la partie seconde partie de la fonction distribution. Cette partie est relativement complexe due aux contraintes imposées autant par des particularités de livraison du produit que par des exigences des clients. Cette opération comporte deux fonctions: l'entreposage temporaire des produits et le choix des modes de transport avec leurs particularités.

Entreposage des produits

La première tâche du gestionnaire est celle de décider à quel endroit il doit remiser les produits en transit en attendant la livraison chez le client. L'objectif premier des distributeurs est de devoir maintenir le niveau d'inventaire le plus bas possible tout en évitant de causer des retards de livraison. De plus avec le système juste-à-temps les temps d'entreposage sont devenus très courts pour les produits de haute consommation constituant une contrainte additionnelle au processus décisionnel.

Localisation des entrepôts

Les gestionnaires responsables de la distribution ont plusieurs alternatives dans l'élaboration de leur système d'entreposage relativement à la localisation des entrepôts. Ils peuvent opérer leurs propres entrepôts ou utiliser des entrepôts indépendants ou encore utiliser une combinaison des deux solutions. Ces endroits doivent être stratégiquement localisés pour des raisons de rapidité de livraison et de coûts de possession ou de location. Les frais d'entreposage temporaire, qui sont ajoutés aux frais de transport, doivent être le plus bas possible. Ces deux éléments sont à la base même de l'élaboration du système d'entreposage.

Les modes de transport

Plusieurs gestionnaires d'entreprises manufacturières sont d'avis que le transport des biens est devenu une opération où l'efficacité doit être améliorée à cause du débit et du nombre de produits à transporter qui a augmenté considérablement et continuera d'augmenter. Au cours des vint-cinq dernières années, les entreprises ont réussi à réduire au maximum les coûts de fabrication des produits. Pour poursuivre cette réduction de coûts, il ne restait alors que de devoir réduire les coûts de logistique. Le total des coûts de la distribution physique peut représenter jusqu'à 40 pourcent du prix de vente final des biens de consommation. Les économies à réaliser sur les coûts d'entreposage et de transport doivent être importantes pour avoir un impact certain à la fois sur le prix de vente et les profits anticipés si les bonnes décisions de rationalisation ont été prises.

Le choix des modes de transport

Les produits peuvent être transportés par train, par avion, par camion, par pipeline ou par bateau. La décision sur le choix du mode de transport est influencée par plusieurs facteurs, le type de produit étant le facteur le plus important. Les produits de vrac livrés par camion ou train n'ont pas la même flexibilité de mode de transport que les produits solides. De plus les produits frais ou surgelés ont des exigences de transport particulières qui limitent la variété de modes à utiliser, le camion réfrigéré demeurant pratiquement le seul mode utilisé. La figure ci-dessous expose les avantages et désavantages des principaux modes de transport.

AVANTAGES ET DÉSAVANTAGE DES MODES DE TRANSPORT

MODE DE TRANSPORT	AVANTAGES	DÉSAVANTAGES
Train	• Coût de livraison peu élevé pour le transport de produits lourds sur de longues distances.	• Accès aux terminaux parfois difficile. • Pas de service dans plusieurs villes. • Peu convenable pour les livraisons de courtes distances.
Camion	• Permet la livraison porte à porte. • Peut livrer et cueillir à peu près partout. • Service fréquent et peu de dommage aux produits livrés.	• Peu convenable pour livraisons en grande quantité et les produits de forte dimension. • Plus affecté par les mauvaises conditions météo que le train.
Bateau	• Peu coûteux. • Peut prendre de très grande quantité.	• Temps de livraison plus long. • Service non fréquent. • Non disponible à plusieurs endroits. • Dommage aux produits potentiellement plus fréquent.
Avion	• Livraison rapide sur de longues distances. • Service fréquent. • Peu de dommage aux produits livrés.	• Coût élevé. • Accès aux terminaux parfois difficile. • Non disponible dans plusieurs petites villes. • Cédules de vol affectées par la mauvaise météo.
Pipeline	• Peu coûteux. • Livraison continue. • Pas affecté par la météo.	• Convient aux liquides et gaz seulement. • Livraison lente.

QUESTIONS

1) Pourquoi la logistique du transport est-elle complexe ?

2) Quel est l'objectif premier des distributeurs dans l'entreposage des produits ?

3) Quelles sont les alternatives aux distributeurs dans l'élaboration des systèmes d'entreposage en ce qui concerne la localisation des entrepôts?

4) Quelle est le degré d'importance du coût de distribution physique dans le prix de vente final au consommateur ?

5) Quel est le facteur premier à considérer dans le choix d'un mode de transport d'un produit ?

La
gestion financière

GROUPE

AXXION *

ÉTATS FINANCIERS

Pour l'année financière
terminée le 31 décembre 2002

Préparés par

Filteau Giroux Tremblay et Associés *****
Comptables agréés

COMMENT FAIRE PARLER LES CHIFFRES

* Raisons sociales
fictives créées
uniquement à titre
d'exemple

Chapitre

L'ENTREPRISE ET LA GESTION FINANCIÈRE

Objectif global

Connaître et comprendre la très grande importance de la gestion financière dans l'évolution de l'entreprise et sa relation avec les autres fonctions de l'entreprise.

Objectifs spécifiques

Après avoir étudié les éléments de ce chapitre, vous serez en mesure :

- de décrire les aspects de la gestion financière ;
- de décrire et expliquer la planification financière ;
- de décrire et expliquer les outils de planification financière ;
- de décrire et expliquer le contrôle financier des opérations de l'entreprise ;
- de décrire et expliquer les outils du contrôle financier ;
- de décrire et expliquer les sources de financement ;
- d'expliquer la relation de la fonction gestion financière avec les autres fonctions de l'entreprise.

Aperçu du chapitre

8.1 *L'environnement de la gestion financière*

La gestion financière est la grande préoccupation, non seulement du grand patron de l'entreprise, mais surtout du ou des propriétaires (actionnaires), la rentabilité et le rendement sur le capital investi constituant les deux objectifs à atteindre.

La gestion financière se définit comme étant la façon d'utiliser efficacement dans la prise de décisions sur les dépenses d'opération et d'investissements, les sommes d'argent perçues par l'entreprise dont le but est d'atteindre les objectifs financiers déterminés dans la planification tant à long terme que stratégique.

La gestion financière porte sur trois grands aspects :

1) la planification de l'utilisation et la recherche de fonds pour le fonctionnement et les investissements de l'entreprise ;
2) la planification des différentes dépenses d'opérations et d'investissements ainsi que la planification des revenus (ventes) à venir à court et à long terme basés sur la planification stratégique ;
3) le contrôle des dépenses d'investissement et d'opérations de l'entreprise.

La planification financière

DÉFINITION DE LA PLANIFICATION FINANCIÈRE

La planification financière se définit comme un exercice visant à déterminer des objectifs financiers à atteindre, soit dans le cours des opérations courantes, soit dans le cadre des plans de développement de l'entreprise. D'une façon générale, la planification financière porte sur la gestion routinière qu'on appelle la planification à court et moyen terme, c'est-à-dire de un à trois ans, et sur la planification d'entrée et de sortie de fonds pour des projets à long terme, c'est-à-dire de plus de trois ans. Cette dernière planification est souvent appelée planification stratégique et elle traite des objectifs fondamentaux de l'entreprise relatifs à l'aspect financier de la planification.

LES TYPES DE PLANIFICATION FINANCIÈRE

1. LA PLANIFICATION À COURT ET À MOYEN TERME

Comme on l'a mentionné précédemment, la planification à court et à moyen terme traite de la planification des opérations routinières. Ainsi, chaque département et service de l'entreprise aura à préparer, avant le début de chaque année financière, des projections de revenus (pour les ventes) et de dépenses pour les prochains 12 (ou 24 ou 36) mois selon l'entreprise.

D'une façon générale, la planification à moyen terme permet de rajuster les objectifs financiers préétablis dans la planification à long terme en regard de changements relevant d'éléments tels que les taux d'intérêt, la hausse du salaire minimum, les prix de la concurrence, la hausse de taxes, etc.

2. LA PLANIFICATION À LONG TERME

La planification à long terme ou planification stratégique traite surtout de l'ensemble de l'évolution de l'entreprise, c'est-à-dire de son orientation. L'aspect financier ne peut être élaboré d'une façon détaillée comme c'est l'objet des opérations routinières.

Cette planification traitera, entre autres, de l'aspect financier :

- du lancement de nouveaux produits ;
- de l'agrandissement d'usine ;
- de l'achat de concurrents ou de fusion avec eux ;
- de l'investissement en équipement de nouvelles technologies ;
- du développement de nouveaux marchés en regard de nouveaux revenus à obtenir.

Les spécialistes financiers seront appelés à évaluer la rentabilité éventuelle de tous les projets. Si ces projets s'avèrent positivement rentables, une planification à court et moyen terme sera alors élaborée pour la mise en œuvre des dits projets.

LES OUTILS DE LA PLANIFICATION FINANCIÈRE

Les gestionnaires des finances utilisent trois principaux outils dans l'élaboration de leur planification. Il y a les budgets, les états financiers prévisionnels (ou pro forma) et le point mort (seuil de rentabilité).

1. LES BUDGETS

Le budget est en quelque sorte l'expression, en termes quantitatif et financier, de la direction à suivre pour réaliser les objectifs de l'entreprise, que ce soit à court, à moyen ou à long terme. Le budget a principalement pour but :

- d'établir des données précises à caractère prévisionnel qui serviront de guide à la prise de décisions ;
- de favoriser la coordination des engagements financiers de chacun des services et départements à partir d'un plan global ;
- de servir de base à l'évaluation de la performance des gestionnaires ayant à gérer leur budget préalablement analysé et adopté.

Comme nous l'avons dit précédemment, chacun des gestionnaires de l'entreprise, que ce soit en marketing, en production ou en toute autre unité administrative, doit pouvoir décider d'agir à partir d'une ligne directrice dictée par un budget.

Cette ligne directrice est la raison d'être d'un ensemble élaboré par la haute direction présenté dans un budget global qui sera divisé en budgets spécifiques.

■ LE BUDGET GLOBAL

Le budget global est le budget qui expose toutes les projections de déboursés monétaires à partir de documents budgétaires spécifiques. Le budget global est donc un ensemble de budgets traitant de différents aspects des déboursés. Ainsi, nous avons deux sortes de budgets. Il y a les budgets d'exploitation et les budgets financiers.

■ LES BUDGETS D'EXPLOITATION

Les budgets d'exploitation, aussi appelés budgets opérationnels, sont des budgets relatifs aux opérations quotidiennes des différents départements et services de l'entreprise. Ainsi, par exemple, le département de la production aura un budget à présenter à la haute direction pour approbation qui exposera toutes les dépenses à prévoir pour l'exercice financier qui vient, que ce soit pour les achats de matières premières, de produits complémentaires, de main-d'œuvre, d'énergie, etc.

■ LES BUDGETS FINANCIERS

Les budgets financiers exposent les ressources financières qui seront disponibles pour la réalisation des opérations routinières de l'entreprise ainsi que pour le paiement à long terme des obligations financières relatives à la mise en œuvre de la planification stratégique. Ainsi, nous aurons le budget de caisse et le budget d'investissements.

Le budget de caisse. Le budget de caisse a pour but de prévoir les entrées et les sorties de fonds mois par mois au cours d'un exercice financier. Cet outil permet à l'entreprise de prévoir les moments où les fonds seront insuffisants pour couvrir les dépenses prévues. Ainsi, il sera possible à la direction de trouver le financement approprié pour faire face à ses obligations. La figure 8.1 en est un exemple.

	Janv.	Févr.	Mars	Avril	Mai	Juin
A. Recettes	15 000 $	25 000 $	35 000 $	45 000 $	55 000$	75 000 $
B. Déboursés :						
• Achats	9 000	19 000	24 000	39 000	59 000	34 000
• Loyer	4 250	4 250	4 250	4 250	4 250	4 250
• Salaires	7 750	7 750	7 750	7 750	7 750	7 750
• Publicité	2 500	2 500	2 500	2 500	2 500	2 500
• Divers	1 500	1 500	1 500	1 500	1 500	1 500
TOTAL	25 000	35 000	40 000	55 000	75 000	50 000
C. Résultat de l'encaisse provenant des opérations						
• Surplus (ou déficit) (C = A – B)	(10 000)	(10 000)	(5 000)	(10 000)	(20 000)	25 000
D. Solde de l'encaisse :						
• Encaisse au début	40 000	30 000	20 000	15 000	5 000	0
• Résultat de l'encaisse provenant des opérations	(10 000)	(10 000)	(5 000)	(10 000)	(20 000)	25 000
• Emprunt bancaire (E) ou remboursement (R)	—	—	—	0 (E)	15 000 (E)	15 000 (R)
E. Encaisse à la fin	30 000 $	20 000 $	15 000 $	5 000 $	0 $	10 000 $

Figure
8.1

Exemple d'un budget de caisse

Les budgets d'investissements. Les budgets d'investissements réfèrent aux dépenses futures ayant trait au développement à long terme de l'entreprise, c'est-à-dire les investissements nécessaires pour assurer la croissance à long terme du chiffre d'affaires.

Les sommes d'argent impliquées étant très élevées, la planification de ces investissements en usine, en équipements et en recherche et développement doit être rigoureuse de façon à assurer la rentabilité prévue dans la planification à long terme. Ces budgets exposent les sommes à investir provenant soit des investissements des actionnaires ou des propriétaires, soit des bénéfices nets accumulés provenant de l'exploitation (B.N.R.), soit des emprunts auprès des institutions financières spécialisées, mises à part les subventions aux entreprises provenant des différents paliers de gouvernements.

2. LES ÉTATS FINANCIERS PRÉVISIONNELS (PRO FORMA)

Les états prévisionnels sont des modèles de résultats que l'entreprise visera à obtenir à la fin de l'exercice financier qui vient. Ils constituent des objectifs à atteindre. Il y a principalement deux types d'états prévisionnels : l'état des résultats prévisionnels et le bilan prévisionnel. Ces deux types d'états financiers sont habituellement exigés par les institutions prêteuses lors de demandes de financement à long terme.

▨ L'ÉTAT DES RÉSULTATS PRÉVISIONNELS

L'état prévisionnel des résultats est l'état qui a le plus de signification dans le budget global. Il prédit ce que devra être le bénéfice brut et le bénéfice net d'exploitation au cours de l'exercice financier. Le bénéfice net d'exploitation est la référence première quant à la rentabilité et à l'efficacité des opérations de l'entreprise.

▨ LE BILAN PRÉVISIONNEL

Le bilan prévisionnel est une projection globale de ce que devra être la nouvelle image de la valeur des biens de l'entreprise, de son endettement et de la valeur du capital des propriétaires.

3. LE POINT MORT (OU SEUIL DE RENTABILITÉ)

Le développement à long terme d'une entreprise repose sur le dynamisme et la créativité de ses dirigeants. Le tout commence par l'émission d'une idée pouvant générer un développement. Une fois l'idée émise (nouveau produit, construction d'une nouvelle usine, etc.), elle doit être soumise à l'élaboration d'un projet précis et détaillé à partir de données de recherche les plus exactes possibles sur la faisabilité et la rentabilité du projet. Une fois le projet monté, il faut le soumettre au test ultime à savoir l'établissement du point mort (ou seuil de rentabilité) pour déterminer le niveau de ventes nécessaires où le projet cessera de faire des pertes c'est-à-dire le niveau où le total des coûts sera égal au total des revenus générés par le projet.

Cet exercice s'avère crucial dans la décision du démarrage ou non du projet. La période de récupération des investissements de départ (construction, équipements, recherche et développement, formation et entrainement de personnel, etc.) doit être la plus hâtive possible, c'est-à-dire d'atteindre la rentabilité le plus rapidement possible pour commencer à récupérer les coûts du projet. Cet exercice de calcul du délai de récupération se fera à partir de références soit à des données internes, soit à des volumes de ventes de produits similaires ou soit à partir de données de recherche commerciale et où les gens du marketing auront été sérieusement impliqués dans l'élaboration des projections de ventes.

Voici un exemple dans la figure 8.2 d'un niveau de point mort (seuil de rentabilité). Le seuil de rentabilité se situe au niveau des revenus totalisant 40 000 $

qui équilibrent des dépenses totalisant aussi 40 000 $, soit un niveau de 4 000 unités de vente.

Les dépenses totales anticipées sont composées de deux catégories de coûts : les

Volume des ventes (en unités)	Revenu total anticipé (@ 10 $ par unité)	Coûts anticipés			Profit (ou perte) anticipé
		Variables (@ 5 $ par unité)	Fixes	Totaux	
1 000	10 000 $	5 000 $	20 000 $	25 000 $	(15 000$)
2 000	20 000 $	10 000 $	20 000 $	30 000 $	(10 000$)
3 000	30 000 $	15 000 $	20 000 $	35 000 $	(5 000$)
4 000	**40 000 $**	**20 000 $**	**20 000 $**	**40 000 $**	—
5 000	50 000 $	25 000 $	20 000 $	45 000 $	5 000$
6 000	60 000 $	30 000 $	20 000 $	50 000 $	10 000$
7 000	70 000 $	35 000 $	20 000 $	55 000 $	15 000$
8 000	80 000 $	40 000 $	20 000 $	60 000 $	20 000$
9 000	90 000 $	45 000 $	20 000 $	65 000 $	25 000$
10 000	100 000 $	50 000 $	20 000 $	70 000 $	30 000$

Figure
8.2

Exemple d'un niveau de point mort (seuil de rentabilité)

coûts fixes et les coûts variables.

▨ LES COÛTS FIXES

Les coûts fixes sont des coûts qui demeurent inchangés quel que soit le niveau de production. Ainsi, les dépenses telles que les assurances, les taxes, la dépréciation des bâtiments, équipements et véhicules sont des coûts dits «fixes». Dans le graphique de la figure 8.3, les coûts fixes sont représentés par la ligne horizontale C.

▨ LES COÛTS VARIABLES

Les coûts variables sont des coûts qui varient avec le niveau de production. Ces coûts comprennent principalement les achats de matières premières et les coûts de main-d'œuvre (directe) reliés à la fabrication. Dans notre exemple, les coûts variables sont de 5 $ l'unité. Dans le graphique de la figure 8.3, les coûts variables sont représentés par la courbe B.

Le point mort (seuil de rentabilité) est donc le point de rencontre de la courbe du revenu total (A) et de la courbe des coûts variables (B) (40 000 $ - 20 000 $) qui représente en même temps la courbe des coûts totaux (40 000 $).

L'analyse du point mort (seuil de rentabilité) est un outil financier essentiel. Toutefois, il faut se rappeler qu'il comporte certaines limites. Les coûts variables et le prix de vente ne doivent pas changer, quel que soit le volume de productivité, autrement il faudra rajuster l'analyse du point mort. Enfin, il faut considérer que les coûts fixes ne varient pas si des investissements en nouveaux équipements et usines ne sont pas nécessaires dans l'augmentation du volume de production. L'analyse du point mort demeure une technique bien appropriée pour un seul produit et non pour une gamme de produits dont les caractéristiques diffèrent de l'un à l'autre en fonction des segments du marché à conquérir. Voilà toute l'importance du point mort (seuil de rentabilité) comme outil de planification et surtout de décision dans la mise en œuvre d'un projet d'investissement. La figure 8.4 expose la formule de calcul d'un seuil de rentabilité.

Figure
8.3

Exemple de l'analyse du point mort (seuil de rentabilité)

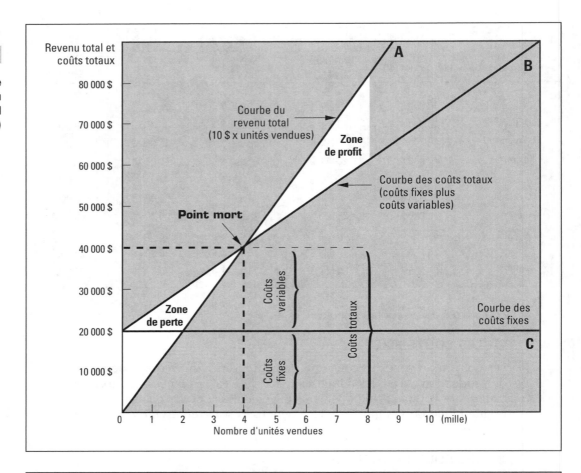

Figure
8.4

Formule de détermination du seuil de rentabilité

CALCUL DU SEUIL DE RENTABILITÉ
Nombre d'unités de vente requis pour atteindre le seuil de rentabilité

$$\frac{\text{Total des coûts fixes}}{\text{Prix de vente unitaire} - \text{Coût unitaire variable}} = \text{Nombre}$$

(Coût unitaire variable = coûts variables totaux / unités vendues)

Le contrôle financier des opérations de l'entreprise

DÉFINITION DU CONTRÔLE FINANCIER

Pour le gestionnaire du marketing, de la production ou même du département des finances, le contrôle est une opération routinière de supervision et de vérification de l'enregistrement des données financières mensuelles, hebdomadaires ou du moins quotidiennes.

Le directeur des finances a donc le mandat de superviser les activités financières de tous les départements et services de l'entreprise de façon à s'assurer de la bonne gestion de ses dirigeants.

LES DONNÉES DU CONTRÔLE FINANCIER

Les services comptables de l'entreprise préparent périodiquement des documents permettant aux gestionnaires des différents départements et services de connaître le résultat de leur gestion. Ces documents sont les états financiers principaux et complémentaires.

1. LES ÉTATS FINANCIERS PRINCIPAUX

Les états financiers principaux sont l'état des résultats et le bilan.

▨ L'ÉTAT DES RÉSULTATS

L'état des résultats montre la performance financière de l'entreprise sur le plan des ventes enregistrées, des dépenses diverses encourues pour obtenir ces ventes et le bénéfice ou la perte qui en résulte pendant l'exercice financier (période financière) identifié en tête du document. La figure 8.5 en est un exemple.

Figure
8.5

Exemple d'un état des résultats

Entreprise Paul Jalbert

Résultats

pour l'exercice financier terminé le 31 décembre 2006

Ventes			600 000
Coût des produits vendus :			
Stock de produits finis le 1/1/2006		15 000	
Coût de fabrication de l'exercice		420 000	
Coût des marchandises destinées à la vente		435 000	
Stock de produits finis le 31/12/2006		(40 000)	395 000
Marge bénéficiaire brute			205 000
Charges d'exploitation			
Frais de vente			
Promotion	30 000		
Commission des vendeurs	60 000	90 000	
Frais d'administration			
Salaires	40 000		
Services publics	16 000		
Fournitures	5 000		
Frais d'intérêts	3 000		
Amortissement	3 800	67 800	157 800
Bénéfice net d'exploitation			47 200 $

LE BILAN

Le bilan est une «photographie» de la situation financière d'une entreprise à une date précise, généralement à la fin d'un exercice financier. Les principaux éléments du bilan sont l'actif, le passif et l'avoir. La figure 8.6 en illustre un exemple.

Figure
8.6

Exemple d'un bilan

Entreprise Paul Jalbert
Bilan
au 31 décembre 2006

ACTIF

Actif à court terme			
Caisse		13 000	
Comptes clients		7 500	
Stocks			
Matières premières		30 000	
Produits en cours de fabrication		20 000	
Produits finis		40 000	
Total de l'actif à court terme			110 500
Actif immobilisé			
Équipement et machinerie	100 000		
Amortissement cumulé	36 000	64 000	
Bâtiment	200 000		
Amortissement cumulé	19 500	180 500	
Terrain		10 000	254 500
TOTAL de l'actif			365 000

PASSIF

Passif à court terme			
Compte-fournisseurs		27 000	
Emprunts bancaires		30 000	
Total du passif à court terme			57 000
Passif à long terme			
Hypothèque à payer		100 000	
Total du passif à long terme			100 000
TOTAL du passif			157 000

AVOIR

Capital Paul Jalbert		208 000	
TOTAL du passif et de l'avoir			365 000 $

● L'actif

L'actif représente tous les biens tangibles et intangibles que l'entreprise possède. Il comprend:

- les actifs à court terme (ils peuvent être rapidement liquidés):
  - encaisse,
  - comptes clients (à recevoir),

- – inventaires,
- – fournitures de toutes sortes ;
- les immobilisations (elles ne peuvent être liquidées rapidement) :
  - – machinerie et équipements lourds dispendieux,
  - – bâtiments et terrains ;
- les actifs intangibles :
  - – achalandage,
  - – brevets ou droits d'auteur.

● Le passif

Le passif représente l'endettement de l'entreprise. Il comprend :

- les dettes à court terme ; elles représentent les dettes de l'entreprise encourues dans le cours normal des activités routinières :
  - – les comptes fournisseurs qui englobent toutes les dettes courantes de l'entreprise généralement payables à trente jours (fin du mois),
  - – les impôts directs et indirects,
  - – les intérêts à payer durant l'année sur les emprunts de tout genre ;
- les dettes à long terme ; elles représentent les emprunts contractés par l'entreprise pour le financement de l'acquisition d'immobilisations telles que bâtiments, terrains ou équipements lourds ;
- les émissions d'obligations ; elles représentent, dans le cas de la grande entreprise publique, les emprunts dans le marché des valeurs mobilières pour le financement de grands projets ne pouvant être financés par d'autres types d'emprunt. Par exemple, la construction d'une nouvelle usine sophistiquée, coûteuse, chez General Motor.

● L'avoir (du ou des propriétaires ou des actionnaires)

L'avoir est cette partie du bilan qui représente la valeur nette du capital du ou des propriétaires (ou des actionnaires) après avoir soustrait les dettes (le passif) de la valeur de l'actif. Cette valeur nette s'accroît au cours des années avec l'addition des bénéfices réalisés par l'entreprise qui n'ont pas été distribués aux propriétaires par des prélèvements, ou par dividendes dans le cas des actionnaires. Ces bénéfices accumulés sont appelés : bénéfices non répartis (B.N.R.).

2. LES ÉTATS FINANCIERS COMPLÉMENTAIRES

Il y a plusieurs états financiers qui traitent de sujets plus restreints. Il y a entre autres *l'état de fabrication pour l'entreprise manufacturière, l'état du flux de trésorerie* et *l'état de la variation nette du capital.*

▨ L'ÉTAT DE FABRICATION

L'état de fabrication est un document qui expose les coûts qui ont été encourus par l'unité de production pour la fabrication des produits au cours de l'exercice financier. Il tient compte du coût des produits finis en inventaire au début de l'exercice, de tous les coûts relatifs à la fabrication des produits vendus au cours de l'exercice et des coûts relatifs à la fabrication des produits en inventaire et en cours de fabrication à la fin de l'exercice. La figure 8.7 en expose un exemple.

Entreprise Paul Jalbert

État de fabrication

pour l'exercice financier terminé le 31 décembre 2006

Produits en cours de fabrication au 1/1/2006			5 000
Matières premières utilisées			
Stocks au 1/1/2006		5 000	
Achats	173 500		
Fret à l'achat	1 500	175 000	
Stocks disponibles à la fabrication		180 000	
Stocks en cours de fabrication		(30 000)	150 000
Main d'œuvre directe			205 000
Frais généraux de fabrication			
Main d'œuvre indirecte		30 000	
Dépenses diverses		28 300	
Amortissement bâtiment usine		5 700	
Amortissement équipement et machinerie		16 000	80 000
Produits en cours de fabrication au 31/12/2006			(20 000)
Coût des produits fabriqués au 31/12/2006			420 000 $

Calcul des coût unitaire de fabrication des produits vendus

Unités en stock (début) 1/1/2006	10 000
Unités fabriquées	210 000
Unités disponibles à la vente	220 000
Unités en stock (fin) au 31/12/2006	(10 000)
Unités vendues	210 000

420 000 $ / 210 000 = 2$ l'unité

◼ L'ÉTAT DU FLUX DE TRÉSORERIE

L'état du flux de trésorerie montre les mouvements de liquidité dans l'encaisse qui se sont produits au cours de l'exercice financier. Les recettes proviennent principalement des activités d'opération (ventes) de l'entreprise. Peuvent aussi s'ajouter la vente d'actifs n'étant plus utiles à l'entreprise, des apports de fonds des propriétaires (ou actionnaires) ainsi que les montants provenant d'emprunts divers. Les déboursés pour leur part portent principalement sur les dépenses d'opération et ensuite sur les remboursements d'emprunts, les achats d'actifs (non comptabilisés à l'état des résultats), les impôts payés et les dividendes (pour les actionnaires) ou les prélèvements (pour l'entreprise non incorporée) sur les bénéfices réalisés. La figure 8.8 en expose un exemple.

Figure
8.8

Exemple d'un
État du flux de
trésorerie

Entreprise Paul Jalbert

État du flux de trésorerie

pour l'exercice financier terminé le 31 décembre 2006

Encaisse au début			170 000
Recettes			
Recettes d'opération	500 000		
Emprunts	0		
Apports de fond (propriétaire)	0		
Vente d'actifs	0		
Total des recettes		500 000	
Déboursés			
Déboursés d'opération	325 000		
Remboursement d'emprunts	0		
Achat d'actifs (ex: camion)	55 000		
Impôts et taxes	60 000		
Dividende aux actionnaires	100 000		
Total des déboursés		540 000	
Surplus d'encaissement			(40 000)
Encaisse à la fin			130 000 $

Cet état est le complément de l'état des résultats puisqu'il donne l'heure juste sur l'état de l'encaisse à la fin de l'exercice alors que l'état des résultats ne démontre que le bénéfice et la rentabilité des opérations de l'exercice.

■ L'ÉTAT DE LA VARIATION NETTE DU CAPITAL

L'état de la variation nette du capital montre les mouvements de fonds qui sont survenus au poste avoir du bilan durant l'exercice financier. Les apports de fonds proviennent d'abord des bénéfices réalisés par l'entreprise et ensuite, lorsque la situation l'exige, de mises de fonds de la part des propriétaires. Les sorties de fonds sont généralement des sommes versées en prélèvements ou dividendes (actions) aux propriétaires (ou actionnaires), ou des mises de fonds dans des projets d'investissement à long terme, ou des paiements pour remboursement de dettes à la suite des déficits d'opération. La figure 8.9 en expose un exemple.

Figure
8.9

Exemple
d'un état des
variations de la
valeur nette du
capital

Entreprise Paul Jalbert

État de la variation nette du capital

pour l'exercice financier terminé le 31 décembre 2006

Avoir au début 1/1/2006			160 000
Apports	12 800		
Bénéfice net de l'exercice	47 200		
Total de l'augmentation du capital		60 000	
Prélèvement		(12 000)	48 000
Avoir au début 31/12/2006			208 000 $

Les états financiers principaux et complémentaires que nous venons d'exposer sont les plus importants, les principaux étant ceux que le banquier ou la société prêteuse exige pour fins d'analyse de demande et d'allocation de prêt à une entreprise, que ce soit pour du financement à court ou à long terme.

Ces états complémentaires sont des documents de référence pour la gestion interne. À cet égard, l'état de fabrication constitue le document de référence première pour l'évaluation de la productivité de l'usine, le coût unitaire de fabrication étant le point de départ de cette évaluation.

LES OUTILS DU CONTRÔLE FINANCIER

Le gestionnaire des finances dispose de plusieurs moyens (outils) lui permettant de vérifier l'impact du déroulement des transactions financières et d'évaluer le travail des gestionnaires qui exécutent ces transactions.

Les principaux outils sont : le *fonds de roulement*, les *ratios pour l'analyse financière*, les *budgets* et *l'analyse du point mort*. Pour fins d'illustration du fonds de roulement et des ratios pour l'analyse financière, nous nous reporterons aux données des figures 8.4, 8.5 et 8.6.

1. LE FONDS DE ROULEMENT

Le fonds de roulement n'est pas, en soi, un ratio. Il sert à calculer les fonds disponibles pour faire face aux dettes courantes de l'entreprise. C'est la différence entre l'actif à court terme et le passif à court terme.

Fonds de roulement	=	Actif à court terme	−	Passif à court terme
53 500 $	=	110 500 $	−	57 000 $

Ce sont les actifs à court terme (comptes clients et stocks) qui, une fois vendus et ajoutés au montant de l'encaisse, paient les dettes à court terme. Certaines entreprises de distribution ou de fabrication qui supportent de lourds inventaires doivent conserver un excédent de fonds de roulement supérieur à d'autres types d'entreprises, surtout lorsque le volume des ventes est cyclique ou irrégulier.

2. LES RATIOS

Les ratios sont les outils qui servent à faire de l'analyse financière permettant de percevoir les anomalies et les déséquilibres dans la performance financière de l'entreprise qui affectent directement sa rentabilité.

Le ratio est tout simplement un rapport comparant deux éléments ou postes du bilan ou de l'état des résultats dont le résultat s'exprime sous forme de fraction (ex. : 3/10). Le résultat est comparé à celui de l'ensemble des entreprises de l'industrie dans laquelle l'entreprise évolue tel qu'analysé par Dun and Bradstreet. Si ce résultat est inférieur à celui de l'ensemble de l'industrie, la gestion financière relative à ces deux éléments apparaît donc déficiente. Des mesures correctives appropriées doivent être alors apportées pour remédier à la situation. Par contre, si le résultat est supérieur à ceux de la moyenne de l'industrie, cette entreprise fait montre d'une gestion efficace.

Il y a plusieurs ratios qui vérifient la gestion financière sous différents aspects. Les principaux sont : les *ratios relatifs à la liquidité*, le *ratio relatif à la gestion*, les *ratios relatifs à la rentabilité* et le *ratio relatif à l'endettement*.

◼ RATIOS RELATIFS À LA LIQUIDITÉ DE L'ENTREPRISE

Il y a deux ratios qui mesurent la capacité de l'entreprise à assumer ses dettes courantes : le *ratio de liquidité générale* et le *ratio de liquidité immédiate*.

● Ratio de liquidité générale

Ce ratio montre la capacité de l'entreprise à pouvoir garantir le paiement de ses factures de fin de mois. Généralement un indice de 2:1 constitue une norme standard pour une entreprise de fabrication :

$$\frac{\text{Actif à court terme}}{\text{Passif à court terme}} = \frac{110\,500\,\$}{57\,000\,\$} = 1,94$$

Dans notre exemple, le 1,94 constitue presque la norme acceptable. Les fonds sont relativement bien utilisés. Pour chaque dollar de dette, il y a 1,94 $ d'actif à court terme pour garantir le paiement de la dette.

● Ratio de liquidité immédiate

Ce ratio exprime la capacité de l'encaisse de l'entreprise à pouvoir faire face à des dépenses courantes. Un indice de 1:00 est considéré comme acceptable :

$$\frac{\text{Actif à court terme } - \text{ Stock}}{\text{Passif à court terme}} = \frac{110\,500\,\$ - 90\,000\,\$}{57\,000\,\$} = 0,36$$

Dans ce cas-ci, il apparaît que la liquidité immédiate de l'entreprise est critique. Pour 1 $ de dette, cette entreprise ne possède que 0,36 $ pour l'acquitter. On doit se demander si cette situation est courante ou occasionnelle (saisonnière). Il apparaît évident que les stocks de fin de période sont trop élevés, ce qui a accaparé une bonne partie des liquidités. Une meilleure gestion des stocks pourrait régler ce problème.

◼ RATIO RELATIF À LA GESTION

Il y a plusieurs ratios qui mesurent l'efficacité de la gestion de l'entreprise. Nous n'en avons conservé qu'un seul.

● Ratio du taux de rotation des stocks

Ce ratio est utilisé par les entreprises à roulement de stocks constants. Il indique le nombre de fois que les stocks de produits finis sont renouvelés. Plus il est élevé, plus les ventes sont élevées et plus l'entreprise est efficace. Cet indice se compare d'une part avec ceux des années précédentes et, d'autre part, avec ceux de l'industrie où l'entreprise évolue :

$$\frac{\text{Coût des produits vendus}}{(\text{Stocks de début} + \text{Stocks de fin}) \div 2} = \frac{395\,000\,\$}{(15\,000\,\$ + 40\,000\,\$) \div 2} = 14,3$$

Ce résultat signifie que les stocks de l'entreprise Paul Jalbert Enr. sont renouvelés 14,3 fois durant l'exercice financier. Dans le cas de cette entreprise de fabrication où le niveau des stocks est remplacé plus de 14 fois durant l'exercice financier, il apparaît que sa gestion des stocks est efficace. Cette appréciation est toutefois très aléatoire. Il faudrait connaître le type de produits et le type d'industrie pour porter un jugement sérieux.

◼ RATIOS RELATIFS À LA RENTABILITÉ DE L'ENTREPRISE

Ces ratios démontrent la rentabilité de l'entreprise sous trois aspects :

- par rapport aux ventes (taux du bénéfice sur les ventes) ;
- par rapport à l'actif (taux de rendement sur l'actif total) ;
- par rapport au capital investi.

● Ratio du taux de bénéfice sur les ventes

Ce ratio mesure l'efficacité de l'entreprise par rapport aux ventes. Les ventes sont donc comparées aux bénéfices après impôt (30%) enregistrés au cours de l'exercice :

$$\frac{\text{Bénéfices après impôt}}{\text{Ventes}} = \frac{47\ 200\ \$ \times 0{,}70}{600\ 000\ \$} = 5{,}5\ \%$$

Ce 5,5% de rendement sur les ventes, après impôt, bien qu'en apparence peu impressionnant, constitue une moyenne dans l'entreprise manufacturière. Dans l'alimentation, ce taux est plus bas, alors que dans l'industrie de services, il est beaucoup plus élevé. Chaque dollar de vente a donc rapporté 0,055$ à l'entreprise.

● Ratio du taux de rendement sur l'actif total

Ce ratio montre la rentabilité de l'entreprise par rapport à son investissement mobilier et immobilier (actifs). Ces actifs sont donc comparés aux bénéfices après impôt (30%) réalisés pendant l'exercice financier :

$$\frac{\text{Bénéfices après impôt}}{\text{Actif total}} = \frac{47\ 200\ \$ \times 0{,}70}{365\ 000\ \$} = 9{,}04\ \%$$

Ce résultat indique que les actifs investis ne rapportent que 9,04% de rendement net après impôt. Ici encore, cet indice est relatif. Il faut le comparer avec celui de l'industrie où l'entreprise évolue pour porter un jugement sérieux.

● Ratio du taux de rendement sur le capital investi

Ce ratio expose le rendement du capital investi par le propriétaire en regard du bénéfice net réalisé par l'entreprise. Il s'agit de comparer le bénéfice après impôt (30%) et l'avoir du propriétaire.

$$\frac{\text{Bénéfices net après impôt}}{\text{Avoir du propriétaire}} = \frac{47\ 200\ \$ \times 0{,}70}{208\ 000\ \$} = 15{,}8\ \%$$

Ce résultat nous apparaît excellent. Mais encore faut-il le comparer avec celui de l'industrie où l'entreprise évolue pour juger de sa valeur.

◼ RATIO RELATIF À L'ENDETTEMENT

Ce ratio indique la proportion des actifs qui sont affectés par les dettes à court terme (passif à court terme) et les dettes à long terme (passif à long terme). Il s'agit de comparer le total de l'actif avec le total du passif :

$$\frac{\text{Total du passif}}{\text{Total de l'actif}} = \frac{157\ 000\ \$}{365\ 000\ \$} = 43\ \%$$

Ce résultat indique que 43% des actifs appartiennent à des créanciers. Cette proportion est considérée comme normale. Un résultat qui dépasse les 50% pourrait apparaître anormal, tout dépendant du secteur.

3. LES BUDGETS

Les budgets sont aussi des outils de contrôle. Une fois l'exercice financier démarré, le budget préalablement adopté devient un guide de gestion de premier ordre.

Le budget devient le «contrôleur» de la gestion du gestionnaire. Toute dépense non prévue au budget ne peut, en principe, être engagée sans permission préalable d'un supérieur concerné.

4. L'ANALYSE DU POINT MORT (SEUIL DE RENTABILITÉ)

Tout comme le budget, le calcul du point mort (seuil de rentabilité) élaboré lors de la planification devient lui aussi un outil de contrôle. Cette analyse des résultats, tout au long du développement du projet ayant fait l'objet de ce calcul, permet au gestionnaire responsable de rectifier le «tir» si les prévisions ne se réalisent pas dans le sens voulu. Cet outil est, tout comme le budget pour les opérations courantes, le «contrôleur» de base d'un projet en évolution. Son analyse peut amener le gestionnaire à abandonner le projet si, après examen, la certitude d'un insuccès est mise en évidence.

▇▇ Le financement de l'entreprise

L'entreprise, pour supporter ses opérations routinières de même que pour mettre en marche ses projets de développement, a besoin de fonds d'une façon constante pendant toute son évolution.

Outre les entrées de fonds relatifs à l'encaissement des paiements provenant des ventes qui peuvent s'avérer insuffisants à un moment ou à un autre pour couvrir ses différentes dépenses, il est absolument nécessaire pour l'entreprise de pouvoir compter sur la disponibilité de fonds additionnels. L'entreprise n'a alors d'autre choix que de recourir soit à l'apport de fonds par les propriétaires, soit à l'emprunt comme vous avez pu le constater, par exemple, lors de l'étude du budget de caisse.

LES SOURCES DE FINANCEMENT

Pour répondre à ses différents besoins en fonds additionnels, l'entreprise peut compter sur plusieurs sources de financement qui se regroupent en deux catégories : les sources de financement à court terme et les sources de financement à long terme.

1. LES SOURCES DE FINANCEMENT À COURT TERME

Les sources de financement à court terme sont disponibles pour le financement des opérations courantes, c'est-à-dire pour l'obtention de fonds nécessités par un manque de liquidités temporaire auquel l'entreprise peut faire face pour acquitter les paiements de fin de mois. Il y a plusieurs sources dont l'entreprise peut se prévaloir : le crédit commercial, les prêts bancaires non garantis, le papier commercial, les prêts à court terme garantis et l'affacturage.

LE CRÉDIT COMMERCIAL

Le crédit commercial est une pratique courante des affaires où le fournisseur accorde à l'entreprise un délai, généralement jusqu'au début du mois suivant, pour acquitter sa facture. Ce délai peut aller jusqu'à 30 jours. Pour certaines industries de biens durables comme le meuble, ce délai peut aller jusqu'à 90 jours. Ce qui revient à dire que le fournisseur finance l'entreprise pendant la durée du délai. Il est la première source de financement à court terme.

LES PRÊTS BANCAIRES NON GARANTIS

Les prêts bancaires non garantis constituent la source de financement à court terme la plus répandue au Canada. Le prêteur n'exige pas de garantie contre le prêt consenti à l'emprunteur. Ce n'est qu'après étude de la demande de l'emprunteur que le prêteur consent le prêt, ayant jugé que le bilan financier et la rentabilité de l'entreprise constituent une sorte de garantie «morale» d'assurance de remboursement. Il y a deux sortes de prêts : le billet à ordre et la marge de crédit bancaire.

● Le billet à ordre

Le billet à ordre est tout simplement une promesse écrite de remboursement par l'emprunteur du montant versé par le prêteur au terme de la durée du prêt stipulée dans le billet en plus du taux d'intérêt à payer sur l'emprunt. Ce type de prêt est utilisé à des fins précises pour un financement temporaire occasionnel, comme par exemple le financement d'inventaire supplémentaire pour une vente saisonnière.

● La marge de crédit bancaire

La marge de crédit bancaire est une entente entre la banque et l'entreprise selon laquelle la banque avance les fonds dans le compte de celle-ci pour couvrir les paiements faits par l'entreprise lorsqu'elle est en situation d'insuffisance de fonds. Cette entente d'avance de fonds sous forme de prêt ne vaut que jusqu'à concurrence d'un certain plafond établi par la banque à partir de critères précis basés sur la solvabilité de l'entreprise, c'est-à-dire sa capacité de rembourser à même ses entrées de fonds provenant très majoritairement des ventes. L'entente vaut pour une période d'un an.

LE PAPIER COMMERCIAL

Le papier commercial est un prêt non garanti consenti seulement aux grandes entreprises ayant une stabilité financière bien établie. Le prêt est généralement accordé par coupures de 25 000 $ pour une période maximale de neuf mois. Les taux d'intérêt exigés sont inférieurs de 1 à 2 % à celui des prêts bancaires à court terme.

LES PRÊTS À COURT TERME GARANTIS

Les prêts à court terme garantis sont des prêts consentis contre la cession en garantie d'un élément d'actif, la plupart du temps des stocks ou des comptes clients. L'entente entre le prêteur et l'entreprise contient le montant du prêt, la date d'échéance, le taux d'intérêt à payer et la description de l'élément d'actif cédé en garantie. Les banques et autres institutions financières consentent beaucoup de prêts de ce genre, les inventaires et les comptes clients étant des éléments d'actif rapidement réalisables en argent en cas de saisie.

▨ L'AFFACTURAGE

L'affacturage est un terme qui signifie la vente des comptes clients à une entreprise spécialisée dans le recouvrement des comptes clients appelée «société d'affacturage». L'entreprise vend tout simplement ses comptes clients à rabais à la société qui récupère le paiement de ces comptes. Cette méthode de financement est coûteuse puisque la société d'affacturage exige généralement un fort rabais pour minimiser les risques de mauvais comptes qui pourraient ne jamais être payés, ou payés à la suite de frais légaux et administratifs coûteux.

2. LES SOURCES DE FINANCEMENT À LONG TERME

Le financement à long terme est un mode de financement réservé aux projets d'investissement, que ce soit en équipement et machinerie lourde, en équipement de haute technologie ou en construction d'usines. Il peut aussi financer l'achat d'un concurrent ou d'une entreprise complémentaire, ou la fusion avec eux, soit comme fournisseur, soit comme partenaire à part entière avec un fabricant de produits connexes.

Il existe plusieurs modes de financement qui correspondent à un besoin et à une situation précise d'investissement. Nous avons : les prêts à long terme garantis, les prêts hypothécaires, les émissions d'obligations, les émissions d'actions et les B.N.R.

▨ LES PRÊTS À LONG TERME GARANTIS

Les prêts à long terme garantis sont des prêts servant à financer, sur une longue période à cause de leur coût très élevé, l'achat d'équipement ou de machinerie. Ces prêts ont une durée allant de 5 à 12 ans selon le type et le coût d'achat de l'équipement. L'institution financière prêteuse (banques, compagnies d'assurance, sociétés de fiducie ou caisses de retraite) détient un lien appelé hypothèque mobilière sur la propriété de l'élément d'actif financé jusqu'au remboursement complet du prêt.

Le taux d'intérêt exigé sur le type de prêt est plus élevé que celui des prêts à court terme à cause du risque plus élevé et cela relativement à un certain degré d'incertitude sur les remboursements à venir. Là encore, chaque cas fait l'objet d'une évaluation sérieuse pour déterminer le taux et la durée du prêt.

▨ LES PRÊTS HYPOTHÉCAIRES

Les prêts hypothécaires sont consentis aux entreprises pour le financement de la construction de bâtiments (édifices à bureaux, usines ou entrepôts). Ces prêts sont les mêmes que les prêts hypothécaires pour le domaine domiciliaire. Toutefois, le taux d'intérêt est plus élevé que celui du prêt hypothécaire domiciliaire à cause de la difficulté à pouvoir revendre ces bâtiments si jamais l'institution prêteuse devait saisir la bâtisse pour défaut de paiement par l'entreprise.

Ces bâtiments sont habituellement construits selon des exigences spécifiques de l'entreprise qui peuvent ne pas correspondre aux exigences de l'éventuel acquéreur qui pourrait acheter le bâtiment de l'institution prêteuse. De plus, le marché industriel des usines et bureaux administratifs est limité en comparaison du marché domiciliaire. Voilà pourquoi les taux sont plus élevés. Mentionnons en terminant que le capital de base exigé par l'institution prêteuse pour l'obtention du prêt est plus élevé que celui exigé pour le prêt hypothécaire domiciliaire.

LES ÉMISSIONS D'OBLIGATIONS

Les émissions d'obligations sont utilisées par les compagnies publiques à capital-actions volumineux, où il y a un grand nombre d'actionnaires détenteurs d'actions de la compagnie.

Qu'est-ce qu'une obligation? Une obligation est un titre de créance émis par une compagnie publique par coupures de 1 000 $, pouvant être acheté par l'intermédiaire d'un courtier en valeurs mobilières. Toute personne peut se procurer une obligation. Cette créance est similaire au prêt hypothécaire, sauf qu'il y a plusieurs prêteurs (possesseurs d'obligations) ayant les mêmes droits et recours qu'une société de prêts hypothécaires. Généralement, ce sont les institutions financières qui achètent à grand volume des parties d'émission d'obligations. L'obligation porte intérêt à un taux fixé par la compagnie avant l'émission. Le taux est supérieur au taux sur les obligations d'épargne des gouvernements fédéral et provinciaux, le risque étant théoriquement plus élevé par rapport aux obligations d'épargne.

Les fonds recueillis servent à financer de grands projets tels que la construction d'une usine, d'un édifice à bureaux, ou l'achat d'un concurrent dont les immeubles sont donnés en garantie.

LES ÉMISSIONS D'ACTIONS

Plutôt que de recourir à l'emprunt, les compagnies, autant privées que publiques, peuvent choisir de recueillir des fonds chez les propriétaires (actionnaires actuels) ou chez de nouveaux actionnaires par l'émission de nouvelles actions. Cette émission est d'abord offerte aux actionnaires actuels pour être ensuite offerte à d'autres individus, pour la compagnie privée, ou sur le marché des valeurs mobilières en général, pour les compagnies publiques. Dans le cas d'émission d'actions, la compagnie n'est liée à aucun créancier puisque les actions sont des titres de propriété et non des titres de créance. Toutefois, le conseil d'administration doit déclarer régulièrement un dividende par action, ce qui constitue le rendement du placement sur l'action pour l'actionnaire.

L'émission d'actions est généralement utilisée lorsque le niveau d'endettement de la compagnie est trop élevé pour pouvoir faire un emprunt à long terme ou une émission d'obligations et lorsque la compagnie publique est peu connue sur le marché des valeurs mobilières. Les émissions d'actions servent les mêmes buts que les émissions d'obligations. Pour le conseil d'administration, le choix entre l'émission d'obligations ou d'actions repose sur les considérations suivantes:

- le niveau d'endettement;
- la facilité à pouvoir vendre l'émission (action ou obligation);
- les projections de rentabilité du projet à financer;
- l'état des flux de trésorerie.

Voilà autant de raisons qui interviennent dans le choix à faire entre ces deux modes de financement.

LES BÉNÉFICES NON RÉPARTIS (B.N.R.)

Les bénéfices non répartis sont constituée de montants provenant de profits réalisés au cours des années qui n'ont pas été distribués aux propriétaires (ou actionnaires de compagnie). Cette réserve, lorsque non utilisée, est investi dans des placements

Contrairement aux autres sources de financement qui ne sont utilisées que pour le temps du financement avec remboursement à une date précise, (à l'exception de l'émission d'actions), les B.N.R. constituent donc une source de financement continue pour l'entreprise dans la mesure où des profits sont réalisés. Le poste B.N.R. au bilan n'est donc pas un poste avec une somme disponible, mais une illustration du total de tous les bénéfices qui ont été réinvestis dans l'entreprise depuis ses débuts.

8.2 *Les activités de la gestion financière*

La gestion financière, outre la planification et le contrôle des opérations financières ainsi que l'enregistrement aux livres des transactions, comporte aussi des activités complémentaires obligatoires, certaines routinières, d'autres périodiques. Elles assurent le fonctionnement continu des opérations de l'entreprise.

Les activités routinières

Dans l'entreprise les activités routinières sont celles qui sont effectuées sur une base régulière et répétitive au moins une fois par mois, à l'exception de la préparation de la paie, qui peut être préparée jusqu'à quatre fois durant le mois et qui mobilise à elle seule parfois plusieurs personnes à cause d'un roulement de personnel ou d'une politique de paie hebdomadaire.

Ces activités sont commandées par le respect des différentes échéances exigées par les fournisseurs et les gouvernements fédéral et provinciaux. Ainsi nous retrouvons les activités de paiement pour :

- des comptes fournisseurs ;
- des taxes et impôts ;
- des contributions de l'employeur et des employés aux différents régimes et régies gouvernementaux, aux programmes de bénéfices sociaux et aux cotisations syndicales.

Les paiements et les émissions de chèques pour tous ces déboursés peuvent exiger, selon la dimension de l'entreprise, plusieurs personnes bien que toutes ces opérations soient aujourd'hui pratiquement complètement informatisées.

Les activités périodiques

Les activités périodiques sont effectuées quelques fois pendant l'exercice financier, à intervalles réguliers, généralement à chaque trimestre. Elles portent surtout sur la planification et le contrôle des opérations de l'entreprise.

LA PLANIFICATION

La planification porte sur :

- la préparation des états financiers pro forma ;
- la préparation et la révision des différents budgets (revenus et dépenses) des unités administratives ;
- la préparation des prévisions de revenus et de dépenses des projets d'investissement à moyen et à long terme.

LE CONTRÔLE

Le contrôle porte principalement sur la préparation des différents rapports périodiques (semaine ou mois), entre autres :
- les rapports de vente ;
- les rapports des comptes clients délinquants ;
- les rapports sur les stocks de matières premières ;
- les rapports sur les opérations de fabrication, entre autres :
- les heures travaillées,
- les unités de produits fabriqués,
- le volume des inventaires des produits finis ;
- la vérification des dépenses des unités administratives en regard de leur budget respectif préalablement adopté ;
- la préparation des états financiers :
  - le bilan ;
  - l'état des résultats ;
  - l'état de fabrication.

Le bilan et l'état des résultats sont les états exigés par le banquier pour accorder ou réviser la marge de crédit demandée par l'entreprise.

Voilà en résumé le profil des activités de la fonction finance. Toutefois il peut arriver que certaines de ces opérations soient effectuées par le département concerné.

8.3 *L'encadrement de la gestion financière*

Le département des finances

Dans l'entreprise, la fonction finance est, d'une certaine façon, exercée par tous les gestionnaires puisqu'ils doivent administrer des budgets et dépenser en fonction du budget alloué. Toutefois, ils sont tous sous la juridiction finale d'un responsable des finances. La fonction finance étant en soi une fonction interne sans relation constante avec la clientèle, si ce n'est la perception des mauvais comptes, son évolution est surtout liée au contrôle à exercer qui, avec la venue de l'informatique, n'exige pas d'augmentation de personnel en fonction de l'augmentation du volume des ventes ou de l'agrandissement ou la construction d'une nouvelle usine.

La structure d'un département des finances se limite, dans la petite entreprise, à la fonction comptabilité généralement confiée à un comptable avec expérience dans le domaine où œuvre l'entreprise. Sa fonction est surtout axée sur la gestion des opérations de l'entreprise. La planification financière est relativement simple, les projets d'investissement étant à peu près inexistants sinon pris en charge par le propriétaire, aidé du comptable. La figure 8.10 nous l'expose.

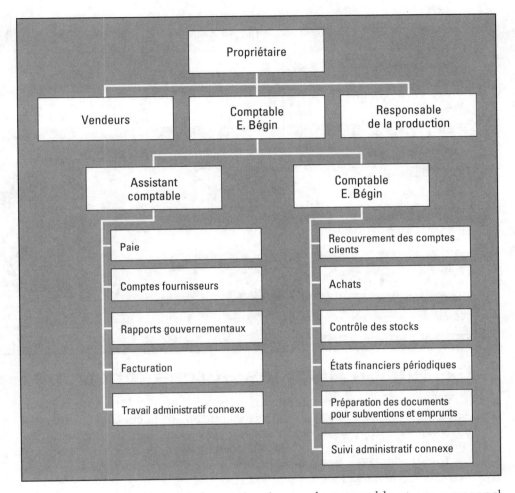

Figure
8.10

Organigramme type de la fonction finance d'une petite entreprise

Telles sont les principales tâches exécutées par le comptable et son personnel de soutien.

Pour la grande entreprise, nous retrouvons les mêmes tâches, mais dans un contexte plus volumineux imposé par la dimension du volume des affaires et le nombre d'usines et de succursales que l'entreprise a dû se donner pour en arriver à son envergure actuelle. La figure 8.11 nous l'expose.

Telles sont les principales tâches du département des finances d'une grande entreprise à plusieurs usines et à plusieurs succursales. Nous ne pouvons élaborer plus en détail cet organigramme car chaque entreprise adapte sa structure en fonction de sa philosophie, de son style de gestion et de son type d'industrie.

Figure
8.11

**Organigramme
type du
département
des finances
d'une grande
entreprise**

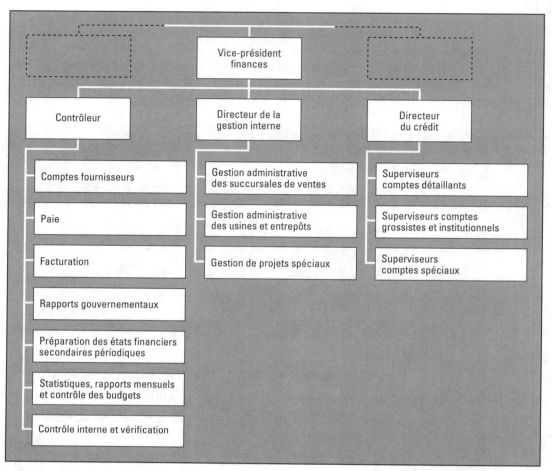

Figure
8.11

Organigramme type du département des finances d'une grande entreprise

Relation avec les autres fonctions

La gestion financière est la fonction qui, en principe, supervise les autres fonctions dans leurs opérations financières. Une fois les budgets respectifs de chaque unité de l'entreprise adoptés par le responsable de la gestion financière, tous les gestionnaires, de quelque niveau que ce soit, doivent suivre ce guide de dépense à la lettre. Les relations avec les autres fonctions sont alors sous le signe du contrôle d'une part, et de la consultation d'autre part.

La fonction finance n'est subordonnée à aucune autre fonction. Toutefois, la collaboration étroite avec les autres fonctions est essentielle.

La figure 8.12 expose les relations avec les autres fonctions de l'entreprise.

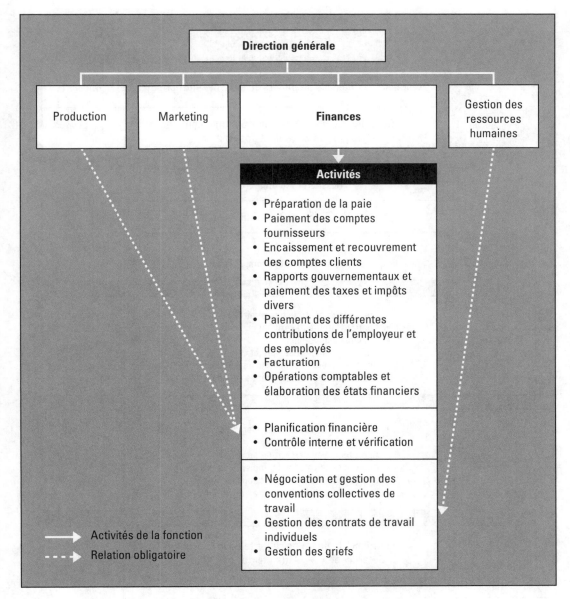

Figure
8.12

**Relation de
la fonction
finances avec les
autres fonctions
de l'entreprise**

Le sous-système finance

La fonction finance comme celle de la production et du marketing est aussi un sous-système du système entreprise. La figure 8.13 expose le fonctionnement de ce sous-système dont le mandat est de gérer de façon efficace les fonds de l'entreprise pour assurer sa rentabilité à travers son évolution.

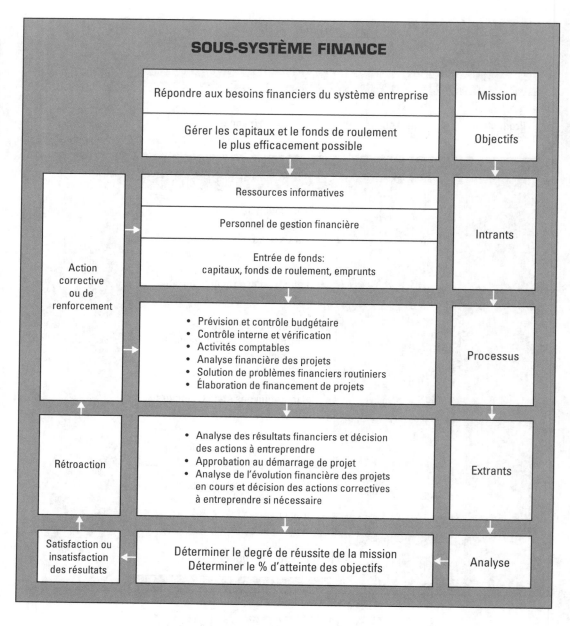

SOUS-SYSTÈME FINANCE

Répondre aux besoins financiers du système entreprise	Mission
Gérer les capitaux et le fonds de roulement le plus efficacement possible	Objectifs

Ressources informatives

Personnel de gestion financière

Entrée de fonds:
capitaux, fonds de roulement, emprunts

Intrants

- Prévision et contrôle budgétaire
- Contrôle interne et vérification
- Activités comptables
- Analyse financière des projets
- Solution de problèmes financiers routiniers
- Élaboration de financement de projets

Processus

Action corrective ou de renforcement

- Analyse des résultats financiers et décision des actions à entreprendre
- Approbation au démarrage de projet
- Analyse de l'évolution financière des projets en cours et décision des actions correctives à entreprendre si nécessaire

Extrants

Rétroaction

Satisfaction ou insatisfaction des résultats

Déterminer le degré de réussite de la mission
Déterminer le % d'atteinte des objectifs

Analyse

Questions
de RÉVISION

1. Quels sont les aspects de la gestion financière ?

2. Qu'est-ce que le contrôle financier ?

3. À quoi sert la comptabilité dans l'entreprise ?

4. Qu'est-ce que l'état des résultats ?

5. Qu'est-ce que le bilan ?

6. Que comprend l'actif dans le bilan ?

7. Que comprend le passif dans le bilan ?

8. Que comprend l'avoir du ou des propriétaires dans le bilan ?

9. Quels sont les outils de contrôle ?

10. À quoi servent les ratios ?

11. Quel est le but de l'analyse du point mort ?

12. Nommez et expliquez brièvement les outils de la planification.

13. Nommez et expliquez les sources de financement à court terme.

14. Nommez et expliquez les sources de financement à long terme.

15. Qu'est-ce que les B.N.R. et à quoi servent-ils ?

ÉTUDES DE CAS

CAS 8.1
CIMENTERIE PAGEAU

Monsieur Dupont, âgé de 54 ans, a investi 60 000$ de ses économies et contracté un emprunt d'une durée de 10 ans sur la bâtisse et un second de 5 ans sur l'équipement machinerie incluant le camion pour acquérir le 15 janvier de l'année 2009 de monsieur Charles Pageau la petite Cimenterie Pageau située à St-Bazile de Porneuf.

L'entreprise fabriquait des produits de béton de fabrication primaire tels que blocs de construction, tuiles de parterre, des butoirs de stationnement, etc. Sans consulter, il a incorporé l'entreprise sous la raison sociale Cimenterie Pageau inc. qui était précédemment une entreprise à propriétaire unique. L'achat comprend, sur un terrain de 15 000 mètres carrés évalué à 35 000$, une bâtisse évaluée à 65 000$, comprenant espace bureau, espace usine, espace garage, espace entrepôt pour les sacs de ciment et un abri fermé sur trois côtés pour remiser le sable à 10 000$, l'équipement/machinerie à 15 000$, un camion de livraison à 10 000$ et les inventaires à 15 000$. Dupont a de plus, à titre de prêt sans intérêt, déposé 15 000$ dans le compte de banque (l'encaisse) de l'entreprise pour payer les premières dépenses du début des opérations. Les produits finis sont entreposés à l'extérieur en attendant la livraison.

La cimenterie opère du 1 mars au 30 novembre de chaque année et son année financière est celle du calendrier régulier. Au 30 novembre 2009, l'entreprise avait réalisé des ventes de 550 000$ et un bénéfice net avant impôt de 93 500$.

Devant cet excellent résultat, monsieur Dupont à décider d'agrandir sa cimenterie pour fabriquer des tuyaux de ciments destinés au marché des travaux publics. Ses besoins étaient alors de 100 000$ pour agrandir son usine et de 200 000$ pour l'achat d'équipements spécialisés incluant l'achat d'un camion de livraison évalué à 70 000$. Monsieur Dupont prévoit que ses ventes de tuyaux de ciment feront augmenter les ventes totales de 15% par année au cours des 5 prochaines années. Il estime que le bénéfice net réalisé avant impôt sera d'environ 20% par année. Précisons que le pourcentage maximum d'emprunt hypothécaire sur un bâtiment commercial est de 75% du coût de construction et de 95% sur l'équipement/machinerie et camion.

QUESTION

1. Est-ce que monsieur Dupont a eu raison d'incorporer son entreprise? Donnez les raisons qui justifient votre réponse.

2. Quels sont les types de financement dont monsieur Dupont peut se prévaloir pour financer son projet?

3. Veuillez préparer le bilan (ouverture) de la Cimenterie Pageau inc. au lendemain de l'achat par monsieur Dupont ainsi que l'état des résultats et le bilan au 31 décembre 2009.

4. Veuillez préparer un état des résultats et un bilan prévisionnel (pro forma) sommaire pour l'année 2010.

CAS 8.2
SARA RECORDS INC.

Sarah Taylor, talentueuse chanteuse «country» de Calgary en Alberta, est étudiante en administration à l'université de Calgary et donne des spectacles à chaque samedi soirs sur une base régulière pour payer ses études. En janvier 2001 elle conclut une entente avec la compagnie de disque NEW ERA Records de Vancouver pour produire un CD sur ses chansons. Au cours de l'année, la compagnie a vendu 1 730 CD au prix de 19,50 $ sur lesquels elle a reçu en redevance 5 % du prix de vente sur chacun des disques vendus.

En 2002 Sarah Taylor, suite à cette expérience qu'elle considère trop peu lucrative, regarde sérieusement l'option de créer, avec l'aide financière de ses parents et amis, sa propre compagnie de disques pour enregistrer ses chansons et gérer elle-même la distribution de ses albums via un réseau d'intermédiaires. Elle voudrait que sa compagnie, qu'elle a appelée Sara Records inc., produise 2 000 CD à son premier lancement. Les coûts associés à ce projet sont les suivants:

- Location de studio d'enregistrement et des musiciens   4 000 $
- Production du disque maître   1 000
- Gravure de copies (2 000 copies)   2 000
- Graphisme pour boîtier   500
- Achat de boîtiers (2 000 unités)   500
- Gestion et comptabilité (12 mois)   2 400
- Loyer (1/4 du loyer annuel de son appartement : 9 600 $)   2 400

La vente des CD au prix de détail de 19,50 $ passerait par un grossiste et son réseau de détaillants. Le détaillant se verrait octroyer une marge bénéficiaire de 40 % par le grossiste alors que Sara Records en accorderait une de 10 % au grossiste.

QUESTIONS

1. Quel est le capital nécessaire à Sarah Taylor pour démarrer son entreprise et produire les 2 000 CD de son premier lancement ?

2. Combien de CD Sara Records inc doit vendre pour atteindre le seuil de rentabilité ?

3. Quel serait le rendement sur le capital investi avec la vente des 2 000 CD ?

4. Démontrer l'avantage financier que retirerait Sarah Taylor en créant sa compagnie plutôt que de continuer avec NEW ERA Records en présumant des ventes de 1730 CD avec une redevance de 5 % à Sarah Taylor (sur une production de 2 000 CD) et un prix de détail de 19.50 $ du CD en utilisant le même réseau de distribution avec les mêmes marges bénéficiaires.

Annexe *Sujets complémentaires*

Le levier financier : payer comptant ou emprunter?

Dans les pages précédentes nous avons exposé les différentes sources de financement qui s'offrent aux entrepreneurs pour répondre à des situations où l'endettement peut être envisagé comme solution à l'injection de fond pour une opération financière donnée ou encore l'acquisition d'un équipement ou la construction d'un bâtiment. Contrairement à ce que l'on peut penser, se servir de l'endettement peut constituer un moyen pour augmenter le rendement sur le capital de l'entreprise et même acquérir des actifs avec des mises de fonds minimum.

Les avantages et désavantages du financement par l'endettement

Le financement par l'endettement comporte des avantages et des désavantages. En voici les principaux.

Les avantages

- Les intérêts payés sur l'emprunt sont déductibles d'impôt étant comptabilisés comme dépense à l'état des résultats;
- L'endettement fournit du capital additionnel à l'entreprise sans faire perdre aux propriétaires une part de propriété et de contrôle sur l'entreprise;
- L'entreprise, qui peut se permettre d'emprunter pour financer une opération ou un projet générateur de profits, profitera de l'augmentation des profits de l'entreprise sans y avoir réinvesti du capital.

Les désavantages

- Les emprunts sont parfois impossibles ou encore possibles mais à fort taux d'intérêt causés par une situation financière précaire de l'entreprise;
- Les emprunts comportent, pour la plupart, des versements obligatoires réguliers (mensuels) de remboursement de capital et de paiement d'intérêts. Ces obligations peuvent alors constituer un fardeau en cas de difficultés financières qui peuvent même empêcher les versements de paiements dans des cas de difficultés extrêmes.

Le levier financier et l'endettement (l'effet de levier)

Le levier financier consiste à utiliser l'endettement sur investissement pour faire augmenter le rendement du capital investi dans l'entreprise. Son utilisation provoque un effet appelé «effet de levier» qui permet d'obtenir un taux de rendement du capital investi (profit/le capital) supérieur au taux de rendement potentiel obtenu s'il y avait eu mise de fond du propriétaire pour le paiement total de l'investissement. Toutefois, il est à noter que l'utilisation du levier est avantageuse uniquement lorsque les taux d'intérêt sur les emprunts sont inférieurs au taux de rendement des ventes sur le capital de l'entreprise.

L'exemple qui suit expose le financement d'un projet selon le financement par emprunt en comparaison avec le financement par mise de fond du propriétaire où l'on fait valoir l'avantage de l'effet de levier provoqué par l'endettement.

Prenons le cas d'une petite entreprise qui génère un rendement de 24% par année sur son capital investi de 250 000$ (en bâtiment et équipement). L'entreprise enregistre des ventes annuelles de 1 200 000$ avec un profit sur les ventes de 60 000$.

Si le propriétaire avait investi 150 000$ et emprunté 100 000$, le taux de rendement aurait été de 28% au lieu de 24%. L'effet de levier a donc fait augmenter le taux de rendement sur le capital de 4%. Les figures A et B exposent cette situation.

Scénario A   Investissement de 250 000$ sans emprunt

- Ventes annuelles	1 200 000 $
- Profit net annuel (avant impôt)	60 000 $
- Taux de rendement sur le capital 250 000$ (60 000$/250 000$)	24%

Scénario B   Investissement de 150 000$ avec emprunt de 100 000$

- Ventes annuelles	1 200 000 $
- Profit net annuel (avant impôt)	60 000 $
- Coût d'intérêt sur emprunt (100 000$ à 18%)	18 000 $
- Profit net moins le coût d'intérêt (60 000$ - 18 000$)	42 000 $
- Taux de rendement sur le capital 250 000$ (60 000$/250 000$)	28%

La différence entre le 28% et le 24% est le levier financier.

QUESTIONS

1) Nommez les avantages de l'endettement pour l'entreprise.

2) Nommez les désavantages de l'endettement pour l'entreprise.

3) En quoi consiste le levier financier? Expliquez brièvement.

4) Expliquez brièvement l'effet de levier.

5) dans quelle circonstance l'utilisation du levier financier est-il avantageux?

La
formation

LE FONDEMENT DE LA PERFORMANCE DU PERSONNEL

Chapitre 9

L'ENTREPRISE ET LA GESTION DES RESSOURCES HUMAINES

Objectif global

Connaître et comprendre l'importance d'une gestion des ressources humaines dynamique dans l'évolution d'une entreprise et sa relation avec les autres fonctions de l'entreprise.

Objectifs spécifiques

Après avoir étudié les éléments de ce chapitre, vous serez en mesure :

- de démontrer l'importance des ressources humaines dans l'entreprise ;

- de décrire et expliquer les fonctions de la gestion des ressources humaines ;

- de décrire et expliquer le processus d'embauche, de formation et de perfectionnement des ressources humaines ;

- d'expliquer le processus de rémunération ;

- de démontrer l'importance de l'employé dans la gestion des ressources humaines ;

- de démontrer l'importance des relations de travail et de la convention collective ;

- de décrire et expliquer les étapes de la négociation d'une convention collective de travail ;

- d'expliquer la relation de cette fonction avec les autres fonctions de l'entreprise.

Aperçu du chapitre

9.1   *L'environnement de la gestion des ressources humaines*

Le personnel d'une entreprise représente la ressource la plus importante de toutes. La performance dominante d'une entreprise sur celle de ses concurrents est principalement due à l'efficacité et au dynamisme de son personnel.

La gestion des ressources humaines (GRH) de l'entreprise des années 2000 sera totalement différente de celle des années passées. Le Québec entrant dans la ronde du commerce international, les grandes entreprises à main-d'œuvre abondante ayant disparu, la gestion de personnel est à l'heure de la concertation, ce qui amène nécessairement une nouvelle philosophie de gestion.

Mais il demeure que, fondamentalement, le recrutement et la sélection de personnel qualifié sont des tâches difficiles. Il convient donc de mettre en place des mécanismes qui permettent de réduire au minimum les risques de mauvais choix et de mettre au point une philosophie de gestion stimulant le développement personnel et le sentiment d'appartenance à une organisation.

Dans ce chapitre, nous verrons les différentes fonctions de la gestion des ressources humaines (GRH) ainsi que les principaux éléments des relations de travail entre employeurs et employés.

Les fonctions de gestion des ressources humaines

DÉFINITION

La gestion des ressources humaines consiste essentiellement en un groupe d'activités comprenant la planification des besoins en personnel, le recrutement et l'embauche de candidats ainsi que le perfectionnement et la motivation du personnel.

Plus précisément, ces fonctions sont : *la planification des besoins en personnel, le recrutement et la sélection du personnel, la formation, le perfectionnement du personnel, l'évaluation du rendement du personnel, la promotion et les mutations du personnel, la rémunération du personnel ainsi que la mise sur pied et la gestion d'avantages sociaux.*

Il faut ajouter que, dans une certaine mesure, tous les cadres, quel que soit leur niveau, sont aussi des gestionnaires en ressources humaines, qu'ils soient chef comptable, directeur des ventes ou directeur d'usine. Ces personnages sont tous impliqués durant l'exécution de leur tâche de direction dans la motivation et le développement de leurs employés. À cet égard, leur tâche quotidienne constitue sans aucun doute un élément important dans la gestion des ressources humaines.

La dotation

Parmi les différentes fonctions de la gestion des ressources humaines, la dotation est la fonction de premier plan. Elle est essentiellement le processus comprenant un ensemble de tâches principales et complémentaires impliquant entre autres la détermination des fonctions de travail, l'analyse des postes, la planification des besoins en personnel, le processus d'embauche et l'accueil du nouvel employé.

Bien que ce processus soit complexe, nous nous limiterons à ses fonctions les plus importantes soit *la planification en besoins de personnel, le recrutement du personnel* et *la sélection du personnel*.

LA PLANIFICATION DES BESOINS EN PERSONNEL

Les besoins en personnel ne sont pas en soi des besoins du département des ressources humaines mais bien des besoins des différents départements de l'entreprise. De ce fait, de par sa mission spécifique, la fonction de gestion des ressources humaines se voit donc confier le mandat de concevoir, d'élaborer et mettre en place un programme visant à combler ces besoins en élaborant une planification complète des besoins tant en personnel de gestionnaire que d'exécutant. Cette planification est fondamentalement une composante de la planification stratégique globale de l'entreprise chargée de réaliser les activités liées directement à l'atteinte des objectifs.

Pour les fins de notre sujet, nous prendrons comme exemple le cas d'une entreprise de fabrication de meubles en bois, que nous appellerons Meubles ABC, qui désire se lancer dans la fabrication de meubles en PVC (plastique) pour patios, parterres et piscines.

L'entreprise a décidé d'agrandir son usine actuelle en y ajoutant une nouvelle section où seront concentrées toutes les activités de fabrication des nouveaux produits.

Voici le processus dans la planification des besoins en personnel que Meubles ABC devrait suivre :

- établissement des différentes activités dans le cadre de l'opérationnalisation du projet spécifique ;

- établissement et description des tâches relatives à l'opérationnalisation des activités :
    - tâches de gestionnaire,
    - tâches d'exécutant,
    - tâches de soutien (conseil) ;

- établissement de la description de l'emploi relatif à la tâche :
    - l'établissement de la description de l'emploi consiste à rédiger d'une façon formelle, aux fins de publication, la description de l'emploi et ses exigences : activités à exécuter dans le cadre de l'emploi et formation nécessaire (scolarisation, expérience et expertise) ;

- établissement du profil d'exigences requises pour l'exécution de la tâche :
    - connaissances (scolarité),
    - expérience et expertise ;

- établissement du profil du candidat type à embaucher :
  - scolarité et expérience pertinentes,
  - personnalité,
  - vécu complémentaire.

LE RECRUTEMENT DU PERSONNEL

Le recrutement du personnel est la fonction qui consiste à faire connaître par les moyens de communication appropriés aux types de travailleurs potentiels, préalablement identifiés, les postes à combler. Ce recrutement peut se faire de deux façons : à l'interne ou à l'externe.

1. LE RECRUTEMENT À L'INTERNE

Bon nombre d'entreprises ont une politique d'embauche d'abord à l'interne, c'est-à-dire qu'elles favorisent d'abord la candidature de leurs propres employés pour remplir de nouveaux postes. Le service du personnel gardant un dossier de chacun des employés, l'examen de ces dossiers permet de déterminer si les postulants possèdent les qualifications et qualités nécessaires pour occuper le nouveau poste, et cela rapidement.

Cette méthode de recrutement est peu coûteuse et contribue à créer chez les employés un climat de collaboration.

2. LE RECRUTEMENT À L'EXTERNE

D'autre part, toutes les entreprises ont besoin à un moment ou à un autre de recourir à des sources externes pour combler des postes vacants ou nouveaux. En effet, il est fréquent qu'une entreprise ne possède aucun employé ayant les qualités nécessaires ou que des personnes de l'extérieur soient plus qualifiées. Pour trouver des candidats, les entreprises s'adressent, entre autres, aux centres de main-d'œuvre, aux agences de placement privées, aux écoles de métier et aux bureaux de placement syndicaux, selon le type d'emploi en question. Elles publient aussi des offres d'emploi dans les journaux et dans les revues spécialisées ou encore demandent à leurs employés de recommander des candidats.

LA SÉLECTION DU PERSONNEL

La sélection du personnel est la tâche la plus difficile, surtout lorsque plusieurs candidats valables se présentent. Il est important pour l'entreprise d'avoir le processus de sélection le plus complet possible de façon à éliminer tous les risques potentiels de mauvais choix.

1. LE PROCESSUS DE SÉLECTION

Le processus de sélection comporte plusieurs étapes qui doivent toutes être suivies selon l'ordre suivant :

- Faire compléter une demande d'emploi par chacune des personne qui ont répondu à l'offre d'emploi ;
- Faire une première entrevue avec chacun des candidats retenus après une première élimination suite à l'analyse des demandes d'emploi ;

- Faire passer pour chacun de ces candidats tous les tests requis pour en connaître davantage sur chacun d'eux dont entre autres : les tests d'intérêts personnels, d'aptitude, de vérification de compétence et les tests de personnalité;
- Vérification des références fournies par chacun des candidats.

Après avoir fait passer tous les candidats par ce processus, quelques uns seront retenus. Une démarche supplémentaire de sélection devra être utilisée afin de choisir le candidat à retenir. Elle consiste à:

- Faire passer un examen médical à chacun d'eux par les médecins de la compagnie;
- Vérifier les références fournies par le candidat;
- Faire passer une entrevue avec le ou les supérieurs auxquels le candidat choisi devra répondre.

Dans le cas où les personnes qui répondent à l'offre d'emploi sont déjà à l'emploi de l'entreprise, certaines étapes de ce processus n'auront pas à être suivies, l'entreprise ayant déjà en main les renseignements demandés.

Cette démarche complexe sert à déterminer si les candidats sont capables de remplir la fonction adéquatement. Cette étape est peu risquée puisque la complexité du processus élimine, à toutes fins pratiques, toute incertitude majeure sur l'habileté du candidat à réussir dans sa future fonction.

Toutefois, il importe pour l'entreprise de connaître le niveau et les besoins du candidat qui doivent être satisfaits. C'est en se reportant à l'échelle des besoins d'Abraham Maslow que les responsables de l'embauche découvriront les types de besoins à satisfaire des différents candidats. L'entreprise et le poste sont-ils en mesure de satisfaire les besoins de chacun des candidats? S'agit-il de besoins de sécurité, de connaissances nouvelles, de pouvoir, de perfectionnement, de dépassement, d'altruisme ou de reconnaissance de statut? L'entreprise doit donc choisir le candidat dont l'emploi comblera ces besoins. Le succès de la sélection repose, en grande partie, sur cet élément.

LA FORMATION DU PERSONNEL

La formation du personnel est d'une nécessité absolue pour l'entreprise qui désire devenir et demeurer concurrentielle.

La formation est un concept global où tout individu est appelé autant à recevoir de nouvelles connaissances qu'à développer de nouvelles habilités, dans l'exécution de sa nouvelle tâche, et de nouvelles attitudes autant vis-à-vis son emploi que vis-à-vis son employeur. Dans un contexte d'évolution technologique galopante et de mondialisation des marchés, la formation visionnaire est de rigueur, c'est-à-dire que l'entreprise doit pouvoir inculquer à un nouvel employé une attitude d'évolution vis-à-vis des exigences non seulement du milieu de travail, mais du nouveau contexte de haute concurrence qui viendra, si ce n'est déjà fait, modifier la façon de faire et de fonctionner des entreprises. Les objectifs de la formation sont donc axés sur le rendement au travail ainsi que sur la satisfaction et la motivation de l'employé, quel que soit son statut dans l'entreprise.

Il y a deux types de formation : la formation sur le tas et la formation théorique.

1. LA FORMATION SUR LE TAS

La formation sur le tas, c'est-à-dire durant l'exécution de la tâche, est surtout uti-lisée pour les emplois exigeant une dextérité manuelle où peu de connaissances techniques nouvelles sont nécessaires. Le nouvel employé exécute son travail sous la supervision d'un ouvrier expérimenté qui le conseille et lui transmet des suggestions, sur la base de son expérience et de son efficacité. C'est le cas des différents métiers exercés dans les usines. Il peut arriver que, parallèlement, dans certains cas, une formation théorique soit nécessaire. C'est le cas des jeunes représentants-vendeurs qui, en plus d'être sous la supervision d'un vendeur expé-rimenté, doivent suivre des cours de formation dispensés par l'entreprise.

2. LA FORMATION THÉORIQUE

Certaines tâches exigent une formation théorique en plus d'un entraînement pratique. De plus en plus, la technologie entrant dans les entreprises, que ce soit en informatique ou en robotique (avec ses applications), la formation théorique devient absolument nécessaire. Cette formation peut se faire de façon différente, selon le cas. Ainsi, on pourra former les candidats par des cours magistraux, des simulations, des mises en situation, des séminaires, des moyens audiovisuels ou des conférences.

Il appartient à l'entreprise de combiner les types de formations théoriques qui soient le plus complets et le plus efficaces possible en fonction du type d'emploi.

LE PERFECTIONNEMENT DU PERSONNEL

Le perfectionnement est en soi de la formation continue. Le perfectionnement peut servir à plusieurs fins, entre autres :

- à la mise à jour des connaissances et des expertises des employés à la suite de l'évolution technologique ;
- à acquérir, dans le cas des gestionnaires, de nouvelles connaissances nécessaires à une gestion améliorée ;
- à augmenter la motivation des employés ;
- à rehausser chez l'employé le sentiment de reconnaissance par la direction ;
- à combler des besoins secondaires particuliers tels que le besoin de dépassement ou de reconnaissance de statut par les autres employés ;
- à développer le sentiment d'appartenance à l'entreprise ;
- à permettre à l'entreprise de demeurer concurrentielle dans son industrie.

De toute évidence, le perfectionnement est une absolue nécessité pour une entreprise qui désire survivre et progresser.

L'ÉVALUATION DU RENDEMENT

L'évaluation du rendement consiste à vérifier si le rendement au travail d'un indi-vidu est conforme au rendement souhaité pour lequel il a été embauché. Elle permet aux dirigeants de prendre les décisions qui s'imposent quant au besoin de perfectionnement, à la promotion, aux besoins de formation, à la mutation ou encore au congédiement de l'employé.

L'évaluation du rendement de l'employé répond à trois besoins particuliers. L'évaluation :

- retourne à l'employé l'information relative à son rendement lui permettant de connaître ses points forts et d'améliorer ses points faibles ;
- permet à la direction :
  1) de prendre les mesures qui s'imposent pour permettre à l'employé de s'améliorer,
  2) de le promouvoir ou de le muter,
  3) de lui donner de la formation additionnelle ;
- permet à l'employé de développer de la motivation au travail sachant que l'entreprise désire qu'il s'améliore.

L'évaluation, lorsqu'elle est systématisée, montre le sérieux des gestionnaires et crée un climat de travail serein, propice au développement d'un sentiment d'appartenance.

LA RÉMUNÉRATION

La rémunération est un élément très important de la gestion des ressources humaines. La politique de rémunération d'une entreprise doit fondamentalement être juste et équitable. Un programme de rémunération équilibré attirera des travailleuses et des travailleurs qualifiés, éliminera la rotation trop élevée du personnel et créera un sentiment de satisfaction et de motivation.

Une politique de rémunération repose sur les considérations suivantes :

- la comparaison avec la rémunération de la concurrence pour le même type d'emploi ;
- les particularités de l'emploi ;
- les exigences des lois pertinentes ;
- la situation financière de l'entreprise ;
- le coût de la vie ;
- la productivité relative à l'exécution de l'emploi.

Ces six éléments permettent à l'entreprise d'offrir à son personnel, quels que soient son statut et son niveau, une rémunération fondamentalement sérieuse. Il faut aussi prévoir un mode additionnel qui permette de récompenser les employés plus performants ainsi que les employés qui permettent à l'entreprise de connaître plus de succès et de renommée. Enfin, il est nécessaire de développer une formule par laquelle tout le personnel de l'entreprise profite de l'amélioration de sa performance financière en termes de bénéfices. Aujourd'hui, beaucoup d'entreprises ont des programmes de participation aux bénéfices pour tous les employés ainsi que des programmes d'achat d'actions de la compagnie à prix préférentiel ou à titre de bonus.

Mentionnons encore tous les avantages sociaux dont bien des employés disposent dans la majorité des compagnies importantes.

LES TYPES DE RÉMUNÉRATION

Il y a quatre types de rémunération : à salaire fixe, à commission, à salaire et commission et à la pièce.

1. LA RÉMUNÉRATION À SALAIRE FIXE (À TRAITEMENT)

Ce type de rémunération comporte le salaire horaire et le salaire à traitement.

LE SALAIRE HORAIRE

Le salaire horaire est surtout approprié aux employés à emploi routinier sans aucun défi particulier à relever. C'est le cas des employés de soutien.

LE SALAIRE À TRAITEMENT (HEBDOMADAIRE, MENSUEL OU ANNUEL)

Ce salaire est surtout approprié pour les gestionnaires, quel que soit le niveau de l'entreprise.

2. LA RÉMUNÉRATION À COMMISSION

Le salaire à commission est conçu pour les représentants-vendeurs dont la performance est récompensée selon les résultats. Dans bien des entreprises, les vendeurs à commission sont parmi les salariés les mieux payés de l'entreprise.

3. LA RÉMUNÉRATION À SALAIRE ET COMMISSION

La rémunération à salaire fixe plus commission constitue la combinaison de la majorité des entreprises dans la rémunération de leur personnel de représentants. La commission constitue l'élément stimulateur et de motivation de l'emploi.

4. LA RÉMUNÉRATION À LA PIÈCE

La rémunération à la pièce est surtout retenue pour les tâches non spécialisées afin de stimuler le rendement au travail. Le travail y est répétitif et uniforme. Les usines de chaussures et de bottes d'hiver, par exemple, paient une partie de leur personnel de production de cette façon.

LES AVANTAGES SOCIAUX

Les avantages sociaux constituent un complément de rémunération de plus en plus important dans notre monde industriel. Bien des employés, comme les gestionnaires, considèrent le fonds de pension et les assurances-groupes comme un élément non négligeable dans la décision de postuler un emploi pour entrer dans une entreprise.

Les avantages sociaux les plus fréquents sont:

- les assurances collectives sur la vie;
- les assurances-groupes médicales complémentaires à l'assurance-maladie du Québec;
- l'assurance-salaire en cas de maladie ou invalidité;
- les régimes de retraite;
- l'horaire flexible;
- les congés de maternité (et paternité);
- les vacances.

Enfin, il faut mentionner la contribution des entreprises aux clubs de loisirs et sociaux des employés.

L'employé et la gestion des ressources humaines

Au delà de ce processus que nous venons de voir, qui est plutôt formel et routinier, il y a les aspects du comportement de l'employé qui ont trait à son degré de satisfaction au travail et au climat des relations interpersonnelles avec ses collègues et ses supérieurs.

À cet égard, les entreprises des années 2000 devront innover en matière de gestion de ressources humaines. Les salaires et les avantages sociaux ne sont plus les seuls agents de solution aux problèmes de gestion et de motivation dans la gestion du personnel.

Dans les années qui viennent, c'est la responsabilisation et la gestion participative ainsi que l'enrichissement de la tâche et la reconnaissance du travail bien fait qui seront les principaux leviers de l'évolution et du succès d'une entreprise. Ils assureront un climat de travail sain, une productivité soutenue et une qualité de rendement continu.

LA RESPONSABILISATION DE L'EMPLOYÉ

Faire accepter la responsabilisation à l'employé, c'est lui faire admettre et comprendre qu'il est autant un maillon indispensable dans l'évolution de l'entreprise qu'un agent de son propre développement.

La responsabilisation de l'employé amènera sans aucun doute une réduction du taux d'absentéisme, une réduction du taux de roulement du personnel et accentuera le sentiment d'appartenance à l'organisation qui lui manifestera en retour, d'une façon ou d'une autre, de la reconnaissance créant ainsi un climat de travail enthousiasmant.

LA GESTION PARTICIPATIVE

La gestion participative est une application particulière d'un support à la direction exercée par le gestionnaire dans son leadership. Elle implique la consultation auprès d'employés qui généralement exercent une forme de leadership informellement reconnue et acceptée par les employés d'une unité opérationnelle dans un département ou un service de l'organisation.

Cette consultation porte sur des décisions qui, entre autres, touchent l'amélioration de la productivité et ses implications dans la majorité des cas sur la modification des tâches relatives aux méthodes de travail. Cette approche est particulièrement pertinente aujourd'hui pour les entreprises qui, non seulement pour celles qui font face à de la concurrence féroce au niveau des coûts de fabrication, mais aussi pour celles qui doivent obligatoirement, d'une façon régulière, mettre à jour leur parc d'équipements relatifs aux nouvelles technologies d'information et de gestion.

L'ENRICHISSEMENT DE LA TÂCHE

Dans les entreprises, certaines tâches sont relativement simples et routinières. Généralement, pour les employés affectés à ces tâches, il en résulte une motivation au travail inégale, une productivité minimum et un absentéisme élevé.

L'enrichissement de la tâche constitue une solution efficace à ces types d'emploi. L'enrichissement de la tâche consiste à augmenter les charges de l'emploi en les diversifiant et en y ajoutant des responsabilités. L'enrichissement de la tâche ne convient pas à toutes les tâches d'exécutant dans une entreprise; mais la créativité et l'imagination des gestionnaires, aidés de consultants, peuvent permettre d'innover à ce chapitre d'une façon significative avec, nécessairement, la contribution des exécutants concernés.

Il faut mentionner en terminant qu'il appartient aux dirigeants d'entreprise et de gestion de personnel de trouver les combinaisons qui conviennent à leurs situations problématiques propres.

LA RECONNAISSANCE DU TRAVAIL ACCOMPLI

La reconnaissance du travail accompli est un élément de la gestion des ressources humaines qui est très rarement invoqué ou discuté par les propriétaires et les hauts gestionnaires d'entreprise. Pourquoi en est-il ainsi? Il y a plusieurs raisons qui expliquent cet aveuglement apparent. En voici les principales.

1. UNE QUESTION DE CULTURE D'ENTREPRISE ET DE GESTION

L'absence de la reconnaissance du travail accompli est très souvent une question de culture d'entreprise ou d'une culture de gestion. Cette absence est générale-ment liée aux valeurs de la culture même du ou des propriétaires qui, dans leur propre comportement ignorent la reconnaissance du travail accompli, soit parce qu'elle ne leur a pas été inculquée soit parce qu'ils ne savent pas comment la manifester. La nouvelle génération d'entrepreneurs et de gestionnaires y sont maintenant plus ouverts. Cette attitude envers l'employé constitue aujourd'hui une mesure exceptionnelle de rétention de personnel. Elle rend l'employé très hésitant à laisser un emploi pour en rechercher un autre où il ne retrouverait pas la même reconnaissance de son travail.

2. UN TRAVAIL RÉPÉTITIF ET MACHINAL

Dans les entreprises de fabrication ou de service où le travail n'est que répétitif et machinal et ne requiert aucune dextérité ou connaissance particulière pour son exécution, la reconnaissance du travail accompli constitue une difficulté importante puisque l'exécution comme telle des tâches n'en expose pas la valeur d'accomplissement. Il est donc très difficile de manifester cette reconnaissance d'une façon précise.

3. UNE QUESTION DE FAÇONS DE FAIRE

Pour tous les propriétaires et gestionnaires ouverts à la nécessité de manifester la reconnaissance du travail accompli, une difficulté majeure se présente lorsque vient le moment de trouver la façon appropriée de le faire. Il n'y a pas de recette et de moyens uniformes pour concrétiser cette volonté d'agir. Il appartient donc à l'imagination de chacun des propriétaires ou hauts gestionnaires de trouver l'idée qui générera la concrétisation de cette volonté.

9.2   *Les relations de travail*

Toute entreprise qui compte un minimum d'employés doit s'attendre, tôt ou tard, à l'éventualité de voir naître un syndicat à l'intérieur de ses murs. Les centrales syndicales québécoises FTQ (Fédération des Travailleurs du Québec), CSN (Con-fédération des Syndicats nationaux) et CSD (Centrale des Syndicats démocrati-ques), représentant les ouvriers des secteurs industriel, commercial ou public sont des organismes puissants qui essaient de s'établir dans les entreprises à types d'emplois non spécialisés ou peu spécialisés. Les métiers très spécialisés sont représentés par des grandes centrales canadiennes ou américaines.

Bien que les médias rapportent régulièrement des conflits de travail dans certaines entreprises, il n'en demeure pas moins que les relations patronales-syndicales au Québec sont excellentes. La très grande majorité des conflits se règle rapidement à la satisfaction des deux parties.

Pour pouvoir recevoir un statut officiel de syndicat affilié, le syndicat doit passer par plusieurs étapes de formation. Cela commence par la création d'une association qui présente une demande de reconnaissance syndicale au Commissaire général du travail. Une fois la demande reçue et différentes étapes de vérification passées, le certificat d'accréditation est émis, confirmant la reconnaissance du syndicat par le ministère du Travail.

Une fois le syndicat reconnu, l'entreprise (la partie patronale) doit suivre avec le syndicat une procédure de négociation pour arriver à signer une première convention collective de travail. Cette procédure est décrite dans le Code du travail.

La convention collective de travail

Les conventions collectives couvrent habituellement une période maximale de trois ans. Elles sont le plus souvent le résultat de plusieurs jours et même de semaines de discussions, de désaccords et de compromis. Une fois l'entente conclue, les syndiqués doivent l'accepter ou la rejeter. En cas de refus, il arrive qu'on recommence à négocier ou que les syndiqués décident de recourir à la grève pour essayer d'obtenir ce qu'ils revendiquent.

Une fois ratifiée par les syndiqués, la convention devient un document à caractère légal qui régit les relations patronales-syndicales pendant la durée de la convention. Les conventions comportent généralement trois éléments :

- les clauses à incidence monétaire ;
- les clauses à caractère normatif ;
- un mécanisme de règlement des griefs.

Le tableau 9.1 expose les sujets habituellement traités dans une convention collective.

Tableau
9.1

Sujets habituellement traités dans une convention collective	
Clauses à incidence monétaire Elles touchent les salaires	**Clauses à caractère normatif** Elles concernent les relations entre le syndicat et l'employeur
• Échelle de traitements • Indexation • Heures de travail • Description des tâches • Avantages sociaux • Congés payés (de maladie, de maternité et de paternité, de mortalité, de perfectionnement) • Assurances collectives (salaire, maladie, invalidité, vie) • Régime de retraite, etc.	• Prélèvement de la cotisation syndicale • Sécurité d'emploi • Ancienneté • Critères d'embauche • Licenciement des salariés • Liberté d'action syndicale • Mesures de santé et de sécurité au travail • Mutation, promotion • Règlement de griefs, etc.

Les conflits entre la partie syndicale et la partie patronale

LE DIFFÉREND

Le différend est un conflit portant sur la négociation d'une convention collective ou sur son renouvellement. La grande majorité des conventions collectives de travail se signent sans aucun heurt ou confrontation qui bloque ou retarde la signature d'une entente. Toutefois, il y a des situations où les parties n'arrivent pas à se mettre d'accord et l'intervention d'une tierce partie s'avère nécessaire, bien que le Code du travail impose aux parties le devoir de négocier de bonne foi.

LA CONCILIATION

Le Code du travail prévoit qu'en cas d'impasse, l'une ou l'autre des parties peut demander au ministre du Travail de désigner un conciliateur pour les aider à en arriver à une entente. Le rôle du conciliateur est de tenter de rapprocher les parties en leur proposant de faire des concessions mutuelles. Le conciliateur ne décide pas des termes d'une entente pour les parties, mais il essaie plutôt de les convaincre de modifier leur position.

LA MÉDIATION

En cas d'échec de la conciliation, il arrive fréquemment que le ministre du Travail nomme un médiateur qui recommande un projet d'entente après avoir étudié les positions des parties. La recommandation du médiateur n'engage pas les parties qui peuvent l'accepter ou la rejeter.

L'ARBITRAGE

Si la conciliation et la médiation n'ont pas réussi, une autre étape est possible. L'article 74 du Code du travail stipule que les parties peuvent soumettre, sur demande, leur litige à la procédure d'arbitrage, c'est-à-dire au conseil d'arbitrage qui est composé de trois membres. Ces personnes peuvent être choisies par chaque partie ou sinon par le ministre du Travail. La décision d'un conseil d'arbitrage tient lieu de convention collective et lie les parties pour tout au plus deux ans. La grève ou le lock-out en cours, lors de la nomination d'un conseil d'arbitrage, prend fin à compter du moment où les parties sont informées de la décision du conseil d'arbitrage.

LE GRIEF

Bien qu'une convention collective puisse avoir été signée dans l'harmonie et qu'elle ait couvert tous les éléments possibles assurant un bon fonctionnement de l'application de la convention, il arrive fréquemment que la partie patronale donne une interprétation différente de la partie syndicale dans l'application des clauses de cette convention.

Un grief est donc une mésentente relative à l'interprétation ou à l'application de certaines clauses de la convention. Le grief d'un employé est d'abord soumis par l'agent syndical au superviseur immédiat de l'employé. Si le problème se règle, la procédure s'arrête à cette étape. Dans le cas contraire, un cadre supérieur du syndicat peut porter le grief auprès d'un cadre plus élevé de la direction de l'entreprise. Si le cadre supérieur de l'entreprise ne peut régler le grief, celui-ci est amené devant un arbitre choisi par le syndicat et par l'employeur ou, à défaut d'accord, nommé par le Ministre. La sentence arbitrale est sans appel et lie les parties.

LA GRÈVE

Le syndicat possède plusieurs moyens pour exercer des pressions sur l'employeur afin de l'amener à négocier et à signer une convention de travail. En plus du piquetage par les employés et du boycottage qui sont des moyens d'intimidation plus ou moins efficaces, il y a un dernier recours, la grève.

La grève est l'arme syndicale la plus puissante. Il s'agit d'interrompre le travail jusqu'au règlement du conflit ou jusqu'à la signature de la convention.

Comme la grève représente l'arme la plus redoutable du syndicat, celui-ci n'y a pas recours à la légère et la loi assujettit ce recours à de strictes conditions. Dans bien des cas, la menace de grève est presque aussi efficace que la grève elle-même.

Si l'entreprise est affectée d'une façon importante par la grève, celle-ci est généralement de courte durée. Par contre, lorsque l'entreprise peut quand même servir sa clientèle durant la grève, elle est habituellement longue. D'une façon générale, les syndiqués longtemps en grève sont toujours perdants car, pendant la grève, l'entreprise réalise de grandes économies par le non paiement des salaires.

LE LOCK-OUT

Le lock-out est l'arme principale de l'entreprise. C'est la fermeture de l'entreprise ; c'est la grève de la partie patronale. Très souvent, le lock-out survient pour donner suite au déclenchement d'une grève. L'entreprise a recours au lock-out pour limiter les pertes financières et lorsqu'elle a pu approvisionner à l'avance sa clientèle qui a été mise au courant de l'éventualité inévitable de la grève. Généralement, la situation se règle lorsque les deux parties ont plus à perdre qu'à gagner à faire perdurer le lock-out et la grève.

L'avenir des relations de travail

Partout en Amérique du Nord, le syndicalisme est aujourd'hui en perte de vitesse. Ses meilleures années sont passées. Les conditions de travail des employés se sont nettement améliorées et les salaires sont maintenant à la hauteur du coût de la vie.

Avec la venue de l'informatique, de l'automatisation et de la robotisation, la masse des cols bleus (employés d'usine) a diminué de façon importante. Les employés de bureau (cols blancs) ont aussi diminué en nombre et la préoccupation du syndicalisme est donc maintenant axée sur deux éléments :

- la sécurité d'emploi ;
- les régimes de retraite.

Les industries du secteur mou (biens de consommation semi-durables : vêtements, chaussures, etc.) ont quitté le Canada depuis déjà un certain temps. Les grandes entreprises comme GM, Bell, Xerox, IBM ont déjà commencé à licencier un nombre important de leurs employés, tout cela par suite de la mondialisation des marchés, de l'informatisation et du modernisme des communications. Pour les grandes entreprises, il n'y a plus de frontières.

Il va de soi que le syndicalisme traditionnel n'a plus sa place. Les travailleurs d'aujourd'hui ont des caractéristiques très différentes de ceux des années 1950 et 1960, entre autres :

- ils forment un groupe plus diversifié. Il y a beaucoup plus de femmes au travail depuis le début des années 1980 ;

- ils sont plus riches. En dépit de l'inflation et du chômage, le revenu hebdomadaire moyen du travailleur a augmenté de façon importante. Le fait que le conjoint travaille également a entraîné une augmentation du revenu familial moyen jusqu'à un niveau record. Dans plus de 70 % des foyers, les deux conjoints travaillent ;

- ils bénéficient de meilleurs avantages sociaux qui comportent, notamment, l'assurance pour des soins multiples ;

- ils sont plus scolarisés. Au début des années 1960, 30 % de la main-d'œuvre avait à peine terminé des études de niveau primaire. Ce groupe ne représente plus qu'un petit pourcentage de la main-d'œuvre. Le nombre des diplômés d'écoles secondaires et de collèges a aussi augmenté ;

- ils travailleront davantage dans un bureau qu'à l'usine. Actuellement, plus de la moitié des travailleurs sont des cols blancs ;

- ils ont plus de loisirs. Les heures de travail ont diminué. Les vacances sont plus longues ;

- ils sont plus mobiles. Aujourd'hui, le travailleur moyen conserve son emploi moins longtemps qu'autrefois.

Les travailleurs des années 2000 seront davantage sensibilisés aux questions de l'environnement, des horaires variables et de la participation aux décisions. L'avenir du syndicalisme dépendra donc des réponses que les syndicats pourront offrir à ces nouveaux travailleurs.

Les relations de travail de l'avenir : le partenariat

La meilleure façon de convaincre les employés qu'ils ont un intérêt dans le succès de l'entreprise est de leur donner un statut de partenaire en devenant actionnaire.

Au cours de la dernière décennie, des milliers de régimes d'actionnariat ont vu le jour aux États-Unis et au Canada. L'actionnariat des salariés a permis de sauver des entreprises en péril et de stimuler les employés à augmenter leur productivité. Des entreprises québécoises connues telles que Cascades, de même que des milliers de petites entreprises ont mis sur pied de tels régimes. Ce ne sont pas toutes les entreprises qui peuvent intégrer l'actionnariat des employés. Seules les entreprises non saisonnières, stables, à personnel relativement spécialisé, pourront tirer avantage de cette formule.

9.3 | *La santé et sécurité au travail*

Au Canada, il y a des législations autant de compétence fédérale que provinciale portant sur la sécurité et la santé au travail. Ces législations adoptées il y a plusieurs années, et mises à jour régulièrement, suite à des pressions faites entre autres par les syndicats alors que plusieurs de leurs membres ont été victimes d'accidents de travail et que d'autres sont morts ou ont vu leur santé se détériorer au point de devoir cesser de travailler. Au Québec, la principale loi est la loi sur la santé et la sécurité au travail (LSST). La Commission de la santé et sécurité au travail (CSST) est l'organisme chargé de contrôler son application en plus de faire enquête sur les accidents de travail et sanctionner les entreprises fautives.

On entend par santé et sécurité au travail, tout ce qui a trait aux conditions autant physiologiques que physiques et même psychosociales auxquelles le personnel d'une entreprise quel qu'il soit, à l'exception des propriétaires de l'entreprise, est soumis dans l'exécution de son travail.

Facteurs à l'origine des accidents de travail

Statistiquement, les accidents de travail sont généralement dus à trois facteurs principaux : le type d'entreprise, les comportements dangereux de certains employés et les comportements négligents de certains employeurs.

LE TYPE DE L'ENTREPRISE

Le taux d'accidents de travail peut varier substantiellement d'une entreprise à l'autre selon leur type d'activité. Ainsi, les entreprises de construction et de fabrication enregistrent plus d'accidents que les entreprises de service, quelle que soit leur taille, bien que chaque secteur d'activité ait sa législation spécifique.

LES COMPORTEMENTS DANGEREUX D'EMPLOYÉS

Les enquêtes démontrent que, majoritairement, ce sont les employés eux-mêmes qui sont les responsables de leurs accidents de travail suite au non respect des normes de sécurité imposées par l'entreprise ou provoqués par des facteurs circonstanciels à caractère psychologique ou émotif. Le stress ou l'inexpérience de l'employé est aussi souvent en cause.

LES COMPORTEMENTS NÉGLIGENTS D'EMPLOYEURS

Les comportements négligents de certains petits employeurs sont aussi souvent cités dans les accidents de travail. Leur négligence est parfois volontaire dans un but non avoué de réduction de coûts alors que généralement c'est la non application de mesures préventives, la négligence ou encore l'inexpérience d'un superviseur immédiat qui est mis en cause.

Facteurs à l'origine des maladies professionnelles

Les maladies reliées à l'exécution d'une tâche au travail sont nombreuses. Elles peuvent être d'ordre physique ou physiologique. Le développement de maladies est causé par un environnement à risque. Les risques peuvent être d'ordre chimique, physique, biologique et ergonomique ainsi que ceux reliés à certains métiers spécifiques particuliers.

LES RISQUES D'ORDRE CHIMIQUE

Les entreprises qui fabriquent des produits chimiques à base de matières premières faites de composantes chimiques (liquide ou poudre) exposent leurs employés à des risques très élevés d'accidents de travail.

LES RISQUES D'ORDRE PHYSIQUE

Le bruit, la chaleur et le froid constituent des risques pour certains types de travail, plus particulièrement ceux qui sont exécutés à l'extérieur ou parfois à l'intérieur pour le bruit.

LES RISQUES D'ORDRE BIOLOGIQUE

Les employés qui sont en relation directe avec des individus à risque sont susceptibles de développer des maladies. Le milieu hospitalier en est un bel exemple où des virus peuvent être facilement transmis des patients au personnel les côtoyant.

LES RISQUES D'ORDRE ERGONOMIQUE

Les blessures au dos sont parmi les plus fréquentes dans les emplois à caractère manuel. Elles sont généralement reliées aux positions de travail inconfortables dues à de l'équipement non approprié utilisé dans l'exécution des tâches.

LES RISQUES RELIÉS AUX MÉTIERS

Certains types de métiers sont plus à risque que d'autres. Ainsi les métiers de mineur, de la construction, de pompier de même que les emplois reliés à la manipulation constante de produits chimiques, pour ne nommer que ceux-là, sont parmi les types de métiers les plus dangereux.

Certains moyens de prévention

Au Québec la CSST propose des moyens de prévention dont le principal objectif vise à développer et augmenter la responsabilisation des entreprises sur la santé et la sécurité au travail de leurs employés. Les principaux moyens qu'elle propose sont les suivants:

- Établir et réviser régulièrement les programmes de santé et sécurité au travail;
- Établir des politiques d'utilisation d'équipement de façon sécuritaire;

- Établir des règlements sur la santé et la sécurité au travail;
- Établir un programme de surveillance de l'évolution du milieu de travail;
- Réviser régulièrement les méthodes de travail à risque pour la santé et sécurité des employés;
- Utiliser de l'équipement de protection approprié dans l'exécution d'une tâche à caractère dangereux;
- Établir un programme de formation sur la santé et la sécurité au travail.

9.4 L'encadrement de la gestion des ressources humaines

Relation avec les autres fonctions

La fonction gestion des ressources humaines est une fonction qui, en soi, n'est pas dans l'axe direct de la réalisation de la mission et des objectifs de l'entreprise. Cette fonction prend de l'importance avec la croissance de l'entreprise alors que le volume et la complexité des tâches requièrent l'expertise d'un spécialiste et son équipe en gestion de personnel. Même la petite entreprise qui a dépassé le niveau artisanal doit faire appel périodiquement à de tels spécialistes pour bien établir ses relations administratives et bien choisir son personnel clé.

Il est à noter que tout le domaine de l'embauche, de la formation et du perfectionnement du personnel, de même que celui des relations de travail, demeure la responsabilité de la gestion des ressources humaines sur laquelle repose la

Figure
9.1

Relation de la fonction gestion des ressources humaines avec les autres fonctions de l'entreprise

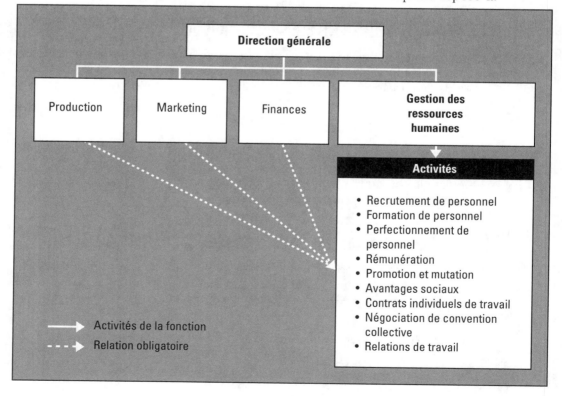

performance humaine de l'entreprise, lui conférant ainsi une importance de premier ordre, quoi qu'indirecte, en regard des objectifs de l'entreprise. La figure 9.1 expose la relation avec les autres fonctions de l'entreprise.

Le sous-système ressources humaines

La fonction de gestion des ressources humaines (personnel) est le quatrième sous-système du système entreprise. La figure 9.2 expose le fonctionnement de ce sous-système dont le mandat est de faire en sorte que toute la ressource humaine de l'entreprise soit la plus efficace possible pour assurer la rentabilité projetée dans la planification.

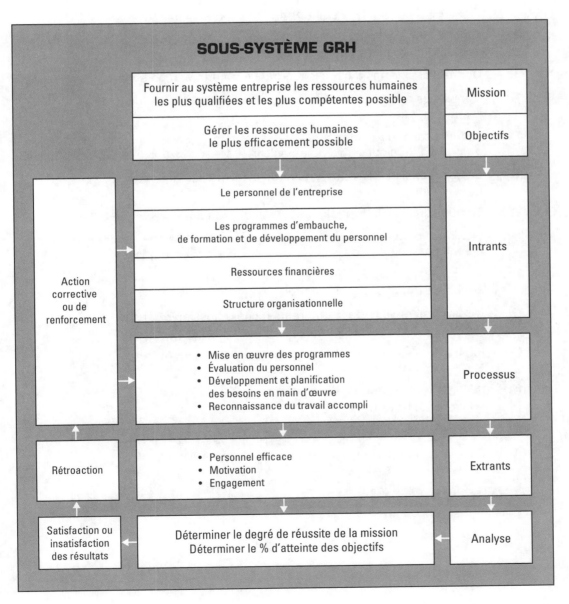

Figure
9.2

Illustration du fonctionnement du sous-système ressources humaines

Questions

de RÉVISION

1. En quoi consiste la gestion du personnel ?

2. Décrivez le procédé de planification des besoins en personnel.

3. Exposez les deux façons de faire le recrutement du personnel.

4. Dans la sélection du personnel, quels sont les outils nécessaires à une sélection non risquée ?

5. Quels sont les différents besoins à satisfaire chez un candidat ?

6. En quoi consiste la formation du personnel ?

7. Expliquez les deux types de formation du personnel.

8. Quelles sont les fins que poursuit l'entreprise dans le perfectionnement du personnel ?

9. Donnez les besoins auxquels répond l'évaluation du personnel.

10. Donnez les considérations sur lesquelles repose une politique de rémunération.

11. Nommez et expliquez brièvement les éléments qui composent une convention collective de travail.

12. En quoi consiste l'enrichissement de la tâche ? Expliquez brièvement.

13. En quoi consiste la gestion participative ? Expliquez brièvement.

14. Expliquez brièvement les principales raisons à la base de la non reconnaissance du travail accompli par certaines entreprises.

15. Dans quelles circonstances la rémunération à la pièce est-elle appliquée ? Expliquez brièvement.

16. Nommez et expliquez les différents recours possibles dans le règlement d'impasses dans les relations de travail.

17. Expliquez, en vos mots, l'avenir du syndicalisme en Amérique du Nord.

18. Expliquez, en vos termes, ce qu'est le partenariat dans les relations de travail.

19. Quels sont les facteurs à l'origine des accidents de travail ?

20. Énumérez certains moyens de prévention des accidents de travail.

Lecture

TOUS POUR UN :

Un modèle de gestion participative où chaque employé y met du sien

Source: François Marien, Magazine PME

Monsieur Jean Benoît, président de Dieco, n'y va pas par quatre chemins lorsqu'on lui demande les raisons du succès de son entreprise, une PME lavalloise de 81 employés qui fabrique des emporte-pièces (instrument en acier très dur pour trouer ou découper sous l'effet d'un choc). «Nous livrons chaque année plus de 10000 emporte-pièces à de grosses sociétés multinationales et nationales», explique-t-il. «Une petite société comme la nôtre ne pourrait soutenir ce rythme et progresser si chacun de ses employés, quelle que soit sa position dans l'organigramme, n'était pas conscient que l'excellence de son travail est garante du succès de l'ensemble. Comment obtenons-nous ainsi le maximum de chacun de nos employés? Par la méthode des équipes de travail ÉTAG !»

Appliqué avec succès en Europe durant les années 1960, au Japon durant les années 1970 et plus récemment aux États-Unis et au Canada anglais, le concept des équipes de travail autogérées ou ÉTAG (connu aussi sous les vocables semi-autonomous work team ou self-directed work team), une variante très sophistiquée de la gestion participative, suscite un intérêt grandissant au Québec.

«Une ÉTAG, c'est un groupe d'employés qui travaille sans ou avec un minimum de supervision. L'équipe est responsable d'un service et d'un produit, en plus d'accomplir des tâches autrefois dévolues à la direction. L'ÉTAG est un mode de gestion souple qui peut s'adapter à n'importe quel type d'entreprises. Dans la majorité des endroits où il a été mis en application, le système a amené des changements positifs quant à la productivité des employés, leur implication et leur attitude envers leur travail. Le dynamisme et, par conséquent, les profits de l'entreprise s'en sont beaucoup mieux portés», affirme monsieur Jean-Maurice Collard, consultant en productivité.

La participation

«Ma méthode est simple, chaque chef d'équipe reçoit ses directives et explique les objectifs au reste de l'équipe qui détermine elle-même la voie qu'elle prendra pour les réaliser. Cela favorise l'interaction constante entre les membres de l'équipe, sans interférence extérieure au groupe. Cette façon de faire amène nos gens à être sérieux et à comprendre leur travail», explique monsieur Benoît.

L'implantation s'est faite sans bouleversement majeur étant donné la connaissance approfondie du système de la part de son président. «Après dix ans d'existence, lorsque nous avons pris de l'ampleur et qu'il devint nécessaire de diviser le personnel en équipes, je me suis assuré que celui-ci comprenne bien les principes de base de l'ÉTAG, surtout sur le plan de la délégation des pouvoirs. Mon défi est de m'assurer que mes cadres et chefs d'équipe ne tentent pas de tout assumer eux-mêmes, mais qu'ils délèguent eux aussi lorsqu'un travail peut être accompli par plus compétent qu'eux».

Résultat, la PME est devenue très performante et a fait l'acquisition de plusieurs concurrents au fil des ans. En dix ans, le chiffre d'affaires est passé de 1,5 million à près de 5 millions de dollars et il ne cesse de progresser.

Revoir et changer

En 1987, la société Chocolats Jean et Charles est en difficulté, au point de frôler la faillite. Monsieur Jean-Jacques Laliberté, le président de l'entreprise montréalaise, décide alors de restructurer l'organigramme selon le modèle des ÉTAG. «Dès l'implantation du modèle, nous avons eu la tâche plus facile, car la division de la société en trois équipes distinctes, production, ventes et administration, nous a permis de mieux isoler les problèmes de chacune», relate monsieur Laliberté.

À titre d'exemple, certaines fonctions manuelles ont été automatisées avec comme résultat une hausse importante du rendement des employés. Certaines équipes ont commencé à travailler selon des objectifs précis. La production a été amenée à penser avant tout à la qualité du produit, la vente s'est concentrée sur la clientèle – les organismes à but non lucratif – et la satisfaction du client est devenue la préoccupation numéro un de l'administration. Enfin, certaines équipes ont été fractionnées à leur tour. «Cette façon de faire nous permet d'être à l'écoute des besoins de chacune de nos équipes et celles-ci nous le rendent bien, accomplissant jour après jour un travail phénoménal», explique monsieur Laliberté.

«Il y a eu de la résistance au début, parce que nos employés ont cru que l'implantation du modèle des équipes allait signifier un surplus de travail. Il a fallu les convaincre qu'augmentation de la productivité de l'entreprise ne signifiait pas nécessairement une hausse de la somme de travail, seulement une amélioration de la qualité du travail. Je ne crains pas d'affirmer que, sans l'adoption du modèle des équipes, notre entreprise n'existerait plus à l'heure actuelle», conclut Jean-Jacques Laliberté.

Pas de baguette magique

L'implantation réussie des ÉTAG dans l'entreprise ne se fait cependant pas sur un coup de baguette magique. «Bien des présidents de PME ont cru qu'on pouvait assister à un séminaire un jour et convoquer le personnel le lendemain pour annoncer que l'on travaillerait dorénavant selon le modèle des équipes de travail», explique monsieur Collard. Résultat: un échec à coup sûr.

Pour réussir l'implantation d'une ÉTAG, il faut investir de façon marquée dans la formation des employés. En contrepartie, il faudra prévoir une certaine baisse de la production lors de l'implantation.

«Les employés à qui on avait toujours dit quoi faire doivent devenir autonomes, tandis que les cadres doivent passer du statut de celui qui dit quoi faire à celui qui encourage, qui éduque, qui supporte le moral des troupes. Dans certains cas, il faudra bien sûr compter sur la collaboration du syndicat. Évidemment, il y a autant de façons d'appliquer le modèle qu'il existe d'entreprises, mais il faut absolument respecter une certaine méthode sinon l'on s'expose à l'échec. »

Monsieur Collard croit que le modèle des ÉTAG ne passera pas inaperçu bien longtemps au Québec. « Nos concurrents plus dynamiques nous ont montré la voie : la gestion participative est supérieure aux formes de gestion traditionnelles, car elle permet d'ajouter l'apport des ressources humaines au système technique. Parmi les différents modèles de gestion participative, les ÉTAG sont sans aucun doute un des plus appropriés pour relever les défis d'aujourd'hui et de demain.

QUESTIONS

1. Qu'est-ce que l'ÉTAG ? Expliquez brièvement.

2. Quelle est la base du succès de l'ÉTAG ?

3. Quelle a été l'objet de la résistance des employés des Chocolats Jean et Charles face à l'implantation de l'ÉTAG ?

4. Quels sont les avantages de l'ÉTAG ?

Annexe *Sujets complémentaires*

La rétention du personnel clé: maintenant une préoccupation majeure des entreprises

La performance et le succès d'une entreprise et, dans plusieurs cas, la survie même de certaines, dépend dans la majorité des cas du personnel clé qui y ont contribué d'une façon significative. De nos jours, avec la pénurie annoncée de personnel clé compétent et expérimenté, et surtout le départ d'employé clé, les dirigeants d'entreprises font face à un problème de plus en plus inquiétant soit la sollicitation de leurs employés clé par des entreprises concurrentes souvent combinée aux démarches incessantes des «chasseurs de têtes» qui est devenue un phénomène de plus en plus répandu.

Le départ des employés d'une entreprise suite à leur désengagement causé généralement par une perte de confiance en la gestion des dirigeants, crée un effet négatif important sur toute l'organisation, que ce soit sur des liens de confiance, des façons de travailler et de communiquer et surtout des relations interpersonnelles qui ont généralement bâti une efficacité opérationnelle d'équipe. De plus l'effet se fait aussi sentir très souvent chez la clientèle et parfois même chez les fournisseurs. Son remplacement est coûteux en formation et en adaptation sans oublier l'effet négatif tant sur les profits de l'entreprise que sur le moral de l'entourage immédiat de l'employé clé, à tout le moins.

La rétention de ces employés clé devient maintenant une préoccupation de premier ordre. La solution toute faite à cette problématique n'est pas encore trouvée puisque le contexte de l'environnement interne est différent d'une entreprise à l'autre. La solution doit alors être basée en premier lieu sur la considération de l'employé clé (gestionnaire ou chercheur) comme étant maintenant «l'actif le plus important» de l'entreprise. Une fois cette considération devenue la seconde priorité après celle de la rétention du client, une stratégie de rétention efficace doit être élaborée.

L'élaboration d'une stratégie de rétention doit être basée prioritairement sur des éléments à caractère humain qui touchent les valeurs et ambitions de la personne pour assurer le développement continu de son talent dans l'environnement de l'entreprise. Cette vision de stratégie remet maintenant en question sur plusieurs aspects la conception de la gestion des ressources humaines en ce qui a trait aux mesures de rétention particulièrement aux postes de gestionnaire.

La stratégie de rétention doit commencer dès l'embauche du candidat. Toutefois, il faut se rappeler que le candidat idéal n'existe pas de même que l'entreprise idéale pour le candidat. Ceci étant dit, le candidat recherche généralement l'entreprise la plus idéale possible pouvant lui offrir l'environnement le plus harmonieux et respectueux de ses besoins, de ses valeurs ainsi que de ses ambitions et aspirations. Sa référence est généralement basée sur la notoriété et la réputation de l'entreprise dans son milieu d'affaires. Le choix du candidat le plus idéal possible constitue le préalable obligatoire. Cette tâche est la plus difficile. Un processus de sélection doit donc être le plus rigoureux, imaginatif et complet possible pour découvrir le vrai personnage et valider ses valeurs et attitudes avec celles de la culture de l'entreprise.

LES SOLUTIONS

Devant les nouveaux défis de rétention du personnel clé des années 2010 la gestion même de l'entreprise est interpellée pour s'ajuster aux nouvelles réalités de la société actuelle. Avant même de parler de rétention de personnel clé, des éléments préalables doivent être en place pour assurer le succès de la stratégie.

Éléments préalables

Avant de mettre en place une stratégie de rétention, un certain nombre d'éléments de comportement et de particularités corporatives basés sur des composantes de la culture d'entreprise doivent obligatoirement être présents, dont entre autres:

- un climat de gestion harmonieux à tous les niveaux de gestion;
- un sentiment d'appartenance fort à l'entreprise chez le personnel;
- un système d'appréciation et de reconnaissance du travail accompli;
- des conditions de travail optimales.

Des éléments préalables complémentaires sont plus que nécessaires pour les moyennes entreprises et grandes dont entre autres :

- un programme d'avancement et de promotion;
- des mesures de perfectionnement de connaissance et de compétence;
- un fond de pension pour les employés;
- un programme d'assurance santé pour l'employé et sa famille.

Les avantages concurrentiels

Même si ces éléments sont présents, l'entreprise doit considérer d'offrir comme solution des «avantages concurrentiels» basés autant sur les acquis que sur les avantages à demeurer au sein de l'entreprise». Voici quelques exemples de programmes de rétention des employés clé. Certaines de ces idées sont déjà appliquées et donnent des résultats concluants:

- des mesures de conciliation travail famille;
- une implication de l'employé dans le plan de développement de l'entreprise;
- un système de bonus en actions de l'entreprise ou de participation aux profits;
- un programme de bourses d'études pour les enfants de l'employé.

De plus il est souhaitable d'avoir des solutions particulières pour reconnaître l'apport tout spécial d'un employé clé au succès et au développement de l'entreprise pour l'inciter fortement à demeurer au sein de la «famille de l'entreprise».

Enfin il appartient à la direction de ces entreprises d'être imaginative et de mettre au point des solutions en fonction de leur situation d'affaires dont, entre autres, la dimension de l'entreprise (nombre d'employés), le secteur d'activités et la capacité financière.

QUESTIONS

1) Quel est la cause du départ d'employé clé ?

2) Quelles sont les conséquences du départ des employés clé ?

3) Comment l'entreprise doit-elle maintenant considéré son employé clé ?

4) Sur quoi doit être basée la stratégie de rétention de l'employé clé ?

5) Quand doit commencer la stratégie de rétention de l'employé clé ?

6) Quels sont les préalables minimum avant la mise en place d'une stratégie de rétention des employés clé ?

Partie 4

L'entreprise et les défis

- L'entrepreneurship et le démarrage d'entreprise

- L'entreprise et la mondialisation du commerce

Plan du VOLUME

**UN MODÈLE
EXCEPTIONNEL
DE RÉUSSITE**

Chapitre *10*

L'ENTREPRENEURSHIP ET LE DÉMARRAGE D'ENTREPRISE

Objectif global

Connaître et comprendre toute l'importance de l'entrepreneurship dans notre économie.

Objectifs spécifiques

Après avoir étudié les éléments de ce chapitre, vous serez en mesure :

- de démontrer l'importance de la petite et moyenne entreprise dans l'activité économique ;

- d'expliquer ce qu'est l'entrepreneurship ;

- de montrer les avantages et inconvénients de démarrer ou d'acquérir une petite entreprise ;

- d'expliquer le franchisage ;

- de décrire et expliquer les éléments du succès d'une petite entreprise ;

- de montrer et expliquer le cheminement préalable au démarrage d'une petite entreprise ;

- d'exposer et expliquer les étapes du plan d'affaires ;

- d'exposer et expliquer les éléments nécessaires à une bonne gestion.

Aperçu du chapitre

10.1 *Considérations sur l'entrepreneurship*

Dans tous les pays industrialisés, la petite et la moyenne entreprise constituent la composante la plus importante de l'activité économique du pays. Plus de 90% de toutes les entreprises canadiennes sont des petites et moyennes entreprises qui emploient plus de 50% de la main-d'œuvre totale.

Le présent chapitre va traiter des considérations sur ces types d'entreprises, de l'entrepreneurship et des éléments relatifs au démarrage d'une petite entreprise.

La petite et moyenne entreprise

RÔLE DE LA PETITE ET DE LA MOYENNE ENTREPRISE (PME) [1]

Une entreprise n'a pas besoin d'être grande pour jouer le rôle de créateur de nouveaux produits et services, de richesse et d'emploi, ou de développement régional. Une petite entreprise peut très bien le faire. Elle est parfois plus avantagée que la grande entreprise. De par sa taille, la petite entreprise possède plus de flexibilité face aux changements du milieu socio-économique. Sa structure est simple, moins hiérarchisée, ce qui permet une réaction et une prise de décisions plus rapides face aux changements dans les législations et les tendances du marché ou encore vis-à-vis de la stratégie des concurrents.

Sa petite taille lui permet d'établir des relations personnalisées avec ses employés et ses clients. On y respecte les valeurs humaines dans un contexte où les installations et les équipements sont aussi de dimension humaine. Dans un tel climat, les employés peuvent participer à la mise en œuvre, développer leur créativité et utiliser leur imagination.

Le marché de la petite entreprise étant généralement local ou régional, elle développe une meilleure connaissance de ses clients et des consommateurs. Cette reconnaissance immédiate des préférences et des goûts du marché lui permet d'innover, de s'adapter à la demande et de fournir un meilleur service après-vente.

Issue la plupart du temps d'initiatives répondant à des besoins du milieu, la petite entreprise joue donc un rôle de premier ordre dans la communauté. Elle utilise les ressources locales, stimule l'activité économique et assure la création d'emploi. Elle est aussi plus attentive aux requêtes particulières du milieu. Par effet d'entraînement, elle engendre d'autres activités fructueuses et une série d'initiatives elles-mêmes aussi prometteuses. La petite entreprise constitue donc une composante essentielle de l'économie.

---

1. Adapté de: Fortin, Paul-A. *Devenez entrepreneur: pour un Québec plus entrepreneurial*, Collection Entreprendre, Fondation de l'Entrepreneurship, Publications Transcontinental inc. et Les Presses de l'Université Laval, 2e édition, Charlesbourg, Montréal et Sainte-Foy, 1992, 360 p.

DÉFINITION ET CARACTÉRISTIQUES DE LA PME [1]

Plusieurs définitions de la PME ont été avancées par différents intervenants, la plupart à partir de critères quantitatifs, que ce soit à partir du nombre d'employés, du volume de vente, de la valeur de l'actif ou encore à partir de critères qualitatifs tels que l'indépendance des propriétaires ou la dimension de la structure organisationnelle. Ainsi Gérard d'Ambroise, de l'Université Laval, dans son ouvrage *La PME canadienne: situation et défis* définit la PME comme étant une firme dont les dirigeants jouissent d'une autonomie décisionnelle complète, dont le volume des ventes est inférieur à 20 000 000 $, dont le nombre d'employés n'excède pas 500, et qui ne domine pas son secteur d'activité économique.

Afin de rendre cette définition plus complète, ajoutons-y les principales caractéristiques identifiées par Pierre-André Julien, de l'Université du Québec à Trois-Rivières, lesquelles portent sur la personnalisation de la gestion et la faible spécialisation dans la gestion.

Pour résumer, nous définirons la PME comme étant une firme possédée et gérée de façon indépendante, ne dominant pas son secteur d'activité économique et ayant une structure organisationnelle simple, dont le volume d'affaires ne dépasse pas le 20 000 000 $ et dont le nombre d'employés est inférieur à 500.

Qu'est-ce que l'entrepreneurship? [1]

L'entrepreneurship est un terme utilisé pour faire référence à ce que fait un entrepreneur. L'entrepreneurship commence avec la découverte d'une occasion d'affaire, ou d'une demande qui a besoin d'être satisfaite.

Dans certains cas, il s'agit du développement d'un bien, d'un service, d'un processus totalement nouveau ou, dans d'autres cas, d'une nouvelle utilisation d'un produit existant.

Il y a un élément d'invention ou de découverte dans l'entrepreneurship, mais ce n'est pas l'élément clé. Ce ne sont pas toutes les découvertes ou inventions qui deviennent des succès commerciaux. De plus elles ne sont pas toutes mises en marché, n'atteignant pas par conséquent les gens qui pourraient les utiliser.

Les ressources économiques doivent être mises ensemble selon une forme quelconque d'organisation pour fabriquer et vendre le produit. Cette organisation des ressources pour créer un bien ou un service est l'élément clé de l'entrepreneurship. D'où la définition de l'entrepreneurship exprimée par Yvon Gasse, de l'Université Laval comme étant: «l'appropriation et la gestion des ressources humaines et matérielles dans le but de créer, de développer et d'implanter des solutions permanentes permettant de répondre aux besoins des individus.»

Toute société possédant un bon potentiel d'entrepreneurship est plus apte à répondre aux besoins et à s'adapter aux changements du milieu. Bien que l'entrepreneurship soit lié au domaine économique, il peut tout aussi bien se manifester dans d'autres sphères d'activité ou domaines tels que les arts, les sports, la politique ou les affaires sociales. Il est donc important de se rappeler que l'esprit entrepreneurial se traduit par une volonté constante de prendre des initiatives et de s'organiser en fonction des ressources disponibles pour obtenir des résultats concrets».

---

1. Adapté de: Fortin, Paul-A. *Devenez entrepreneur: pour un Québec plus entrepreneurial,* Collection Entreprendre, Fondation de l'Entrepreneurship, Publications Transcontinental inc. et Les Presses de l'Université Laval, 2e édition, Charlesbourg, Montréal et Sainte-Foy, 1992, 360 p.

L'entrepreneurship peut être individuel ou collectif. S'il est individuel, il est important de retrouver chez le même individu les qualités de base, les expériences et les connaissances minimales nécessaires pour réussir (son plan). Par contre, si l'entrepreneurship est collectif, les préalables manquant chez un individu peuvent être compensés par la présence de collaborateurs les possédant. D'où l'importance d'associer des personnes dont les talents, les disciplines et les personnalités divers se complètent et qui partagent les mêmes objectifs.

■ Créer ou acquérir une entreprise

À moins d'avoir un projet unique, une innovation ou encore une idée de projet avant-gardiste justifient la création d'une entreprise, l'entrepreneur ayant un certain capital et désireux de se lancer en affaires peut aussi opter pour l'acquisition d'une entreprise déjà établie.

Les deux options offrent chacune des avantages et des inconvénients. Le choix de l'une ou l'autre option relève de plusieurs facteurs propres à l'entrepreneur d'abord guidés par un cheminement personnel préalable.

CRÉER SA PROPRE ENTREPRISE

Créer sa propre entreprise constitue la réalisation d'un rêve généralement développé bien avant la décision de démarrer, Par exception, dans certains cas particuliers, cette décision est la résultante de conclusions tirées suite à un concours d'événements circonstanciels qui provoquent la décision de démarrer une entreprise. Pensons à ces situations de fermeture d'usines ou aux décisions de fabricants de confier à des sous-traitants la production de certaines pièces ou partie de produit qu'ils fabriquaient antérieurement. Ces deux situations constituent de plus en plus de nouvelles occasions pour des travailleurs de démarrer leur propre entreprise. Cette option comporte à la fois des avantages et des inconvénients.

1. AVANTAGES

- Pas de capitalisation majeure de départ ;
- Liberté du choix de la localisation (d'un magasin par exemple), des employés, du type de produits, des techniques de production et du marketing ;
- Grande récompense financière par la vente d'un produit ou d'un service qui n'était pas sur le marché auparavant.

2. DÉSAVANTAGES

- Absence d'une clientèle établie ;
- Manque de personnel expérimenté ;
- Bâtiment et équipement souvent rudimentaires ;
- Manque de fournisseurs établis ;
- Manque de sources de financement.

ACQUÉRIR UNE ENTREPRISE DÉJÀ ÉTABLIE

Acquérir une entreprise déjà existante comporte aussi des avantages et des inconvénients. Bien que souvent intéressante sur le plan du coût d'acquisition, il est important, toutefois, qu'une occasion d'affaires corresponde aux critères de choix de l'acquéreur éventuel.

1. AVANTAGES

- Entreprise financièrement rentable ;
- Minimum de risques financiers avec le support d'une clientèle établie ;
- Absence des soucis du départ d'une nouvelle entreprise.

2. DÉSAVANTAGES

- Capitalisation de départ importante ;
- Risque que l'entreprise finisse par connaître un déclin ;
- Risque de payer trop cher pour l'achat de l'entreprise ;
- Risque d'acquérir une entreprise où l'équipement est désuet et où le personnel et les méthodes de travail sont dépassés ;
- Mauvaises réactions possibles du personnel à la venue d'un nouveau propriétaire.

Dans le cas du choix d'acquérir une entreprise déjà existante, il importe d'en choisir une dont l'entrepreneur connaît déjà le domaine et où il pourra mettre à contribution son expertise et ses connaissances. La grande question est de savoir quel prix on doit payer pour l'achat d'une entreprise. Il convient d'utiliser plusieurs méthodes différentes qui, en principe, devraient amener l'acquéreur potentiel à se faire une bonne idée de l'ordre de grandeur de la valeur de l'entreprise.

3. FACTEURS À CONSIDÉRER DANS L'ACHAT D'UNE ENTREPRISE DÉJÀ ÉTABLIE

Il y a plusieurs facteurs à considérer dont voici les principaux :

- la santé du secteur industriel : l'industrie est-elle en croissance ou en décroissance?
- la concurrence : y a-t-il trop de concurrents?
- le marché : est-il saturé?
- la localisation pour le commerce de détail ;
- l'âge et l'expertise du personnel technique ;
- le degré de désuétude de la machinerie et de l'équipement ;
- l'évolution technologique de l'industrie ;
- le niveau d'endettement de l'entreprise ;
- le degré de syndicalisation et l'histoire syndicale de l'entreprise.

Bien que tous ces éléments semblent préoccupants, il n'en demeure pas moins qu'il se trouve régulièrement des occasions exceptionnelles d'acquisition d'entreprises à des coûts très avantageux en relation avec les faits suivants :

- vente pour cause de maladie ou décès du propriétaire ;
- entreprise en difficulté financière par suite d'une mauvaise gestion (manque de liquidités) ;
- entreprise en faillite dans un secteur prometteur ;
- entreprise en difficulté financière admissible aux subventions gouvernementales.

Dans ces derniers cas, la prudence et l'analyse en profondeur sont toujours nécessaires avant de prendre la décision d'acheter. À cet effet, l'embauche d'experts constitue une dépense nécessaire dans la majorité des cas pour minimiser le risque de mauvais choix en l'absence d'expertise personnelle.

4. LES FRANCHISES

Presque à tous les jours depuis le début des années 1990, un nouveau magasin s'installe dans un centre d'achats ou à un coin de rue de votre localité. De plus en plus, il s'agit de l'ouverture d'une nouvelle franchise. Pensons à Subway, Super-Frites, McDonald, Harvey's, Dunkin' Donuts, pour ne nommer que celles-là. En 1988, il y avait plus de 4000 franchises au Canada. Aujourd'hui, ce nombre a probablement plus que doublé.

Le concept de franchise représente une formule d'affaires très intéressante, ce qui explique son grand succès. Bien des entrepreneurs sont prêts à payer un bon prix pour acquérir une franchise plutôt que de démarrer une entreprise à zéro. Dans les lignes qui suivent, nous verrons les principaux éléments du franchisage.

▦ DÉFINITION

La franchise est une convention entre deux parties, le franchiseur (celui qui vend la franchise) et le franchisé (celui achète la franchise), par laquelle le franchisé gère un commerce sous le nom du franchiseur et vend les produits ou services du franchiseur, moyennant un coût d'achat de la franchise et des redevances à payer sur les ventes selon les termes de la convention.

Le franchiseur s'engage généralement, entre autres, à fournir au franchisé un certain support promotionnel, une expertise de gestion, une formation du personnel et une marque déposée.

Le franchisé s'engage à se conformer à toutes les exigences du franchiseur :

- bâtiment et aménagement intérieur, le cas échéant, conformes aux exigences du franchiseur;
- l'approvisionnement auprès du franchiseur de tous les produits à vendre et à utiliser dans les opérations du commerce.

L'achat d'une franchise comporte des avantages et des inconvénients.

▦ AVANTAGES

L'entrepreneur qui désire acquérir une franchise jouit de plusieurs avantages, entre autres :

- l'acquisition d'une marque éprouvée;
- une expertise d'étude de marché;
- une expertise de gestion, de marketing, de formation du personnel et de système comptable;
- un support promotionnel.

▦ DÉSAVANTAGES

Par contre, cette formule comporte des inconvénients importants, entre autres :

- un coût d'achat et des redevances souvent très élevés lorsque la franchise est bien implantée et connaît du succès;
- une rentabilité pas aussi intéressante que prévue à cause du coût élevé des redevances;
- l'absence de liberté dans l'approvisionnement qui peut constituer un coût plus élevé si les prix du franchiseur sont plus élevés que ceux d'autres fournisseurs étrangers.

Sur quels éléments repose la décision d'achat d'une franchise?

Il y a plusieurs éléments qui entrent en ligne de compte dans la décision d'achat d'une franchise :

- la santé financière du franchiseur ;
- la renommée et l'ancienneté de la franchise ;
- le degré de saturation de la franchise dans la localité ;
- le coût d'achat de la franchise et ses redevances ;
- les engagements complémentaires ;
- l'avenir du produit et de la franchise ;
- le capital initial à investir pour acquérir la franchise.

10.2 *Le démarrage de sa propre entreprise*

Conditions préalables

LES PRINCIPAUX ÉLÉMENTS DU SUCCÈS

Avant même de prendre la décision de démarrer sa propre entreprise, il est nécessaire pour l'éventuel entrepreneur de connaître les fondements du succès de la future entreprise. Il y a six éléments fondamentaux qu'il faut faire siens dans sa démarche et sa discipline personnelle. Ce sont :

- l'assurance d'un marché potentiel suffisant pour assurer la viabilité du projet. Si la demande pour un produit n'est pas suffisante, la rentabilité ne viendra jamais et la faillite ou la fermeture viendra rapidement ;

- l'investissement initial personnel suffisant. Cet investissement personnel servira non seulement à démarrer l'entreprise, mais aussi à couvrir les déficits d'exploitation pendant les années de lancement et de début de croissance de l'entreprise. À nouveau, si le capital personnel n'est pas suffisant, la fermeture ou la faillite viendra rapidement ;

- une planification du développement de l'entreprise et un contrôle sérieux de ses opérations. Le suivi des dépenses d'exploitation doit être rigoureux de façon à éliminer tout gaspillage et toute dépense inutile ou non prévue ;

- la décentralisation partielle du pouvoir décisionnel de l'autorité. Dès le début, dès que l'importance de l'entreprise l'exige, l'entrepreneur doit commencer à déléguer de l'autorité à des employés fiables. Cette délégation permet :
  - de développer un esprit d'équipe, un sentiment d'appartenance et de pouvoir ainsi garder les employés à potentiel de gestionnaire pour assurer le développement de l'entreprise,
  - d'éviter à l'entreprise d'être affectée par l'absence de l'entrepreneur en cas de maladie, vacances ou voyages d'affaires.

LE CHEMINEMENT PERSONNEL

Avant de prendre la décision de se lancer en affaires, un cheminement personnel préalable est absolument nécessaire pour déterminer si vous avez le potentiel et le profil de l'entrepreneur. Le succès de votre entreprise dépend, au départ, de l'analyse et du potentiel de votre projet, mais surtout de votre capacité à développer et gérer cette future entreprise. Une analyse de votre personne en fonction du profil entrepreneurial vous révélera tout ce que vous possédez ou ne possédez pas pour réussir dans votre projet.

Il serait nécessaire de savoir si vous avez les caractéristiques, les motivations ainsi que les principales qualités personnelles de l'entrepreneur. Les tableaux 10.1, 10.2 et 10.3 exposent les principales caractéristiques, motivations et qualités de l'entrepreneur.

Tableau
10.1

Principales caractéristiques de l'entrepreneur[1]

• Possède une certaine autonomie financière	• Veut obtenir, soudainement, un revenu important
• Désire renouveler un produit ou un service existant	• Apporte un essor économique dans une région
• Perçoit une impossibilité d'avancement dans son cheminement de carrière	• Désire réaliser un rêve
	• Désire combler un besoin nouveau ou un besoin non satisfait

Tableau
10.2

Principales motivations de l'entrepreneur[1]

• A un désir de dépassement	• Désire de la notoriété
• A de l'ambition et le goût du pouvoir	• Veut une ambiance de travail favorable
• Désire l'indépendance	• Désire de l'épanouissement intellectuel
• Veut un revenu élevé	• Désire la sauvegarde de la vie familiale

Tableau
10.3

Principales qualités de l'entrepreneur[1]

• Ténacité	• Curiosité
• Esprit d'initiative, débrouillardise	• Enthousiasme
• Sens des responsabilités	• Aptitude à communiquer son enthousiasme aux autres
• Résistance au choc	• Aptitude à décider
• Aptitude à se contrôler	• Esprit critique, jugement
• Capacité de travail	• Capacité d'adaptation
• Bonne santé	• Flair
• Aptitude à comprendre les autres	

1. Adapté de : Fortin, Paul-A. *Devenez entrepreneur : pour un Québec plus entrepreneurial*, Collection Entreprendre, Fondation de l'Entrepreneurship, Publications Transcontinental inc. et Les Presses de l'Université Laval, 2e édition, Charlesbourg, Montréal et Sainte-Foy, 1992, 360 p.

Si ces éléments ne sont pas vôtres, vos chances de succès sont limitées. Par contre, si vous vous rapprochez de ces trois profils, votre réussite est en principe assurée.

Élaborer son plan d'affaires

Une fois le cheminement préalable complété avec des résultats positifs venant de l'analyse et de la connaissance de soi, la décision de démarrer son entreprise n'est qu'une question de formalité. Toutefois, elle doit suivre une étape très importante, c'est-à-dire l'élaboration de son plan d'affaires.

DÉFINITION D'UN PLAN D'AFFAIRES

Le plan d'affaires se définit comme un guide structuré et détaillé de toutes les démarches et réponses aux questions que l'entrepreneur doit envisager avant le démarrage de son entreprise afin d'assurer avec succès son lancement et son évolution. Il doit couvrir tous les aspects de l'implantation et de la gestion de la future entreprise. Le tableau 10.4 vous expose les principaux éléments du contenu d'un plan d'affaires.

LES ÉTAPES DE L'ÉLABORATION D'UN PLAN D'AFFAIRES

La concrétisation d'un plan d'affaires doit prendre tout le temps requis pour assurer une évolution logique et complète de la démarche nécessaire à la prise de décisions. Il y a six étapes principales à suivre :

1re étape	• La cueillette des données primaires et secondaires relatives à l'étude du marché

2e étape	• L'étude de faisabilité
	  – Investissements
	  – Coûts de production
	• L'étude de rentabilité

3e étape	• La mise au point du produit (prototype) • Le test du produit
4e étape	• Le calendrier d'implantation

5e étape	• La signature des engagements :
	  – Achat (terrain, bâtiment, équipement et produits)
	  – Baux et contrats d'approvisionnement
	  – Engagement de la main-d'œuvre
	  – Contrat de construction et installation de l'équipement

6e étape	• La mise en œuvre du calendrier d'implantation et démarrage de l'entreprise

Tableau
10.4

Principaux éléments d'un plan d'affaires[1]	
1. **Étude et analyse de l'environnement externe**	Étude et analyse de l'industrie où désire opérer l'entreprise: la concurrence – les entreprises: leurs forces et faiblesses – les produits: leurs forces et faiblesses
2. **Présentation de l'entreprise et de son produit**	Présentation de l'entreprise – date de la fondation de l'entreprise – historique de l'entreprise – équipe de direction et réalisations personnelles des membres Présentation du produit – description du produit – description de ses avantages concurrentiels – description du potentiel de marché
3. **Présentation du plan marketing**	Recherche et analyse des marchés – description de la clientèle cible – description de l'évolution du marché – évaluation des forces et faiblesses des produits concurrents – description de la part de marché à conquérir et des prévisions de ventes Plan de mise en marché – description de la planification stratégique de marketing – description de la politique de fixation des prix – description de la stratégie publicitaire – description de la stratégie de vente – description de la politique de service après-vente Plan de design et de mise au point du produit: – description de l'état d'avancement et de mise au point du produit – description des difficultés et risques rencontrés et des solutions pour les surmonter – description des efforts d'amélioration pour conserver l'avantage concurrentiel – description des coûts de développement du produit Bénéfices devant être retirés par la communauté: – bénéfices sur le plan économique – bénéfices sur le plan du développement humain – bénéfices sur le développement général de la communauté

1. Adapté de: Fortin, Paul-A. *Devenez entrepreneur: pour un Québec plus entrepreneurial*, Collection Entreprendre, Fondation de l'Entrepreneurship, Publications Transcontinental inc. et Les Presses de l'Université Laval, 2ᵉ édition, Charlesbourg, Montréal et Sainte-Foy, 1992, 360 p.

Tableau
10.4
SUITE

4.	**Plan de production et d'exploitation**	Description de l'opérationnalisation – description de la localisation de l'entreprise – description de l'usine actuelle (et améliorations proposées) ou de la future usine – description des différentes opérations de l'usine – description de la main d'œuvre nécessaire et des conditions actuelles de qualification et de disponibilité ainsi que des démarches de formation
5.	**Plan des ressources humaines**	Description de la structure organisationnelle – description des postes de haute direction – description de la philosophie de l'entreprise et du conseil d'administration – description des besoins de formation à combler chez certains dirigeants – description des besoins de support de professionnels d'appoint
6.	**Plan de gestion de mise en œuvre du plan d'affaires**	Présentation de l'échéancier de la mise en œuvre du plan d'affaires – description des risques et problèmes potentiels reliés à la mise en œuvre du plan d'affaires
7.	**Plan financier**	Présentation des documents prévisionnels – présentation des états des résultats pro forma – présentation des budgets de caisse – présentation du bilan pro forma – présentation du seuil de rentabilté en regard de la planification stratégique de développement du produit et de l'entreprise – description du système de contrôle des coûts
8.	**Proposition de financement**	Description des besoins de financement – identification des besoins précis de financement à court et long termes – identification des sources de financement envisageables
9.	**Relations avec le banquier**	Description de la démarche et de l'attitude à adopter avec votre banquier

LA DÉCISION

Prendre des décisions est toujours la tâche la plus difficile, surtout pour l'entrepreneur qui désire démarrer son entreprise.

Si le plan d'affaires a été fait avec le plus grand sérieux et avec le plus d'expertise possible, les risques de mauvaises décisions sont minimisés au maximum. Cette décision se prendra donc dans l'enthousiasme.

Il demeure un facteur très important à ne pas négliger : le moment opportun pour démarrer. En affaires, il faut arriver au bon moment avec le bon produit ou service. C'est une question de «TIMING». Les recherches et études de marché ayant été exhaustives, il vous sera possible de déterminer assez précisément le moment opportun pour démarrer ou pour abandonner le projet. Le «FLAIR» est absolument nécessaire.

▉ Les principaux éléments d'une bonne gestion

Pour réussir avec son entreprise, il faut plus que des connaissances, de l'expertise, un bon produit et un bon personnel. Il faut une implication personnelle entière et particulièrement sur les éléments suivants :

- s'imposer une discipline personnelle rigoureuse et ne jamais reporter ce qui doit être fait maintenant ;
- exercer une bonne communication et un bon leadership avec son personnel ;
- s'imposer une rigueur dans la planification : ne laisser aucun détail au hasard ;
- exercer un contrôle strict des dépenses et sorties de fonds ;
- développer le sens de la vision de l'avenir de l'industrie, du produit et de l'économie ;
- adopter une attitude positive face à l'évolution technologique, aux changements des législations et du comportement du consommateur. Il faut s'adapter.

▉ Conclusion

En terminant ce chapitre, notez qu'il vous est possible d'obtenir plus de détails sur le plan d'affaires et la connaissance de soi en consultant le livre de Paul-A. Fortin, *Devenez entrepreneur : pour un Québec plus entrepreneurial*. Collection Entreprendre, Fondation de l'Entrepreneurship, Publications Transcontinental inc. et Les Presses de l'Université Laval, 2e édition, Charlesbourg, Montréal et Sainte-Foy, 1992, 360 p.

Questions
de RÉVISION

1. Donnez les avantages et inconvénients du démarrage de sa propre entreprise.

2. Donnez les avantages et inconvénients de l'acquisition d'une entreprise déjà établie.

3. Nommez les facteurs à considérer dans l'acquisition d'une entreprise déjà établie.

4. Quels sont les éléments qui peuvent faire en sorte que l'acquisition d'une entreprise déjà établie puisse constituer une occasion d'affaire exceptionnelle?

5. Définissez le concept de «franchise».

6. Exposez les engagements du franchiseur et du franchisé.

7. Donnez les avantages et désavantages de l'acquisition d'une franchise.

8. Nommez les éléments sur lesquels repose la décision d'acquérir une franchise.

9. Décrivez brièvement les principaux éléments nécessaires au succès d'une nouvelle entreprise.

10. Donnez:
    - les principales caractéristiques de l'entrepreneur;
    - les principales motivations de l'entrepreneur;
    - les principales qualités de l'entrepreneur.

11. Énumérez les étapes de l'élaboration du plan d'affaires.

12. Expliquez les éléments nécessaires à une bonne gestion de sa future entreprise.

Lectures

COPERNIC :

L'histoire unique d'une complicité fraternelle exceptionnelle de deux cégépiens déterminés

Entrevue exclusive avec Martin Bouchard
Président fondateur de Copernic.com

Monsieur Bouchard, comment vous est venue cette passion pour l'informatique?

Mon père était agent de recherche au gouvernement du Québec. Il avait à rédiger des textes qu'il devait écrire à la main. Dès qu'il a pu se servir d'un ordinateur personnel, il s'est vite rendu compte que l'avenir était là, que c'était très important que ses enfants aient la chance d'apprendre à se servir d'un ordinateur. Pour lui, c'était vraiment devenu sa passion, son loisir. Alors je peux dire que c'est grâce à mon père que j'ai eu la chance d'attraper le «virus» de l'informatique.

Quel âge aviez-vous à ce moment-là?

Je crois que j'avais 9 ou 10 ans lorsque nous avons eu le premier ordinateur, un Vic 20. Dès mon premier contact avec l'ordinateur, ce fut la révélation. Il y en a pour qui c'est le hockey ou le patin, pour moi ce fut l'ordinateur personnel. J'ai commencé avec des jeux. Mon père achetait des magazines sur l'informatique et peu à peu, j'ai touché à la programmation. À la fin du secondaire, mes connaissances étaient assez étendues pour quelqu'un qui n'avait pas de formation académique sur le sujet. Je peux dire que plus j'avançais dans mes études en mathématiques, physiques ou autres, plus je comprenais l'aide de l'ordinateur dans ces domaines. Ça devenait très intéressant comme outil.

Au primaire ou au secondaire, aviez-vous des rêves?

Au primaire, je ne m'en rappelle pas. Par contre au secondaire, j'étais quelqu'un d'assez rêveur et d'assez ambitieux. Je voulais faire quelque chose de spécial, ne pas faire comme tout le monde. Comme j'avais développé un certain talent en informatique, je voulais trouver de nouvelles solutions. Je rêvais d'un produit qui serait reconnu dans le monde entier. J'ai eu de petites entreprises d'été avec des collègues dans le domaine de l'informatique et dans d'autres domaines. Mais mon grand rêve était de posséder ma propre entreprise. Je voulais inventer, créer quelque chose qui serait reconnu dans le domaine de la technologie.

Qu'est-ce qui vous a amené à choisir Techniques informatiques?

Au secondaire, il n'y a pas vraiment de cours d'informatique important. Pour moi, la voie de la science était la voie logique, sauf que j'ai rapidement découvert que je ne voulais pas perdre de temps. Le Cégep, c'était pour moi la façon d'aller rapidement dans le concret, d'améliorer mes techniques, parce que j'avais appris de façon autonome avec les mauvais plis que ça peut donner. Techniques informatiques, c'était vraiment ce qui répondait à mes attentes et à mes besoins.

Qu'est-ce qui vous a amené à créer un moteur de recherche pour Internet?

Au Cégep, on a commencé à travailler avec Internet. À cette époque, tout était en textes, il n'y avait pas d'images, on tapait toutes sortes de commandes. Nous savions qu'il y avait beaucoup d'information qui s'y trouvait mais la façon d'y arriver était très complexe. Tout avait l'air chinois pour la plupart des personnes. Je suis un gars de technologie mais, par ailleurs, j'ai horreur de la technologie compliquée. Je recherchais des solutions afin de faciliter l'accès à toute cette banque de renseignements. Mon frère Éric et moi avons beaucoup réfléchi à ce problème et avons commencé à faire des prototypes de moteur de recherche, chez nous le soir. Après le Cégep, plutôt que d'accepter un emploi comme la plupart de mes collègues, j'ai décidé de me lancer en affaires. Mon objectif était de continuer à développer des prototypes le soir tout en prenant des contrats plus traditionnels dans la gestion le jour. Lorsque j'ai eu suffisamment de sous, j'ai délaissé complètement la consultation afin de me concentrer uniquement sur le projet de recherches et d'accès à l'information sur Internet.

Quel a été le facteur déclencheur de la fondation de Copernic?

Il y eut d'abord l'idée de créer quelque chose de nouveau qui a mené à l'invention du moteur de recherche sur Internet et il y avait aussi chez moi le côté entrepreneur qui était assez présent. On s'est donc dit : pourquoi ne pas marier les deux en formant une entreprise avec l'invention. C'est comme ça que l'on a créé la Compagnie. Au départ en 1996, les actionnaires étaient, en plus de mes parents, mon frère et moi. Nous étions âgés de 20 et 24 ans.

D'où est venue l'idée de choisir le nom «Copernic»?

Lorsque nous avons pensé créer la Compagnie, il y avait déjà plusieurs outils de recherches sur le marché tels Web, Sticker, Fast Finder, Thurbo, etc. Nous voulions un nom différent, un nom qui se démarquerait. Nous avons cherché un nom de scientifique connu qui allierait en même temps notre désir d'avoir un nom court, simple à retenir. Il faut savoir que l'astronome Nicolas Copernic a marqué un tournant dans l'histoire de la pensée et du progrès scientifique. Nous trouvions ce nom intéressant car, à l'instar de Copernic, nous changeons l'approche des gens en matière de recherche d'informations.

Quel fut le capital de départ?

C'est mon père qui a apporté le capital de départ de l'entreprise, soit une somme d'environ 15000$. Cet argent a servi à acheter des ordinateurs, des cartes réseaux, des logiciels. Nous épargnions le loyer car tout se faisait au sous-sol de mes parents. C'était vraiment le strict minimum.

Quelle a été votre source complémentaire de financement?

Nous avons d'abord développé un prototype, qui était assez primaire à ce moment-là, et nous avons monté de la documentation explicative. Avec ça, nous avons rencontré nos parents et nos amis et avons expliqué notre idée de développement. Même si peu de personnes connaissaient Internet, il y eut quand même une bonne réception de la part des gens qui trouvaient qu'on connaissait notre sujet et qui nous ont fait confiance. Environ 30 à 35 individus ont injecté autour de 185000$. Nous avons pu accélérer le tempo, trouver un autre local, acheter d'autres ordinateurs et engager deux personnes.

Expliquez-nous le développement de votre moteur de recherche.

On a commencé à développer par des prototypes et des études sur papier. On a ensuite fait des versions préliminaires qu'on a montrées à des personnes qui nous ont donné leurs commentaires. Il y a eu aussi de gros chambardements car, à un moment donné, on a décidé d'abandonner complètement une certaine approche puis de recommencer avec une autre. Évidemment, les délais ont augmenté d'une façon assez considérable. Il ne faut pas oublier que pendant qu'on se développait, Internet se développait aussi, il changeait beaucoup. Une chose aussi que tout inventeur sait, c'est que quand il a une idée, quelqu'un d'autre dans le monde peut avoir la même ou une similaire. Nous avons eu des concurrents avec des moyens financiers plus élevés, ce qui nous occasionnait beaucoup de pression. Nous étions un peu découragés mais nous nous sommes dit que nous n'avions absolument rien à perdre à continuer. Nous avons donc essayé de battre la concurrence, d'être meilleurs qu'elle. Nous y avons mis tout notre cœur et sommes enfin arrivés avec un produit que nous avons envoyé à des analystes du marché sur ZD Net, qui est un site d'évaluation de logiciels. Ces analystes nous ont accordé tout de suite 5 étoiles, la meilleure cote qu'on pouvait avoir. Après il y a eu énormément de gens qui ont essayé notre produit. Aujourd'hui, près de quatre millions de personnes utilisent notre produit. Nous pouvons donc penser que nous avons le meilleur outil de recherches sur Internet pour les ordinateurs personnels. Avec quatre ressources, tout le processus de développement a pris près de deux ans.

En quelques mots, qu'est-ce que le moteur Copernic?

On utilise le mot moteur de recherche pour simplifier mais finalement, c'est plus que ça, c'est un outil de gestion de recherche sur Internet. Avec Copernic, non seulement peut-on faire des recherches, mais on peut aussi les classer, les trier, les gérer, les mettre à jour. L'idée de départ était d'améliorer et de simplifier la façon d'accéder aux renseignements qui se trouvent sur Internet.

Est-ce qu'on parle d'étapes de croissance de Copernic?

On peut parler effectivement de plusieurs étapes. Lorsque nous avons mis sur le marché notre version 1, nous n'étions que quatre personnes. Un an plus tard, nous étions quinze, ce qui était une grosse croissance pour nous. Nous en sommes maintenant à une étape majeure, c'est-à-dire une structuration de la Compagnie. Nous avons maintenant un directeur général, des spécialistes en gestion des ressources humaines, des analystes de projets. C'est un changement total car notre Compagnie comptera bientôt une soixantaine de personnes.

Quels sont les grands projets de Copernic?

Nous voulons devenir un leader mondial dans la recherche et l'accès à l'information. Nos clients sont déjà partout dans le monde. On veut continuer cette approche internationale et être plus agressif encore. On parle donc d'investissements plus importants dans le développement de nouveaux produits, d'ouverture de bureaux à travers le monde, de campagnes de marketing plus agressives et de la conclusion d'alliances stratégiques avec le monde des télécommunications. Voilà nos grands projets des prochaines années.

TECKN-O-LASER:

Une réussite de recyclage exceptionnelle d'un gestionnaire «allumé»

Source : Magazine PME avec la permission de l'auteure madame Diane Bérard

Les entreprises naissent dans les circonstances les plus diverses. C'est en regardant une poubelle qu'Yvon Léveillé, président de Teckn-O-Laser, a eu son idée d'entreprise!

«À l'époque, je gérais une firme fabriquant des logiciels. Chaque soir, en quittant le bureau, je regardais avec consternation l'énorme quantité de cartouches d'encre usagées que nos techniciens jetaient à la poubelle. Ces cartouches servaient à faire des tests sur les imprimantes laser. Cette montagne de déchets m'obsédait. Les cartouches coûtaient cher à renouveler et généraient beaucoup de pollution. Compte tenu de la quantité d'imprimantes laser dans les entreprises, je ne devais pas être le seul à avoir ce problème de conscience environnementale et économique. Il était temps que quelqu'un offre une solution. C'est ainsi qu'est née Teckn-O-Laser», relate l'entrepreneur. Propriété de messieurs Jacques Bourduas, Alain Lachambre, Yvon Léveillé et de madame Céline Plourde, la compagnie a été fondée en novembre 1988.

Des 383 cartouches recyclées lors de la première année d'exploitation en 1988-1989, la quantité est maintenant passée à 80 000. Selon monsieur Léveillé, cette croissance phénoménale s'explique par deux éléments.

D'abord, des conditions favorables du marché dont il a habilement su tirer profit. Ensuite, des choix éclairés de gestion et d'investissement.

«Depuis 1985, il se rajoute chaque année deux millions d'imprimantes laser dans les entreprises nord-américaines. Ça fait beaucoup de cartouches d'encre à remplacer», explique l'entrepreneur. Ajoutons à cela la popularité du recyclage, une mode qui gagne de plus en plus d'adeptes. Enfin, étonnamment, Teckn-O-Laser doit une partie de sa croissance rapide à… la récession! «Les entreprises cherchent de plus en plus d'endroits où réduire les frais. Nos cartouches recyclées coûtent 40% de moins que des produits neufs, dont le prix varie entre 100$ et 200$. Acheter chez nous leur permet donc des économies intéressantes», précise l'entrepreneur.

La réussite de l'entreprise est aussi attribuée à une gestion interne éclairée. Yvon Léveillé a couvert tous les angles pour éviter qu'un maillon faible ne fasse échouer son projet. Ainsi, il investit 3% de ses ventes en recherche et développement (R & D) et alloue trois personnes à cette activité. Recycler une cartouche est un travail complexe. Elles contiennent de l'encre sèche bien sûr, mais aussi des composantes techniques permettant l'impression de l'image. Il faut donc étudier le fonctionnement de chaque composante pour les remettre dans leur état initial. Le produit fini vendu par Teckn-O-Laser contient à la fois des composantes neuves et recyclées. «Le mélange doit être parfait sinon la cartouche ne fonctionnera pas et le client cessera de croire au marché du recyclage pour se retourner vers les pièces neuves. Il en faut si peu pour détruire la confiance», souligne le président.

Lors du démarrage, la R & D se contrôlait assez bien puisque le marché offrait une douzaine de modèles de cartouches dont deux constituaient 80% de la demande. Teckn-O-Laser s'est donc contentée de recycler ces deux modèles, mais les fabricants de cartouches ont élargi leur gamme de produits. Résultat: Teckn-O-Laser doit aujourd'hui maîtriser la composition de huit modèles différents. Pour compliquer la situation, chaque modèle comporte sept à huit versions différentes, ce qui pose tout un défi au service de R & D.

En plus de raffiner son produit, l'entreprise s'est dotée d'une usine ultra-moderne pour le fabriquer. Les installations pourront soutenir le rythme de croissance de l'entreprise durant plusieurs années puisqu'elles ne sont utilisées qu'au tiers de leur potentiel. «Pas question de se laisser ralen≠tir par une usine qui ne fournit pas suffisamment. Toutes les fonctions d'une entreprise doivent croître simultanément, les ventes et la production doivent cheminer côte à côte», ajoute-t-il. En parallèle à la création de son usine à forte capacité, l'entreprise a augmenté sa force de vente pour stimuler la demande et rentabiliser les installations. Aujourd'hui, les produits Teckn-O-Laser se retrouvent sur les étalages d'une trentaine de distributeurs de matériel informatique du Canada. Et ce n'est pas tout! L'entreprise n'a pas limité sa croissance au territoire canadien. En effet, depuis un an, elle exporte ses produits en Europe et aux États-Unis.

Finalement, la croissance a également été rendue possible grâce à des acquisitions. En 1992, Teckn-O-Laser acquérait un concurrent torontois de même taille, prenant ainsi d'assaut le marché ontarien. Par la suite, sept autres petits concurrents se sont ajoutés au tableau de chasse. «Nous avons acheté le concurrent ontarien à la fois pour ses installations, sa capacité de production et sa clientèle. Les autres acquisitions ont surtout été réalisées pour allonger notre liste de clients», spécifie monsieur Léveillé.

Malgré la satisfaction qu'il éprouve devant le succès de son entreprise, Yvon Léveillé reconnaît qu'une croissance aussi prodigieuse amène son lot de maux de tête. «Pour soutenir le rythme, il faut investir beaucoup d'argent, ce qui crée un stress sur la marge bénéficiaire. De plus, les fabricants de cartouches ne cessent d'ajouter des modèles, ce qui augmente sans cesse nos coûts de R & D. Comme nous ne pouvons compenser en haussant les prix, car nos clients ne verraient plus l'intérêt d'acheter du matériel recyclé, il faut contrôler les coûts avec vigilance», nous confie l'entrepreneur.

Tous les efforts de Teckn-O-Laser pour percer dans ce marché ont toutefois leur bon côté : ils diminuent le nombre de concurrents et rendent la vie difficile à ceux qui s'y aventurent. «Ce secteur est attirant parce qu'il offre de nombreuses possibilités pour les années à venir. Les nouveaux concurrents nous importent peu, car Teckn-O-Laser aura toujours une longueur d'avance sur eux et nous entendons agrandir l'écart de mois en mois jusqu'à devenir le leader nord-américain dans ce domaine», prévient Yvon Léveillé.

Teckn-O-Laser a été choisie «Entreprise de l'année» en 1995 par le Magazine PME.

QUESTIONS

1. Qu'est-ce qui a amené Yvon Léveillé à démarrer Teckn-O-Laser?

2. À quoi attribuez-vous la réussite de l'entreprise?

3. Quel rôle a joué la récession dans le développement de Teckn-O-Laser?

4. Quelle importance ont la recherche et le développement chez Teckn-O-Laser?

5. Quels ont été les buts recherchés par Teckn-O-Laser dans l'acquisition de concurrents?

6. Quelle est l'ambition d'Yvon Léveillé et de Teckn-O-Laser?

FAUT Y CROIRE EN MAUDIT!

L'histoire d'un inventeur devenu entrepreneur qui a fait preuve d'une persévérance exemplaire

Source : Article puisé sous la rubrique «Les découvertes de Jean-Marc», Magazine PME

Yvan Saint-Gelais est têtu. Après huit ans d'acharnement et beaucoup d'argent, son invention se retrouve enfin sur les tablettes des magasins. Ce jour-là, Yvan Saint-Gelais était tellement découragé qu'il a décidé de tout jeter à la poubelle : les plans de son invention, les prototypes et les demandes de brevets. Ça faisait pourtant trois ans qu'il planchait sur le concept d'un appareil tout simple qui permettrait d'infuser une seule tasse de café à la fois, sans avoir recours à l'électricité.

Il a l'idée de ce bidule un matin d'hiver 1990, alors que sa cafetière électrique high tech vient de rendre l'âme. Il fait tous les magasins spécialisés : rien ne correspond à son projet. Il se rend à Hull, au bureau des brevets. En examinant les registres, il découvre une vingtaine de brevets assez proches de son idée.

De retour chez lui, il s'enferme dans l'atelier qui lui sert habituellement à la conception de bijoux. Il se met à sculpter deux petites tasses en cire de cinq centimètres de hauteur, dont le fond, amovible, renferme un filtre. En y plaçant le café moulu, Yvan Saint-Gelais espérait obtenir, par infusion, un délicieux breuvage. Malheureusement les résultats ne sont pas à la hauteur de ses attentes.

Toujours aussi convaincu de l'intérêt de son idée, l'inventeur imagine de nouveaux modèles qui se révéleront… aussi décevants. D'abord, un bâtonnet avec une bulle contenant le café que l'on brasse dans la tasse d'eau chaude : mais, contrairement au sucre qui se dissout facilement dans l'eau, on doit ébouillanter le café pour en extraire toute la saveur.

Il fabrique ensuite une sorte de passoire en métal qu'il suffit de déposer sur une tasse. En pratique, il faut y verser l'eau lentement de façon à ce qu'elle ait le temps de traverser le café. Or, les bouilloires sont généralement lourdes et la vapeur qui en sort remonte le long de la poignée et brûle les doigts.

Pour contourner le problème, Yvan Saint-Gelais augmente la contenance de la passoire pour qu'elle puisse traiter l'équivalent d'une tasse d'eau chaude. Cependant, il n'est pas possible de produire un moule efficace avec ce modèle. Raffinant son concept, il met au point une mini-cafetière sans poignée ni penture.

Jusque-là, Yvan Saint-Gelais a déboursé 20 000 $ pour le développement de son prototype. Toujours convaincu d'avoir trouvé l'idée qui lui permettra d'arrêter de travailler 10 heures par jour, sept jours par semaine, il investit davantage dans une demande de brevet, qu'il dépose en 1993.

Une très mauvaise nouvelle l'attend : on lui apprend que son invention n'est pas admissible à l'obtention d'un brevet ! Son rêve s'évanouit. Quelques jours plus tard, il jette tout à la poubelle.

Pendant plus de deux ans, il ne touche plus à son invention. Mais on ne détruit pas aussi facilement la foi d'un vrai entrepreneur. Il pense souvent aux 135 millions de personnes (seulement en Amérique du Nord) dont la première envie au réveil, chaque matin, est de se faire plaisir en sirotant une bonne tasse de café chaud. Son intuition lui dit de ne pas lâcher. Le temps aidant, il retrouve la conviction qu'avec de la discipline et de la ténacité, sa PME pourrait voir le jour.

À la fin de l'année 1995, il reçoit un appel de Shirley Biron, qui œuvre dans la protection de la propriété intellectuelle chez Protection Équinox. Elle venait de lire un article sur lui dans un vieux magazine et voulait savoir où il en était avec son appareil. Il lui raconte ses problèmes de brevets. Elle lui apprend qu'il a été mal informé.

L'espoir renaît aussitôt. Il redépose des demandes de brevets. Début 1996, il se montre particulièrement convaincant et décroche une subvention du plan Paillé qui lui permet d'investir 25 000 $ dans la fabrication d'un moule. Il enregistre sa PME et l'appelle Café Solo International. Il met sa famille à contribution pour la conception du logo. Le deuxième de ses trois enfants suggère que la vapeur de la tasse forme l'accent sur le mot café. Mais voilà que l'entreprise à qui il confie la fabrication du moule fait faillite avant d'avoir livré le produit, mais en empochant les 25 000 $! Le prototype disparaît dans la tourmente.

Toute l'année, Yvan Saint-Gelais tente de récupérer sa mise et son précieux modèle. Au début de 1997, la décision tombe : l'argent est perdu et le prototype est à refaire. Yvan et sa femme ne lâchent pas prise. Le désir fou de vouloir réussir les pousse à trouver les 10 000 $ nécessaires à la fabrication d'un second moule, en aluminium cette fois, qui permettra de produire 150 000 unités de l'invention. Enfin, en mars 1997, la première mini-cafetière Café Solo est coulée chez un manufacturier en sous-traitance.

Les Saint-Gelais conçoivent un premier emballage. Après un test auprès d'un marchand IGA, le design de la boîte est entièrement refait. On y inclut des instructions détaillées afin que les éventuels acheteurs puissent en comprendre le fonctionnement au premier coup d'œil.

Les 10 000 premières unités du Café Solo produites en mai 1998 ont été distribuées par l'intermédiaire des réseaux des Wal Mart, Canadian Tire, Pharmacies Jean Coutu et autres détaillants à grande surface. Les consommateurs se ruent sur le produit. Une deuxième commande de 15 000 unités a été produite au mois d'août suivant. Au même moment, la PME a enfin obtenu ses brevets canadiens et américains. Des agents manufacturiers parcourent actuellement le reste du Canada, les États-Unis et l'Europe avec des échantillons du produit.

Récemment, la famille Saint-Gelais a reçu la première récompense pour tous ses efforts et sa persévérance : un chèque de 6 000 $ de ristourne signé par Madispro, la firme licenciée qui assure la distribution, la promotion et la mise en marché de l'invention. «On était tellement contents qu'on s'est pris en photo avec le chèque pour prouver à l'univers entier que la foi peut transporter les montagnes», raconte l'entrepreneur. «C'est juste qu'il faut y croire en maudit!»

Ce dernier n'a aucunement l'intention de s'arrêter à ce premier succès. Il a déjà en tête une autre invention, dans un tout autre domaine. Il faut être fou pour ne pas se décourager devant tous les obstacles auxquels Yvan Saint-Gelais a fait face. Pour ma part, je suis convaincu depuis longtemps que l'avenir appartient aux vrais fous comme lui.

QUESTIONS

1. Qu'est-ce qui a amené Yvan Saint-Gelais à développer son invention ?

2. Identifiez le besoin à satisfaire à l'origine du projet.

3. Identifiez les obstacles qu'Yvan Saint-Gelais a dû surmonter.

La mondialisation
de l'économie

**LE COMMERCE
SANS FRONTIÈRE**

Chapitre 11

L'ENTREPRISE ET LA MONDIALISATION DU COMMERCE

Objectif global

Connaître et comprendre l'importance de la croissance de la mondialisation du commerce autant dans l'activité économique du Canada et du Québec que dans celle de nos entreprises et leur développement futur.

Objectifs spécifiques

Après avoir étudié les éléments de ce chapitre, vous serez en mesure :

- d'expliquer les composantes du phénomène de la mondialisation ;
- d'expliquer l'importance du commerce dans un contexte de mondialisation pour nos entreprises et d'en démontrer les avantages et les désavantages ;
- d'identifier et expliquer les principaux obstacles liés au commerce extérieur ;
- d'expliquer les principales contraintes reliées à la mondialisation ;
- d'expliquer les principaux accords commerciaux ;
- de démontrer l'importance du commerce avec les États-Unis ;
- de démontrer le rôle de la mondialisation dans l'avenir de notre économie.

Aperçu du chapitre

11.1   *La mondialisation du commerce : une arrivée incontournable*

Au départ il est nécessaire d'apporter une précision sur l'utilisation des termes globalisation et mondialisation du commerce et de l'économie véhiculés autant par les médias que par tous les intervenants du monde économique dans son ensemble. Il y a une certaine nuance entre les significations de ces deux notions, mais pour les fins de l'exposé qui suit, nous utiliserons la notion de mondialisation.

■ Définition

Il n'y a pas de définition simple et précise de la notion de mondialisation du commerce, puisqu'elle implique à la fois les États souverains avec leurs politiques économiques respectives et leurs entreprises locales et internationales dans des échanges où ces politiques, qui ont été modifiées, ont donné naissance à des accords multilatéraux. Ces accords sont circonscrits dans des ententes particulières d'échange commerciaux ou, dans plusieurs cas, de libre-échange.

Définissons la mondialisation du commerce comme étant un système économique universel où le marché n'est plus un phénomène limité à quelques États, mais un marché géographique potentiel unique constitué de la majorité des économies des États ayant adhéré à cette nouvelle réalité.

Précisons ici que ce phénomène n'est pas nouveau en soi mais qu'il est simplement la résultante de l'évolution, particulièrement au cours des dix dernières années, d'un ensemble de facteurs à caractère économique, technologique, social et culturel survenue dans les grandes régions économiques du monde qui comptent aussi des économies en émergence.

■ Les raisons de l'adhésion des entreprises

Il y a plusieurs raisons qui ont amené les entreprises des pays industrialisés à adhérer à la mondialisation. Nous pouvons les classer en deux catégories. Il y a les raisons internes et les raisons externes à l'entreprise.

LES RAISONS INTERNES À L'ENTREPRISE

1. UNE CAPACITÉ DE PRODUCTION NON UTILISÉE

Certaines entreprises ayant des facilités de production efficace, qui se retrouvent en situation où la capacité de fabrication est loin d'être utilisée à son maximum, considèrent l'exportation comme une avenue intéressante et qui ne nécessite que peu d'investissements. Pensons à la compagnie Lactel qui produit un lait longue durée de marque GrandPré pour le marché local. Ce lait est maintenant exporté depuis plusieurs années aux Antilles, notamment à Porto Rico.

2. UN COÛT DE PRODUCTION DIMINUÉ

La conquête de marchés extérieurs amène automatiquement une augmentation du volume de production si la capacité de production de l'usine n'est pas à son maximum ou si elle ne coïncide pas avec une période de ralentissement de la production. Dans une entreprise où l'on fabrique selon un procédé de fabrication continu, une augmentation du volume de production entraînera alors une réduction du coût unitaire de fabrication, puisqu'il y aura plus de produits fabriqués dans une même période de production. Cette réduction aura un impact positif direct sur les bénéfices de l'entreprise.

3. UN PRODUIT FACILEMENT ADAPTABLE À L'EXPORTATION

Dans le cas de Lactel cette adaptabilité du produit est tout aussi importante dans la décision qui a été prise. Dans ces pays des tropiques le niveau de vie étant peu élevé, la réfrigération et la proximité des magasins d'alimentation faisant défaut, le lait de longue conservation est une nécessité.

4. UNE PROTECTION CONTRE UNE BAISSE ÉVENTUELLES DES VENTES

Dans une planification stratégique réaliste tout gestionnaire doit prévoir une baisse éventuelle de ses ventes à un moment ou à un autre, baisse généralement provoquée par une contre-attaque de la concurrence très souvent accompagnée par une saturation du marché. L'exportation peut donc représenter une certaine sécurité dans une telle éventualité.

5. DONNER UN SECOND SOUFFLE AU DÉVELOPPEMENT D'UNE ENTREPRISE

L'exportation dans un marché compétitif peut constituer une avenue très intéressante dans le désir d'un entrepreneur de donner un second souffle au développement de son entreprise. Plutôt que de lancer un nouveau produit avec tous les risques que représente sa mise en marché et le temps qu'il faudra pour qu'il atteigne sa rentabilité, l'exportation d'un produit rentable peut s'avérer dans certains cas une solution de rechange intéressante à analyser attentivement.

LES RAISONS EXTERNES À L'ENTREPRISE

1. LA SATURATION DES MARCHÉS INTÉRIEURS

La concurrence au sein des marchés hautement compétitifs combinée à un pouvoir d'achat du consommateur de plus en plus réduit par l'endettement, ont pour résultat que toute entreprise, faisant face à une situation semblable, ne peut que rechercher d'autres avenues pour assurer à tout le moins une stabilité de ses ventes sinon la progression de son chiffre d'affaires. L'exportation de ses produits vers d'autres marchés est la direction toute désignée.

2. LE DÉVELOPPEMENT DES ÉCONOMIES DES PAYS MOINS INDUSTRIALISÉS

La mondialisation des marchés stimulée par les accords de libre-échange de plus en plus nombreux aura pour effet de stimuler le développement des pays ayant des économies en émergence. Pensons à la Chine qui connaît une croissance économique sans précédent et qui constitue un marché potentiel énorme pour bon nombre d'entreprises dans tous les secteurs industriels, autant dans les biens durables que dans les biens industriels et la construction d'infrastructures de toutes sortes.

3. DES ASSISTANCES FINANCIÈRES DES GOUVERNEMENTS

Des assistances financières sont de plus en plus disponibles à travers plusieurs programmes gouvernementaux tant fédéral que provincial en ce qui concerne l'aide aux entreprises désireuses de développer des marchés à l'exportation. En consultant les moteurs de recherches et les sites Web des deux paliers de gouvernement vous y trouverez toute l'information relative à tous ces programmes.

4. L'ÉLIMINATION DES BARRIÈRES TARIFAIRES AVEC LES TRAITÉS DE LIBRE-ÉCHANGE

La signature des accords de libre-échange fait nécessairement tomber des barrières tarifaires qui avaient pour but de protéger les entreprises d'un pays contre l'invasion de produits étrangers devant concurrencer les produits locaux et, en bout de ligne, faire disparaître des entreprises et créer du chômage. Mais les traités sont généralement conçus pour que ce soit une entente de «gagnant–gagnant», après avoir comptabilisé les avantages et les inconvénients de part et d'autre. C'est pour cette raison que de plus en plus des ententes se concluent à un rythme accéléré.

5. UN TAUX DE CHANGE QUI FAVORISE DES COÛTS DE FABRICATION TRÈS AVANTAGEUX

Pour bien des pays dont la monnaie est sous-évaluée par rapport aux monnaies des pays à économie forte et nécessairement à monnaie forte, le taux de change constitue un avantage indéniable. C'est pourquoi des pays comme la Chine, le Mexique et, dans une moindre mesure maintenant le Canada, jouissent d'un avantage certain dans l'exportation de leurs produits vers les pays fortement industrialisés tels que les États-Unis, les pays de la Communauté économique européenne et le Japon.

6. LE DÉVELOPPEMENT DES TECHNOLOGIES DE L'INFORMATION ET DE LA COMMUNICATION

Le développement des technologies de l'information et de la communication constitue sans contredit un élément très important dans l'adhésion des entrepreneurs au phénomène de la mondialisation. Avec Internet et tout son potentiel de recherche, de communication et de pouvoir transactionnel conjugué à celui de la téléphonie maintenant par satellite, faire des affaires en France, au Japon ou au Chili n'est désormais pas plus difficile que faire les mêmes transactions sur un marché local.

Les avantages et désavantages de la mondialisation du commerce

La mondialisation du commerce comporte plusieurs avantages indéniables bien qu'en contrepartie on y retrouve certains désavantages faisant l'objet de nombreuses manifestations d'opposition. Malgré ces oppositions, les bienfaits à long terme sur les économies semblent évidents. Voyons maintenant ces avantages et ces désavantages.

LES AVANTAGES

1. LA HAUSSE DU NIVEAU DE VIE

La mondialisation contribue à la hausse du niveau de vie des citoyens par l'augmentation de la productivité des entreprises, fruit des exportations, qui se reflète dans les communautés avoisinantes par la création de plusieurs entreprises de service avec leurs emplois secondaires.

2. L'ACCÈS AUX PRODUITS ÉTRANGERS

La mondialisation permet un accès plus grand pour nos consommateurs aux produits fabriqués à l'étranger, offrant ainsi un vaste choix de types et de gammes à des prix très intéressants. Pensons aux vêtements, aux jouets, à la multitude de produits électroniques de masse tels que les montres, les radios «walkman», les petits systèmes de son pour ne nommer que ceux-là.

3. LE DÉVELOPPEMENT RÉCENT DE NOUVEAUX PRODUITS

La mondialisation permet le développement de marchés pour de nouveaux produits découlant de l'évolution des nouvelles technologies, Telles les nouvelles technologies de communication et de biotechnologie où les entreprises créatrices sont devant un marché mondial au potentiel de vente phénoménal.

4. L'ACCÈS À DE NOUVELLES SOURCES DE CAPITAUX

Un des fondements du développement rapide de la mondialisation au cours des dernières années est de permettre à nos entrepreneurs d'avoir maintenant accès à des capitaux pour faciliter leur expansion. Il existe dans bien des pays un nombre important de sociétés dites de «capital de risques» prêtes à financer des entreprises désireuses de développer des marchés étrangers. Bon nombre de ces sociétés sont inscrites en Bourse où elles recueillent leurs capitaux par des émissions d'actions auprès des investisseurs.

LES DÉSAVANTAGES

La mondialisation, comme nous l'avons souligné plus haut, comporte des désavantages qui vont à l'encontre de certaines politiques et des programmes de nos gouvernements conçus tantôt pour assurer une certaine sécurité aux citoyens, tantôt pour aider des industries ou des régions et assurer la survie des entreprises et des communautés concernées.

1. LES PROGRAMMES D'ASSISTANCE À CERTAINES INDUSTRIES

Au Canada les gouvernements pour soutenir le développement économique de certaines industries, ont mis sur pied des programmes d'assistance financière sous différentes formes de subventions applicables à travers des programmes spécifiques pour leur permettre d'être concurrentielles sur le marché international. Le cas du présent litige entre les États-Unis et le Canada sur le bois d'œuvre en est un exemple typique où les États-Unis, qui achètent ce produit, ont décidé d'imposer une taxe d'importation de 27% pour protester contre la prétendue assistance financière de nos gouvernements fédéral et provinciaux à nos producteurs. Il y a eu aussi le contentieux entre Bombardier et Embraer, fabricant brésilien d'avions similaires qui protestait contre le soutien financier du gouvernement fédéral à Bombardier pour le financement d'achats d'avions par des compagnies américaines.

2. LES PROGRAMMES SOCIAUX

La mondialisation met en péril le maintien de certains de nos programmes sociaux ayant des incidences sur la compétitivité de nos entreprises face à leurs concurrents étrangers. En effet ces entreprises étrangères, contrairement aux nôtres, n'ont pas ces charges obligatoires de sécurité sociale telles que l'assurance-maladie, les cotisations à la commission de la santé et de la sécurité au travail, l'assurance-chômage, la régie des rentes, qui frappent les nôtres. Ces charges additionnelles provoquent des dépassements importants de coûts de fabrication par rapport aux coûts similaires des concurrents étrangers, rendant ainsi nos produits beaucoup moins concurrentiels.

3. DES COÛTS DE FABRICATION TRÈS BAS

Des pays en voie de développement avec des économies en émergence et avec un coût de main-d'œuvre très bas fabriquent des produits similaires aux nôtres à un coût presque imbattable, les salaires étant très faibles par rapport aux salaires versés à nos ouvriers. C'est le cas de la Chine en particulier. Plusieurs de nos secteurs manufacturiers sont particulièrement vulnérables, dont le secteur du vêtement. Par exemple un jeans confectionné en Chine peut coûter jusqu'à deux fois moins une fois rangé sur l'étagère en magasin que s'il avait été fabriqué ici même, après y avoir ajouté les frais de transport, de manutention et les marges bénéficiaires allouées aux intermédiaires.

Ces pays envahiront nos marchés, créant une concurrence féroce forçant nos entreprises à prendre des décisions draconiennes. Devant cette fatalité bon nombre d'entreprises nationales et internationales telles que Black & Decker ont décidé d'ouvrir des usines en Chine ou à Taiwan pour fabriquer les produits destinés au consommateur et de ne produire en Amérique que les produits pour usage industriel. Les perceuses électriques Black & Decker que vous verrez chez Réno Dépôt ont été fabriquées en Chine.

11.2 *L'internationalisation de l'entreprise*

Lorsque les membres de la direction d'une entreprise perçoivent que son potentiel de développement ne se limite pas au seul territoire national, l'exportation et, en bout de ligne, les opérations à l'échelle internationale est l'avenue qui leur vient en tête. Très souvent c'est le début du programme d'internationalisation de l'entreprise. Voyons maintenant comment elle peut se développer et les étapes qui s'offrent pour y arriver.

Première étape : l'exportation

La première étape envisagée est celle de développer l'exportation. Il y a plusieurs approches qui peuvent être envisagées par les dirigeants. Il n'y a pas de séquences systématiques à suivre pour un tel programme de développement d'autant que plusieurs facteurs peuvent aussi influencer la démarche.

Pour plusieurs types de produits, des tests de marché dans des régions bien ciblées sont nécessaires pour connaître le taux d'acceptation du produit par le marché test choisi. Si les résultats sont concluants, des démarches sont entreprises pour mettre sur pied un programme d'exportation. Pour d'autres types de produits, comme des produits non périssables de haute nécessité, des tests de marché sont moins nécessaires.

À cela il faut ajouter l'approche et la vision personnelle des dirigeants, conditionnés par leur degré d'insécurité devant cette nouvelle aventure et qui, dans certains cas, peuvent privilégier la prudence alors que dans d'autres ils préfèrent opter pour une façon de faire un peu plus ouverte.

Enfin il faut aussi considérer tous les éléments ainsi que tous les intermédiaires spécialisés qui devront être associés au programme d'exportation. Au début du programme, on peut opter pour un contrat d'importation d'un temps limité avec un importateur distributeur local, pour ensuite choisir la mise sur pied par l'entreprise de son propre centre de distribution, l'évolution des ventes, un programme de développement plus adapté et une plus grande rentabilité potentielle le justifiant.

Deuxième étape : le partenariat

Cette deuxième étape convient à une entreprise ayant une envergure importante et qui œuvre déjà sur le marché de l'exportation. Cette entreprise qui peut être américaine, canadienne ou européenne fabrique ses produits dans ses usines du pays où se trouve son siège social et constate que ses coûts de fabrication, comparés avec ceux des entreprises des pays aux économies en émergence, sont de moins en moins concurrentiels.

De grandes décisions à caractère stratégique s'inscrivent rapidement à l'ordre du jour des réunions des conseils d'administration afin de statuer sur des actions à entreprendre contre cette menace. Des choix s'imposent dans l'élaboration d'un nouveau plan d'affaires international. Parmi ces choix le partenariat devient une avenue à considérer.

Le partenariat est une association entre deux entreprises qui généralement prend la forme d'une participation par l'exportateur dans le capital-actions de l'entreprise accueillante. Cette option est généralement envisagée pour régler, dans un premier temps, le problème des coûts de fabrication et, dans un deuxième temps, pour tirer avantage d'un réseau de distribution déjà établi en vue de la diffusion des produits du partenaire exportateur. Cette formule en est une de «gagnant-gagnant», les deux partenaires y trouvant chacun leur avantage.

Le partenariat peut se faire aussi dans la sous-traitance. Certaines entreprises se spécialisent dans la fabrication en sous-traitance. Ce type de partenariat est fréquent avec les entreprises de pays asiatiques, entre autres. Cette option est envisagée lorsque le marché du produit fabriqué n'existe à peu près pas dans le pays du sous-traitant. Plusieurs des pièces composantes des produits de bien durables que nous achetons en Amérique et en Europe sont fabriqués en sous-traitance, en Chine notamment.

Les avantages de ces deux types de partenariat reposent généralement sur un investissement relativement peu élevé de la part de l'exportateur en regard des nombreux avantages qu'il en retire.

Troisième étape : l'implantation à l'étranger

L'implantation à l'étranger est une autre étape qui convient aux entreprises qui ont atteint une dimension mondiale et qui sont devenues des multinationales. Leur très gros volume de fabrication et de vente exige une haute productivité et le partenariat ne peut convenir à leurs exigences à ce niveau. Les grandes compagnies du monde implantent maintenant de plus en plus d'usines dans les pays en voie de développement (à l'exception de certains comme le Mexique, la Chine et Taiwan) à cause d'un coût de main-d'œuvre très peu élevé entre autres.

Les intermédiaires du commerce international

Faire du commerce avec des pays étrangers requiert la participation obligatoire d'intermédiaires pour prendre en charge toutes les tâches spécialisées et inconnues à l'exportateur. Ces spécialistes sont : le courtier en douane, le transitaire, l'assureur et un avocat spécialisé en rédaction de contrats de commerce international. Voyons de plus près chacun ses ces intervenants.

COURTIER EN DOUANE

Le courtier en douane est un intermédiaire qui règle pour le compte de l'entreprise qui importe ses matières premières ou produits finis toutes les questions relatives aux frais de douane.

AGENT TRANSITAIRE

L'agent transitaire est un autre intermédiaire à qui est confié, pour le compte de l'entreprise qui vend à l'étranger, tout le dossier du paiement des frais de douane à acquitter. Il prend aussi en charge l'envoi et procède à l'émission des titres de transport avant le départ pour en devenir responsable.

ASSUREUR

Des compagnies spécialisées dans l'assurance de cargaisons de navires ou d'avions assurent le contenu de l'envoi contre toute perte pouvant survenir au cours du transport.

AVOCAT

Dans bien des cas, la compétence d'avocat spécialisé est nécessaire pour la rédaction de contrats exigeant souvent plusieurs clauses spécifiques relatives à des litiges potentiels liés à l'interprétation de faits décrits au contrat. Ces firmes d'avocats ont toutes pour la plupart leurs propres bureaux ou sont associées à d'autres bureaux pour les représenter.

11.3 *Les obstacles*

Faire du commerce avec des pays étrangers amène les dirigeants d'entreprises à faire des constatations qui peuvent apparaître comme des obstacles tantôt majeurs, tantôt mineurs, selon le pays avec lequel l'entrepreneur désire commercer ou dans lequel il veut s'implanter. Les obstacles avec la France sont certainement différents de ceux rencontrés avec le Japon ou l'Inde.

Parmi ces différents obstacles potentiels, nous retiendrons les suivants :

- la culture, les mœurs et les habitudes de vie de la population ;
- le régime et les mœurs politiques ;
- les législations relatives :
- au contenu local des produits vendus,
- aux quotas et tarifs d'importations.

Reprenons chacun de ces éléments.

La culture, les mœurs et les habitudes de vie

Cet obstacle, en apparence mineur, peut avoir des conséquences sérieuses sur le succès d'un projet de pénétration d'un marché dans un pays étranger.

L'achat et l'usage de biens par une population d'un pays sont toujours conditionnés par ses traditions, ses mœurs et ses caractéristiques propres. Il est donc primordial, avant d'essayer de pénétrer un marché étranger, de bien connaître toutes les facettes et composantes du type de consommation du marché à conquérir. Prenons l'alimentation. Il est connu que les Français ont un processus d'achat différent des Québécois et des Nord-Américains. Qu'en est-il des Allemands, des Anglais ou des Chinois ? Voilà une réflexion nécessaire qui justifie une recherche approfondie.

Le régime et les mœurs politiques

Dans les pays industrialisés, les régimes politiques sont démocratiques donc semblables aux nôtres. L'entreprise privée n'est pas «associée», en principe, aux politiciens ou aux fonctionnaires comme cela peut être le cas dans certains pays en voie de démocratisation où des pots-de-vin doivent être versés à certaines personnes au niveau gouvernemental pour pouvoir y faire des affaires. Cet état de fait peut constituer un obstacle majeur à une implantation dans un pays étranger.

Les législations particulières

Il existe dans chaque pays industrialisé ou semi-industrialisé deux législations particulières qui ont pour but de protéger le développement des activités économiques locales, dont la première concerne le contenu local des produits vendus et la deuxième les quotas et tarifs à l'importation.

CONTENU LOCAL DES PRODUITS VENDUS

Certains pays exigent que les produits vendus sur leur territoire soient fabriqués, du moins en partie, dans le pays même afin de créer de l'emploi et de retourner des bénéfices à la population si l'entreprise est exploitée par des entrepreneurs locaux.

QUOTAS ET TARIFS D'IMPORTATION

Pour toutes sortes de raisons et selon chaque pays, les gouvernements des pays industrialisés imposent des quotas et des tarifs d'importation, qu'ils soient pour la protection de l'emploi ou pour assurer un revenu à l'État. De façon générale, ces mesures particulières ont pour but d'une part de générer des revenus à l'État et, d'autre part, de protéger les entreprises locales contre la concurrence étrangère souvent en provenance de pays où le coût de production peut être plusieurs fois inférieur au nôtre. De ce fait, une recherche sur la concurrence et les législations pertinentes s'avère primordiale avant de prendre toute décision relative à la pénétration d'un marché étranger.

■ Les contraintes reliées à la mondialisation

Malgré les nombreux avantages de la mondialisation (et ses quelques désavantages), il persiste tout de même des contraintes avec lesquelles nos entrepreneurs devront composer.

UN PROCESSUS D'HARMONISATION TROP LONG

Dans bien des traités l'harmonisation totale des ententes bilatérales ou multilatérales ne peut se faire instantanément lors de la signature de l'entente. Généralement un processus d'harmonisation des politiques gouvernementales et l'élimination progressive des barrières tarifaires dans chacun des pays signataires s'échelonnant sur une période pouvant aller jusqu'à dix ans, accompagnent la signature de l'accord. Au cours de cette période, des conflits risquent de survenir suite aux interprétations souvent opposées des articles de l'accord.

LES PAIEMENTS DES ACHATS ET DES VENTES

L'entreprise qui désire transiger avec des pays étrangers bien qu'elle soit partie signataire d'un accord d'échanges commerciaux, doit s'attendre à devoir s'astreindre à une lourde procédure d'approbation de transaction et de paiement pour les produits achetés ou livrés. De plus, elle devra prévoir de potentiels retards dans la livraison de produits achetés, suite aux façons de faire souvent très bureaucratisées dans ces pays aux cultures économiques très différentes des nôtres.

LA LANGUE

Bien que la langue anglaise soit reconnue et très utilisée comme langue des affaires à travers le monde, il demeure que dans les pays à économies émergentes cette langue n'est utilisée que par une très petite minorité de gens d'affaires. En Chine comme dans les autres pays asiatiques la langue anglaise n'est parlée que par une infime partie de la population principalement concentrée dans les grandes villes du pays, d'où la nécessité d'avoir recours dans bien des cas à des interprètes, ce qui constitue une contrainte certaine.

LE TRANSPORT

Le transport est la partie logistique du commerce entre pays qui font des échanges commerciaux sur des biens tangibles. La destination tout comme l'origine de l'envoi conditionne autant la planification que l'organisation du transport avec les différents moyens et intervenants qui doivent y être impliqués.

Les pays importateurs continentaux n'ayant pas d'accès direct à la mer sont désavantagés par rapport aux pays possédant leur propre port de mer. La logistique de transport des produits finis devient alors une opération plus compliquée, avec un suivi difficile une fois la cargaison déchargée dans un pays limitrophe ayant son propre port. Les coûts de ces projets peuvent parfois compromettre leur rentabilité vers ces régions.

11.4 *Le fonctionnement et l'avenir*

Les principaux accords d'échanges commerciaux

Le Canada étant un pays qui compte beaucoup sur l'exportation pour soutenir et stimuler son activité économique a fait preuve de beaucoup de leadership dans le développement des accords d'échanges commerciaux avec les pays étrangers. Il est signataire de plusieurs accords importants qui favorisent grandement nos entreprises. Il est membre de l'*Organisation mondiale du commerce (OMC)*, organisme qui compte près de 150 pays, dont la Chine et la Russie qui en font maintenant partie.

La mission de l'OMC est d'abord d'établir les règles de fonctionnement des accords commerciaux dont elle est aussi signataire, autant sur les produits manufacturés que sur les produits agricoles et sur les services. Elle doit ensuite agir à titre d'arbitre dans les litiges qui surviennent entre pays signataires et leurs entreprises comme ce fut le cas entre Bombardier et Embraer tout récemment, dont nous avons parlé antérieurement.

Parmi les grands accords qui furent signés par le Canada, mentionnons : l'accord de libre-échange nord-américain (ALENA), l'accord de libre-échange entre le Canada, les États-Unis et le Mexique (appelé : zone de libre-échange des Amériques : ZLÉA), l'accord de libre-échange avec la communauté européenne (AELE).

Il a aussi signé d'autres accords bilatéraux, entre autres avec le Chili et Israël pour ne mentionner que ceux-là.

Le marketing international

Pour vendre ses produits à l'étranger, même avec tous les avantages que peuvent apporter les différents traités à travers lesquels une entreprise tente de tirer son épingle du jeu, il n'en demeure pas moins que des efforts de marketing sont d'une nécessité absolue compte tenu des nouvelles caractéristiques particulières à chacun des nouveaux marchés qui devront être attaqués.

Nous avons vu précédemment les différentes étapes d'internationalisation d'une entreprise. Pour chacune des étapes, les opérations peuvent différer, bien que fondamentalement les plans et démarches marketing préalables demeurent les mêmes.

Bien que certaines entreprises puissent sembler banaliser l'effort marketing nécessaire pour réussir sur les marchés extérieurs, ne se contentant de faire que quelques petites modifications à leur planification et leur stratégie existantes, à l'opposé, certaines autres optent pour une approche différente et élaborent un programme sur mesure pour chacun des marchés visés. Ces deux visions se défendent si les objectifs fixés sont au rendez-vous.

Dans cette section nous nous en tiendrons à l'étude des variables environnementales du marketing, soit les variables incontrôlables et celles du marketing mix, soit les variables contrôlables.

LES VARIABLES INCONTRÔLABLES

Faire des affaires sur les marchés étrangers est au départ une aventure que tout entrepreneur souhaite voir devenir rapidement une réalité concrétisant les perspectives de rentabilité escomptées lors de la prise de décision.

Toutefois, pour que cette aventure se transforme en projet rentable, une étude préalable des éléments environnementaux du marché ciblé est d'une absolue nécessité.

Regardons les principaux éléments incontrôlables de cet environnement nouveau pour l'exportateur que sont :

- l'environnement politique,
- l'environnement légal,
- l'environnement économique
- l'environnement infrastructurel.

1. L'ENVIRONNEMENT POLITIQUE

L'environnement politique peut sembler n'avoir rien à voir avec les composantes du marché du pays visé, mais les dirigeants politiques dans bien des pays en économies émergeantes, contrairement aux nôtres, exercent un contrôle sinon une influence importante sur le développement économique de leurs pays, surtout envers les entreprises étrangères qui viennent contribuer à ce développement économique. Avec les traités de libre-échange cette influence peut s'être estompée ou avoir presque disparu. Néanmoins, ce phénomène doit être étudié et considéré sérieusement pour en connaître toutes les conséquences avant de prendre la décision.

2. L'ENVIRONNEMENT LÉGAL

Les lois de ces pays étrangers sont très souvent axées sur des mesures de protectionnisme des industries locales. Une étude approfondie de leur législation s'impose afin d'en connaître toute la portée et les ouvertures à la venue de certains types de produits étrangers qui peuvent y avoir été incluses.

Maintenant, bien des législations permettent à plus de produits étrangers de pénétrer le marché sous la condition d'avoir un contenu minimum de matières premières ou pièces de sous-traitants d'origine locale. Cette condition ne peut être remplie que lorsque l'entreprise promet de s'implanter ou de conclure un partenariat de fabrication et de mise en marché avec une entreprise locale.

3. L'ENVIRONNEMENT ÉCONOMIQUE

Cet environnement est complexe et très variable. Il est conditionné par le degré d'évolution économique du pays concerné et les catégories de besoins des consommateurs à satisfaire.

À cet égard on peut classer les économies en quatre catégories. Il y a :

- l'économie de subsistance ;
- l'économie basée sur l'exportation de matières premières ;
- l'économie de pays en cours d'industrialisation ;
- l'économie industrialisée.

Selon le type d'économie, certains types de produit n'auront jamais de succès ou bien ce sera l'inverse. Ainsi l'exportation de produits de luxe dans une économie de subsistance sera au départ un échec.

L'analyse de l'environnement économique doit être sérieuse. Elle est fondamentalement une analyse du marché.

4. L'ENVIRONNEMENT INFRASTRUCTUREL

Cet environnement peut vous sembler sans importance, mais on doit en tenir compte. Dans un pays, la mobilité des marchandises par les différents moyens de transport peut constituer une contrainte parfois majeure pour l'exportateur. La qualité et le niveau de développement des infrastructures de transport à travers le pays et dans les grandes agglomérations urbaines doivent être à la hauteur des exigences de l'exportateur. Si ce dernier est un fabricant de produits volumineux exigeant des véhicules de transport appropriés, il se peut fort bien que le marché visé soit abandonné, étant peu développé au niveau des flottes de camion et au niveau du réseau ferroviaire.

Il faut aussi étudier les infrastructures de la distribution avec ses intermédiaires et leurs facilités d'entreposage.

Voilà autant de facteurs dans cet environnement dont il faut absolument tenir compte.

Les études préalables des ces variables détermineront les chances de succès du projet d'exportation.

LES VARIABLES CONTRÔLABLES

Le marketing mix, soit les variables contrôlables du marketing international sont les mêmes que celles de notre marketing local. Toutefois, des variantes doivent parfois être apportées à certaines variables pour rendre la stratégie de marketing adaptée aux particularités du marché local étranger. Reprenons chacune de ces variables.

1. LE PRODUIT

Comme nous l'avons vu au chapitre 6, la stratégie produit est constituée de plusieurs éléments. Certains d'entre eux peuvent devoir comporter des modifications pour convenir à des exigences locales liées soit aux coutumes de consommation des consommateurs, soit à des mesures supplémentaires de sécurité dans l'usage du produit, soit à une nouvelle étiquette avec un nouveau nom qui convienne mieux aux perceptions et images du produit chez le consommateur, pour ne mentionner que ces éléments.

2. LA DISTRIBUTION

Après avoir étudié l'environnement infrastructurel, les données sont en place pour aller plus en profondeur dans l'étude des différents réseaux de distribution pouvant être utilisés pour rejoindre les consommateurs, incluant les moyens de transport appropriés.

L'entreprise doit aussi déterminer son degré d'implication dans l'acheminement des produits aux consommateurs. Tout dépendant du pays, trois possibilités d'acheminement s'offrent à elle. Elle peut mettre sur pied son propre système d'acheminement avec son système d'intermédiaires ou confier une partie de la tâche : soit celle du transport aux firmes locales pour ne conserver que la gestion de la distribution, ou encore confier tout le système de distribution à des firmes locales spécialisées, incluant le transport.

Cette décision est cruciale car, comme nous l'avons mentionné au chapitre 7, les intermédiaires sont des partenaires stratégiques et dans les pays étrangers, il en est de même.

3. LE PRIX

Le prix constitue toujours l'élément déterminant dans le processus d'achat. Toutefois, en marketing international, il y a trois éléments qui viennent s'interposer dans le processus de détermination du prix à fixer sur le produit.

En premier lieu, il faut tenir compte de tous les frais relatifs aux douanes, au transport, aux assurances et autres frais reliés aux commissions ou honoraires à verser aux intermédiaires en commerce extérieur qui interviennent dans l'acheminement des produits vers le pays étranger.

En second lieu, il y a l'impact de la valeur de l'unité monétaire qui sera choisie pour payer la transaction. Selon que nous sommes vendeur ou acheteur, les considérations de paiement seront différentes. À cet égard, c'est le jeu mondial de l'offre et de la demande qui influent sur le choix d'une monnaie. Ce choix aura un impact important sur le prix de vente au consommateur.

En troisième lieu, par mesure de prudence, le prix fixé ne devrait pas être inférieur au prix fixé pour le même produit dans son pays d'origine. Le pays importateur pourrait intenter des poursuites contre l'entreprise pour pratique commerciale de «dumping», afin de protéger ses propres entreprises.

4. LA PUBLICITÉ

La publicité est une variable stratégique pour plusieurs entreprises. Selon le niveau de développement économique du pays et de ses moyens de communication, la stratégie publicitaire pourra varier d'un pays à l'autre. Dans certains endroits, l'imprimé est plus utilisé alors que dans d'autres, c'est la télévision qui l'emporte.

Il faut aussi tenir compte de multiples facteurs à caractère culturel, de langue et de coutume, dans la conception des messages publicitaires. Certaines valeurs nord-américaines véhiculées dans notre publicité ne sont pas nécessairement acceptées dans des pays non anglo-saxons ou asiatiques. Une ignorance de ces éléments signifiera très probablement une mésaventure et un fiasco financier certain.

Enfin, le choix des intermédiaires nécessaires à la promotion tels que les agences de publicité, doivent faire l'objet d'évaluation afin de sélectionner une agence de qualité capable de répondre aux exigences de l'entreprise en termes de contenu et de créativité.

5. LE SERVICE APRÈS-VENTE

Pour l'exportateur le service après-vente peut représenter un problème susceptible de mettre en difficulté le succès global à long terme de l'opération marketing. Les difficultés potentielles relatives au respect des garanties ou à la reprise du produit pour bris ou mauvais fonctionnement, par des intermédiaires locaux ne respectant pas les clauses de l'entente de distribution à cet effet, sont autant de problèmes qui peuvent survenir.

Par conséquent, il va de soi que des précautions particulières doivent être prises au départ avec des garanties de respect des clauses concernées de l'entente pour, d'une part, donner une satisfaction continue aux consommateurs et, d'autre part, consolider l'image et la réputation du produit, de l'importateur et de l'exportateur.

L'AIDE GOUVERNEMENTALE AU COMMERCE EXTÉRIEUR

Les deux paliers de gouvernement ont mis sur pied des programmes d'aide aux entreprises visant à favoriser le développement de leurs affaires à l'étranger. Les PME, autant que les grandes entreprises, sont admissibles à ces programmes pour autant qu'ils se qualifient au niveau des exigences d'acceptation. Toutefois, les conditions d'admissibilité diffèrent selon le type de programme choisi.

L'importance de nos exportations vers les États-Unis

Plus de 75 % du total des exportations canadiennes vont aux États-Unis. Pourquoi ce volume de produits exportés est-il si considérable par rapport à celui dirigé vers les autres pays?

Plusieurs facteurs expliquent cet état de fait. Voici les plus importants.

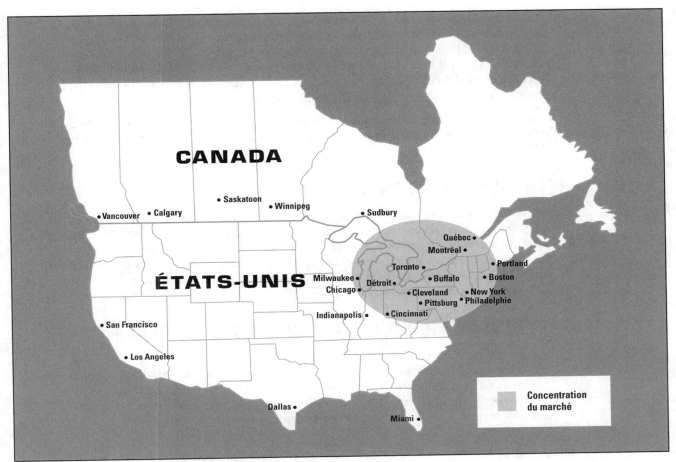

LA DIMENSION DU MARCHÉ

Le fait de pouvoir compter sur un marché de plus de 250 millions d'habitants situé dans un pays aux frontières du Canada, constitue le premier et le plus important facteur.

Il serait un peu anormal qu'il en soit autrement. Ce marché gigantesque est extrêmement varié, étant animé par une activité économique on ne peut plus diversifiée et qui est aussi la plus importante au monde. À cela il faut ajouter que le style de vie des Américains, qui est semblable à celui des Canadiens, constitue un avantage supplémentaire, nos produits destinés à l'exportation n'ayant pas à être modifiés si ce n'est pour être conformes, pour certains d'entre eux, à certaines législations particulières propres à quelques États.

LA PROXIMITÉ DU MARCHÉ

La plus grande partie de la population des États-Unis est surtout concentrée sur ses côtes Est et Ouest ainsi qu'au sud des Grands Lacs. Ces régions, à l'exception des États de la côte Ouest, à savoir les États du Washington, de l'Orégon et de la Californie, ne sont qu'à quelques centaines de kilomètres de centres industriels ontariens et québécois.

On ne peut rêver de conditions plus avantageuses pour un pays exportateur de produits finis qui sont coûteux à transporter. À eux seuls les États de la Nouvelle-

Figure

11.1

Exposition géographique de la concentration de marché dans l'est des États-Unis

Angleterre, de la Virginie, de l'Ohio, de la Pennsylvanie, de l'Illinois, du Michigan, de l'Indiana, du Wisconsin et du New Jersey constituent un marché de plus de 50 millions d'habitants avec la plus grande concentration d'activité industrielle du pays. À cela il faut ajouter l'élément non négligeable que sont les centres de recherche et de développement, autant dans le secteur privé qu'éducationnel comme les universités et les instituts spécialisés.

Voilà pourquoi le volume et le développement des exportations canadiennes vers les États-Unis sont si importants pour notre économie, en particulier pour l'Ontario et le Québec.

LA RICHESSE DU PAYS

Vous n'êtes pas sans savoir que les citoyens américains ont un revenu moyen plus élevé que celui des citoyens canadiens et qu'ils payent aussi beaucoup moins d'impôt sur le revenu. Faut-il ajouter que le P.I.B. des États-Unis est le plus élevé au monde? Ces constatations constituent probablement la raison la plus importante qui incite nos entrepreneurs à vouloir conquérir ce marché, les perspectives de réussite étant on ne peut plus certaines.

LES INFRASTRUCTURES DE TRANSPORT EFFICACES

En Amérique du Nord les infrastructures de transport sont efficaces. Elles ont été créées avec le développement des grandes agglomérations urbaines, après la Seconde Guerre mondiale, et le besoin de les relier entre elles. Le terrain étant relativement plat et le transport ferroviaire ayant été développé en grande partie antérieurement, les obstacles au développement routier n'existaient pratiquement pas.

Aujourd'hui livrer des produits à Boston, à Miami ou à Chicago ne pose aucun problème si ce n'est la question du temps de livraison plus ou moins long, selon la destination.

L'ACCORD DE LIBRE-ÉCHANGE

Bien qu'il y ait eu avant 1989 quelques traités de libre-échange entre les deux pays sur certains produits (tel que celui de l'auto «Auto Pact»), il n'en demeure pas moins que le traité global «Accord de libre-échange» signé en 1989 entre Georges Bush et Brian Mulroney, qui prévoit l'élimination de tous les tarifs douaniers à partir de 1999 sur toutes les exportations canadiennes aux États-Unis, demeure un fait marquant dans l'histoire du développement du marché américain pour les entrepreneurs canadiens. Quel entrepreneur ne rêvait pas auparavant de vendre aussi facilement aux Américains que de vendre aux autres Canadiens?

LA FAIBLESSE RELATIVE DU DOLLAR CANADIEN

La faiblesse relative du dollar canadien par rapport à l'euro et le dollar américain constitue une autre raison qui amène les européens et nos voisins du Sud à vouloir se procurer les produits faits au Canada. Ce motif est pour le moment circonstanciel. Cette valeur de notre monnaie par rapport à ces devises est due à l'état du déficit et de la dette du Canada envers les prêteurs étrangers, qui sont en majorité des institutions financières américaines.

Par contre, le jour où le Canada aura réduit sa dette de façon significative, conjugué à une hausse éventuelle du prix des ressources naturelles et du baril du pétrole, l'écart entre ces monnaies, du moins avec le dollar américain, devrait devenir relativement négligeable ou aura disparu. Aucun entrepreneur exportateur ne souhaite une parité de notre monnaie avec le dollar américain afin de conserver cet avantage monétaire important favorisant le développement des ventes à l'étranger. Tous les ministres des finances fédéral et provinciaux désirent, dans une certaine mesure, et sans l'affirmer, perpétuer cette situation qui favorise la balance commerciale du pays.

Enfin, mentionnons que les ministres des finances devront envisager rapidement des réductions d'impôts et de taxes indirectes afin de relancer la consommation qui, au moment d'écrire ces lignes, commence à atteindre un niveau de stagnation important, bien que les taux d'intérêt soient encore bas actuellement.

La mondialisation et l'avenir de notre économie

Pour le Canada et le Québec l'avenir avec la mondialisation du commerce ne peut être que prometteur. Le Canada et le Québec en particulier vont profiter grandement de cette nouvelle plate-forme d'échanges commerciaux leur permettant de passer encore plus rapidement d'une économie basée sur la production de matières premières et de pièces de sous-traitance à une production de produits finis, bien que dans des domaines de haute technologie notre pays occupe une place de premier choix. Pensons au secteur de l'aéronautique, de la biotechnologie et la pharmacie. Toutefois il faut retenir que la création significative d'emplois se situe dans les secteurs de biens de consommation durables et à cet égard le Canada est en retard à bien des égards.

La mondialisation permettra à nos entrepreneurs créatifs de se positionner favorablement grâce à leur ingéniosité. Notre position privilégiée à côté des États-Unis combinée aux traités de libre-échange et à une monnaie dévaluée a contribué à permettre à nos entreprises de mettre sur pied des systèmes efficaces de production et de fabrication qui leur serviront avantageusement face à concurrence dans ce nouveau marché maintenant planétaire.

Questions

de RÉVISION

1. Définissez brièvement la mondialisation du commerce.

2. Donnez et expliquez brièvement les raisons internes à l'entreprise qui l'ont amenée à adhérer à la mondialisation.

3. Donnez et expliquez les raisons externes à l'entreprise qui l'ont amenée à adhérer à la mondialisation du commerce.

4. En quoi les programmes sociaux sont-ils des désavantages à la mondialisation du commerce ?

5. Nommez et expliquez les contraintes reliées à la mondialisation du commerce.

6. Donnez et expliquez les principaux facteurs qui sont à la base de l'importance de nos exportations vers les États-Unis.

7. Quel est le rôle de l'Organisation Mondiale du Commerce (OMC) ?

Lecture

EXPORT 101 :

Pourquoi, quand et comment exporter

Source : Magazine PME, numéro septembre 2001 par Michèle Bernard

Doit-on s'internationaliser ? Voilà la question ! Et elle appelle une prise de décision avisée, qui exige de répondre à moult autres interrogations : l'accession aux marchés étrangers est-elle la meilleure stratégie de croissance ? À quoi reconnaît-on que le moment est propice ? Qui doit s'en occuper ? Que faire pour réussir ?

« Le développement de Voodoo Arts s'articule sur et par l'exportation. Cette idée s'imposait avec une telle insistance qu'elle a été inscrite dans le plan d'affaires avant même la naissance de l'entreprise. Ce plan a vraisemblablement plu aux anges investisseurs, qui ont fourni les 300 000 dollars du capital de départ sans autre condition que celle de récupérer leur mise éventuellement », raconte Richard Ostiguy, fondateur et président de cette maison de production cinématographique. Récipiendaire du prix du Nouvel exportateur 2000 remis par le ministère de l'Industrie et du Commerce du Québec (MIC), Voodoo Arts

Tableau
11.1

L'exportation déchiffrée
• **Entre 1991 et 2000, le volume des exportations québécoises croît de 180 %, soit de 26 à 74 milliards $.**
• **En 1999, les ventes à l'extérieur du Québec représentent 58 % de son PIB (44 % au Canada).**
• **Les exportations du Québec en Europe de l'Ouest représentent 31 % des exportations canadiennes dans la même région.**
• **Les exportations totales du Québec représentent 18 % de l'ensemble des exportations canadiennes.**
• **Le Québec exporte 86 % des ses biens et services vers les États-Unis.**
• **Les exportations du Québec génèrent près d'un million d'emplois.**
• **Les produits les plus exportés (64 %) sont : matériel de transport, produits électriques et électroniques, papier et produits connexes, métaux et bois.**

Source : Ministère de l'Industrie et du Commerce du Québec, direction de l'Analyse du commerce extérieur, 2001

propose une approche intégrée aux étapes de création, de réalisation et de montage de films publicitaires ainsi que de longs métrages. La PME montréalaise réalise 50 % de son chiffre d'affaires aux États-Unis.

Tous les présidents ou directeurs généraux d'entreprise ne se positionnent pas clairement comme Richard Ostiguy, dont les visées internationales remontent à ses années universitaires. Pour nombre d'entrepreneurs, le questionnement prend une toute autre allure. Parfois, l'exportateur apprenti possède un produit se démarquant fortement sur le marché local ; quand il réalise la petitesse de celui-ci, il décide de se lancer à la conquête de marchés étrangers. Ou alors, en raison d'une féroce concurrence, l'entreprise veut aller vendre ailleurs pour ne pas s'engager dans une guerre de parts de marché. L'internationalisation inattendue au gré d'occasions et du hasard existe aussi, bien entendu.

Cependant, une chose est certaine chez les PME : certaines veulent profiter des économies d'échelle que procurent la croissance et les nouvelles clientèles.

Le secret : la préparation

Peu importe la raison qui motive l'entrepreneur à sortir du Québec, l'essentiel de la réussite de sa démarche réside dans la préparation. Antoine Panet-Raymond, professeur en marketing international à l'École des Hautes Études Commerciales, insiste : « L'exportateur ne doit pas se lancer sans réfléchir. Il doit proposer des produits de haute qualité, concurrentiels et adaptables à de nouveaux marchés. Il est important que son offre se distingue, car d'autres pays regorgent d'excellents produits locaux ». Le dirigeant de l'entreprise devra aussi prévoir la capacité de production nécessaire pour faire face à une demande supplémentaire.

« Le diagnostic à l'exportation aide l'entrepreneur à faire le point sur sa préparation et établit clairement les étapes nécessaires pour amorcer le projet, acquiesce Liette Lamonde, directrice générale du World Trade Centre (WTC) de Montréal. L'exercice porte sur différents volets, tels l'engagement de la direction, la capacité de faire face à la concurrence, les avantages concurrentiels, la situation financière, la capacité d'adapter ses prix, son produit et son service, etc. »

Et Antoine Panet-Raymond de renchérir : « Le plan d'exportation est essentiel au succès à l'étranger. Il est crucial que le dirigeant fasse ses devoirs avant toute chose. Il est sage de vérifier l'état de son marché actuel et de s'assurer d'être bien établi localement, avec un excellent produit concurrentiel, avant de se lancer dans l'exportation. Avec la quantité de formations et d'informations offertes, il n'y a plus de raison d'ignorer les rudiments de l'internationalisation. La clé du succès se trouve cependant entre les mains du chef d'entreprise, qui doit faire preuve de motivation, de pertinence et de persévérance.

Le Québec exportateur

Signe des temps, les exportations des entreprises québécoises ont augmenté de 180 % entre 1991 et 2000, passant de 26 à 74 milliards de dollars. « Les PME québécoises s'ouvrent de plus en plus à l'étranger. Les ventes à l'extérieur du Québec représentent 58 % de son PIB, ce qui en fait l'une des économies les plus ouvertes de l'OCDE, dépassant le Canada (44 %). Il y a quatre ans, l'objectif était d'accroître de 2 000 le nombre d'exportateurs québécois. Le but est atteint puisque depuis, plus de 2 100 entreprises ont fait leur entrée sur les marchés étrangers », dit Michel Coutu, directeur du développement des exportations au MIC.

Dans leurs démarches à l'étranger, les entrepreneurs sont appuyés. « Au MIC, par exemple, l'aide aux entrepreneurs comporte plusieurs volets dont les services-conseils stratégiques, la formation, l'aide financière (programme Impact-PME) et des informations multiples. Missions, expositions commerciales et événements promotionnels sont aussi des outils précieux pour qui veut s'internationaliser ; les Missions Québec 2000-2001 ont généré un million de ventes fermes et plus de cinq milliards de ventes potentielles », affirme Michel Coutu.

Si les études démontent le potentiel de certains créneaux, le dirigeant d'entreprise valide généralement son intuition en allant constater de visu les besoins du marché. « Les PME tendent à minimiser, sinon à oublier, les coûts inhérents à la représentation et au marketing à l'étranger. Les frais de déplacement s'ajoutent aux dépenses d'adaptation, de traduction et de visibilité du produit. Les factures s'accumulent vite et grugent les liquidités de l'entreprise. Il faut être attentif », constate Richard Ostiguy.

Vision et détermination

Après avoir consulté, reçu de la formation et rédigé son plan d'affaires, bref une fois bien préparé, l'entrepreneur décide de se lancer dans la grande aventure. « Ce qui semble caractériser l'exportateur type, c'est sa détermination et sa volonté à connaître et à pénétrer de nouveaux marchés », avance André Bourdeau, vice-président exécutif Services financiers à la Banque de développement du Canada (BDC).

Une première démarche couronnée de succès amène l'entreprise à vouloir attaquer un autre marché porteur. Forte de son expérience, elle planifie une nouvelle vague d'internationalisation afin de consolider ses acquis. Désire-t-elle pénétrer plus avant dans un même marché géographique ? Préfère-t-elle explorer un marché supplémentaire, similaire au précédent ? Comment voit-elle cette poussée à l'étranger et cette diversification ? Elle s'engage alors dans une autre ronde de réflexion.

« Les États-Unis constituent le marché naturel des Québécois, qui vendent plus volontiers dans l'axe nord-sud que dans l'axe est-ouest. C'est souvent sur le marché américain que la PME se fait la main. Le Québec exporte 86 % de ses biens et services aux États-Unis. Mettre tous ses œufs dans le même panier rend l'entreprise vulnérable. Lorsque la diversification géographique s'impose, L'Europe et l'Amérique du Sud demeurent des marchés prometteurs, physiquement et culturellement près du Québec », expose Antoine Panet-Raymond.

Force est donc d'admettre qu'en exportation, le vieil adage « Patience et longueur de temps font plus que force ni que rage » prend vraiment tout son sens.

QUESTIONS

1. Qu'est-ce qui peut pousser un entrepreneur à vouloir se lancer dans l'exportation ?

2. Quelle est la recette gagnante pour tout entrepreneur qui désire exporter ?

3. Quels sont les éléments inhérents à la vision et à la détermination d'exporter qu'un entrepreneur doit faire siens ?

Partie 5

L'entreprise et l'étudiant

- La visite d'une entreprise et les fonctions de travail

- La simulation LOGIVÉLO

Plan du VOLUME

Aperçu des chapitres

Chapitre *12*

LA VISITE D'UNE D'ENTREPRISE ET LES FONCTIONS DE TRAVAIL

Objectifs d'apprentissage

Après avoir étudié les éléments de ce chapitre, vous serez en mesure :

- de mieux choisir votre entreprise ;
- de mieux vous préparer à votre entrevue ;
- de mieux vous comporter lors de la visite ;
- de mieux rédiger votre rapport ;
- de mieux réussir votre exposé oral ;
- de développer de l'intérêt pour la vie de l'entreprise.

12.1   *Visite d'une entreprise*

De plus en plus, dans le cadre des cours d'initiation à l'organisation de l'entreprise, les professeurs introduisent dans leur plan de cours l'obligation d'effectuer une visite (courte étude) dans une entreprise, généralement dans le domaine de la fabrication, dans le but de faire découvrir à leurs étudiants la réalité des sujets abordés en classe.

Cette annexe a pour but de vous préparer à cette visite de façon à en tirer le maximum, à la fois pour satisfaire les exigences du contenu du cours et à la fois pour vous permettre de tirer le maximum de cette expérience qui, pour la grande majorité d'entre vous, constitue une «première».

Comment choisir son entreprise

À la lecture de cette exigence dans le plan de cours, une certaine panique peut s'emparer de la plupart d'entre vous, devant l'imposition d'une démarche totalement nouvelle et inconnue.

Cet exercice de recherche d'une entreprise doit être fait avec méthode et selon une démarche logique et structurée.

Le professeur pourra vous indiquer des balises à respecter de façon à préciser le champ de la démarche. Ainsi, il pourra exiger que les entreprises ne comptent que de 40 à 300 employés, que certains secteurs industriels soient exclus, généralement ceux dont le procédé de fabrication est trop simple, et que l'entreprise choisie ne soit pas celle d'un parent d'un des membres de l'équipe (si le travail est un travail d'équipe).

Dans la grande majorité des cas, le choix de l'entreprise doit être approuvé par le professeur afin de s'assurer de la valeur potentielle de la visite. Une fois les contraintes connues et prises en considération, la démarche débute et, soit dit en passant, doit être une démarche de tous les membres de l'équipe.

CONSTITUTION D'UNE LISTE D'ENTREPRISES

Cette démarche est relativement facile. Il existe plusieurs moyens pour pouvoir constituer cette liste. Il s'agit d'abord de consulter les répertoires disponibles publiés par :
- les chambres de commerce,
- les secrétariats des municipalités,
- les commissaires industriels des parcs industriels ;
- des personnes de votre entourage qui sont ou qui peuvent être près du milieu des affaires ;
- internet : www.icriq.com.

Cette première étape, qui peut être longue, est nécessaire. À cet égard, la rigueur du professeur quant à l'acceptation de votre choix ne sera que bénéfique pour vous.

OBTENTION D'UNE ENTREVUE POUR LA VISITE

Cette étape est la plus difficile car elle implique une démarche qui ne vous est pas familière.

Comment s'y prend-on pour obtenir une entrevue pour la visite d'une entreprise ? Disons au départ que, dans bien des cas, les entrepreneurs ou hauts dirigeants d'entreprise acceptent de bonne grâce de se plier à cette exigence des enseignants. Il vous faut alors suivre l'étape préalable.

1. ÉTAPE PRÉALABLE

Une fois la liste constituée, il faut passer à l'action, soit entrer en contact avec l'entreprise choisie. Avant d'entrer en contact avec l'entreprise, un travail préparatoire s'impose.

■ RECHERCHE DES NOMS DE PERSONNES À RENCONTRER

Idéalement, le(s) propriétaire(s), le président directeur général (P.D.G.) ou le directeur du marketing sont les personnes qui sont en principe les plus disposées à vous donner le maximum d'information sur l'entreprise.

Comment faire pour obtenir leurs noms ? En premier lieu, il suffit de consulter le site web de l'entreprise ou de téléphoner et de demander à la réceptionniste les noms de personnes que vous avez jugés bon de contacter. Cette dernière acceptera en principe de vous donner leurs noms à moins d'avis contraire.

■ PRÉPARATION POUR LA PRISE DE CONTACT AVEC LA PERSONNE CHOISIE

Voici quelques conseils pour réussir votre prise de contact :
- a). Préparez votre présentation téléphonique ;
- b) Parlez lentement, clairement et avec conviction (écrivez votre texte si nécessaire) ;
- c) Choisissez la personne de l'équipe qui se sent le plus à l'aise au téléphone.

Voici les éléments à ne pas oublier :
- a) Demander la permission de pouvoir rencontrer, si nécessaire, d'autres gestionnaires (marketing, production, finances etc.) ;
- b) Demander la permission d'enregistrer l'entrevue ;
- c) Demander la permission de prendre des photos.

■ CHOIX DU MOMENT POUR LA PRISE DE CONTACT AVEC LA PERSONNE CHOISIE

En principe vous pouvez téléphoner (entrer en contact) à tous les jours de la semaine entre 9 h et 17 h. Toutefois, évitez de téléphoner durant les après-midi, les lundis matin et les vendredis matin. Les mardis et les mercredi en avant-midi sont les moments qui semblent les plus appropriés.

Une fois le rendez-vous obtenu, assurez-vous qu'il est bien inscrit à son agenda ainsi qu'au vôtre.

Préparation de la visite et des entrevues

Une fois la visite obtenue, il est important de bien la préparer. Prenez soin de vérifier périodiquement avec la secrétaire si le rendez-vous tient toujours car votre interlocuteur peut avoir des contretemps et oublier de vous en aviser. Voici les démarches à suivre.

SE DOCUMENTER SUR L'ENTREPRISE ET SES PRODUITS

Il est très important de connaître un peu l'entreprise et ses produits de façon à montrer de l'enthousiasme et de l'intérêt lors de l'entrevue. Votre interlocuteur sera volubile si vous montrez de l'intérêt pour ce qu'il fait, ce qu'il fabrique, ce qu'il vend et comment il vend. Cet intérêt commence à se créer par la recherche d'informations pertinentes, telles que celles mentionnées précédemment. Le site web de l'entreprise en est l'outil de recherche tout désigné.

PRÉPARER LES QUESTIONS SUR LES SUJETS CHOISIS

Il est important de préparer les sujets de discussion et de bien formuler les questions afin d'être assuré qu'elles soient facilement comprises par la personne interviewée. Cet exercice ne peut être fait à la légère ; il suffit de bien préparer les principaux sujets relatifs aux différentes activités et opérations de l'entreprise. En consultant les chapitres 5, 6, 7, 8 et 9 de ce manuel, vous trouverez tous les sujets sur lesquels votre interlocuteur pourra vous répondre.

SE PRÉPARER POUR LA VISITE ET LES ENTREVUES

Cette démarche consiste à se préparer pour la visite et l'entrevue. Il s'agit de :

a) Préparer son matériel :
   - caméra digitale ou vidéo,
   - magnétophone pour enregistrer l'entrevue (prévoir une alimentation électrique plutôt qu'à piles et un fil d'alimentation supplémentaire),
   - cassette audio de 90 minutes,
   - microphone ;

b) Préparer son transport ;

c) Avoir une tenue vestimentaire appropriée (pas de casquette ni de jeans). Si votre tenue est marginale, il est fort probable que votre interlocuteur sera indisposé par votre présentation et voudra conclure l'entrevue le plus rapidement possible. C'est lui qui a le dernier mot ;

d) Demander à votre service audiovisuel de vous donner un peu de formation sur l'usage d'une caméra surtout dans une usine peu éclairée. Il est très fréquent de trouver des usines avec peu d'éclairage. Afin de vous assurer d'obtenir de bonnes photos, n'hésitez pas à consulter des spécialistes en audiovisuel ;

e) Faire une simulation du déroulement des entrevues avant la visite. Pratiquer votre élocution en posant les questions ;

f) La veille de la visite, vérifiez avec la secrétaire de la personne que vous allez rencontrer si le rendez-vous est toujours à son agenda.

Déroulement de la visite et des entrevues

Cette étape doit bien commencer. Vous devez être ponctuel à votre rendez-vous. Si vous prévoyez être en retard, essayez autant que possible d'en aviser la personne que vous allez rencontrer. C'est une marque de respect et de politesse. De plus, cela permettra à cette personne de faire autre chose en vous attendant. Son temps coûte cher.

Durant l'entrevue, ne tutoyez jamais votre interlocuteur, même s'il est jeune. Vous êtes étranger et la familiarité (le tutoiement) n'a pas sa place. Abstenez-vous de commentaires désobligeants ou insolents et ne mâchez pas de gomme pendant votre visite. Enfin, montrez-vous intéressé. La qualité de votre travail en dépend.

Envoi d'une lettre de remerciement

Au plus tard trois jours après avoir remis votre rapport, veuillez envoyer une lettre de remerciement à la personne qui a organisé la visite. Même si cette personne vous a fourni son adresse de courrier électronique, il n'est pas approprié de lui envoyer ce mot de remerciement par courriel car cette lettre doit être signée par tous les membres de votre équipe et accompagnée d'une copie de votre rapport. En voici un modèle de base qui devra être adapté au contexte de chacune des visites. Elle doit être la plus courte possible. Assurez-vous que la lettre soit sans faute. Si nécessaire, faites-la corriger par votre professeur.

Madame Diane Lebrun
Directrice des communications
Les Industries ABC inc.
2234, rue Bégin
Québec, QC
G3B 4L6

Objet : Remerciement

Madame Lebrun,

Linda Beaulieu, Martin Tremblay, Éric Dubois et moi-même, Alexandre Tanguay, désirons vous remercier sincèrement pour la très intéressante visite que vous nous avez organisée le 7 mars dernier.

Les précieux renseignements fournis par les personnes que nous avons rencontrées nous ont permis de comprendre encore mieux les notions apprises dans notre cours d'administration. Il nous fait plaisir de vous remettre une copie de notre rapport de visite remis à notre professeur.

Merci.

Linda Beaulieu   Martin Tremblay

Éric Dubois   Alexandre Tanguay

Présentation du compte-rendu ou rapport de visite

La présentation de votre compte-rendu ou rapport de votre visite doit être conforme aux normes imposées par votre professeur. Il existe plusieurs références auxquelles il pourra référer. La rigueur est de mise à la fois dans la présentation et dans la rédaction d'un rapport, si court soit-il. Il démontre votre personnalité et surtout le type de personne que vous êtes.

L'exposé oral

SA PRÉPARATION

Dans certains cas, la visite d'une entreprise pourra faire l'objet d'un exposé oral devant les étudiants de votre classe. Cet exercice a pour but, d'une part, de faire partager aux autres étudiants de la classe l'expérience enrichissante que vous avez vécue, leur montrer la variété des entreprises qui existent dans votre communauté et, d'autre part, d'initier l'étudiant aux exposés oraux qu'il aura à faire au cours de ses études collégiales et universitaires.

La préparation à l'exposé oral constitue la partie la plus importante de votre exposé. Un exposé bien préparé éliminera beaucoup d'obstacles à la prestation elle-même :

- elle réduira le trac dès le départ ;
- elle facilitera l'élocution et le déroulement de l'exposé ;
- elle facilitera les réponses aux questions ou objections.

Comment bien se préparer à l'exposé oral ?

Si la visite de l'entreprise a été faite avec sérieux et enthousiasme, l'exposé oral ne devrait pas présenter de problèmes. Malgré cela, une préparation minutieuse implique les activités suivantes :

- revoir en détail le rapport écrit à remettre ou remis au professeur ;
- préparer des fiches mémoire sur les sujets que vous devez exposer ;
- répéter l'exposé plusieurs fois devant les autres membres de l'équipe et enregistrer votre prestation ;
- chronométrer votre temps d'exposé de façon à ne pas vous répéter ou à trop élaborer sur un sujet donné et respecter le temps alloué lorsque le professeur impose cette contrainte. Le jour précédant la prestation, confirmer entre vous la présence de chaque membre de l'équipe à la présentation et vérifier si le matériel de support sera complet et opérationnel comme il se doit.

SA PRESTATION

Si la préparation de l'exposé a été faite minutieusement à partir des informations contenues dans votre compte-rendu ou rapport de visite et des photos prises lors de la visite (et non sur le site web), elle devrait bien se dérouler. Avant le début de votre prestation, assurez-vous que votre matériel est complet et que les appareils de support fonctionnent bien.

12.2 *Les fonctions de travail dans l'entreprise*

L'analyse des fonctions de travail dans l'entreprise inscrite dans le plan de cours de votre professeur pourra porter sur la visite d'une entreprise ou sur un travail de recherche à travers les divers outils d'information imprimés et électroniques disponibles comme moyen de cueillette d'information sur le sujet.

Quelque soit le type de travail qui apparaîtra au plan de cours, veuillez trouver ci-dessous, les différents sujets relatifs aux fonctions de travail et de gestion ainsi que leur environnement que vous aurez à traiter et développer. Pour vous aider dans la préparation de ce travail, veuillez vous référer aux éléments de contenu des chapitres qui précèdent portant sur ces sujets.

Description de l'entreprise

- Type d'industrie dans laquelle l'entreprise évolue
- Types de produits fabriqués ou types de services offerts
- Types de canaux de distribution utilisés (pour les produits)
- Types de marchés couverts
- Structure organisationnelle sommaire (à illustrer par un organigramme)

Description et analyse des fonctions de travail

1. DESCRIPTION DES OPÉRATIONS DE L'ENTREPRISE

- Description et analyse sommaire des grandes fonctions de l'entreprise ;
- Description et analyse des principales activités de chacune de ces fonctions ;
- Description et analyse des principales tâches spécifiques de chacune de ces activités ;
- Description et analyse des différentes tâches de technicien ou gestionnaire dans chacun des départements ou services concernés ;
- Identification et description des différentes compétences requises dans l'exécution des tâches et fonctions concernées :
  - du technicien
  - du gestionnaire
- Identification et description des différents logiciels utilisés.

2. DESCRIPTION DU PROFIL TYPE DU TECHNICIEN POUR CHACUNE DES DIFFÉRENTES FONCTIONS IDENTIFIÉES

- Recherche sur les forces personnelles requises ;
- Recherche sur les goûts et affinités requis ;

- Recherche sur les exigences relatives à la capacité de travailler en équipe ;
- Recherche sur la rigueur et la discipline requise.

3. DESCRIPTION DU PROFIL TYPE DU GESTIONNAIRE POUR CHACUNE DES DIFFÉRENTES FONCTIONS IDENTIFIÉES

- Recherche sur les forces personnelles requises ;
- Recherche sur les goûts et affinités requis ;
- Recherche sur les exigences relatives à la capacité de diriger ;
- Recherche sur la rigueur et la discipline requise.

4. DESCRIPTION DES PROGRAMMES DE FORMATION DU PERSONNEL

- Recherche sur les critères d'embauche ;
- Recherche sur le programme de formation ;
- Recherche sur le programme de perfectionnement ;
- Recherche sur les mesures de rétention de personnel ;
- Recherche sur les programmes et parcours de carrière.

5. DESCRIPTION DE LA CULTURE D'ENTREPRISE

- Recherche sur les valeurs de la culture de l'entreprise ;
- Recherche sur les façons de faire ;
- Recherche sur la considération de l'employé ;
- Recherche sur la considération du client.

Connaissance de soi

- Recherche et analyse de ses forces et ses faiblesses relatives au type de travail spécifique à exécuter préalablement identifié que vous aimeriez faire ;
- Recherche et analyse sur ses goûts, affinités et vision en regard d'une carrière en administration ;
- Recherche et analyse sur son degré de capacité de travailler en équipe et de communiquer efficacement ;
- Recherche et analyse de sa capacité d'organiser son travail ;
- Recherche et analyse de sa capacité de travailler sous pression ;
- Recherche et élaboration de son plan de carrière.

Exigences du plan de cours

La partie du plan de cours relative au présent sujet pourra comporter des différences plus ou moins importantes selon la vision de votre professeur sur ce sujet d'une part et selon les particularités du contenu du cours et du programme en cause d'autre part. Il vous transmettra alors des directives plus spécifiques concernant le contenu et la feuille de route à suivre pour ce travail.

Chapitre 13

LA SIMULATION LOGIVÉLO

Votre professeur, en complément de sa prestation et en fonction du contenu de son plan de cours, peut décider d'utiliser ou non la simulation Logivélo.

Présentation

Logivélo est une simulation de groupe axée sur la découverte de la dynamique des fonctions de l'entreprise opérant dans le contexte de l'industrie du vélo. Dans un environnement de concurrence très près de la réalité, après avoir été regroupés en équipe pour former votre compagnie, vous aurez à gérer votre entreprise en prenant différentes décisions pour en assurer la croissance période après période à travers un processus d'apprentissage développé en fonction des objectifs de la simulation et du volume.

La simulation est un outil d'apprentissage dynamique et très emballant. Son opération en ligne (sur *simaxion.com*) est conviviale et peut être faite partout où vous avez accès à un ordinateur branché sur Internet.

Pour son utilisation, seul votre professeur, qui en sera l'animateur, peut l'activer pour vous permettre de l'utiliser, des mots de passe étant nécessaires pour y avoir accès.

L'environnement de la simulation

Logivélo porte sur le domaine du vélo comme son nom l'indique. Nous avons choisi ce produit parce que c'est un produit que vous connaissez tous pour en posséder ou en avoir possédé un. C'est un produit de plus en plus à la mode, écologique et complexe, intéressant à fabriquer et à commercialiser. Avec les ordinateurs et les logiciels performants dont nous disposons, nous avons pu simuler la réalité du marché et de la vie d'une entreprise de fabrication de vélos.

1. L'INDUSTRIE

L'industrie du vélo est une industrie en plein développement. Il se fait du vélo partout, pour toutes les catégories d'âge et pour tous les types de randonnées. La simulation porte sur le vélo pour adultes seulement et le marché couvert est très grand et avec des potentiels de vente très élevés.

2. LE PRODUIT

Votre entreprise pourra choisir de fabriquer jusqu'à trois types de vélo : le vélo de montagne, le vélo de randonnée et le vélo hybride (de ville) et cela, dans trois qualités différentes (gamme). De plus, vous aurez à déterminer le degré de qualité (gamme) des pièces composantes qu'il vous faudra acheter pour le fabriquer. Ce degré de qualité de produit sera classifié dans les catégories suivantes : bas de gamme (BG), milieu de gamme (MG) et haut de gamme (HG) et cela, pour les trois types de vélo. Voici les pièces composantes pour chaque type de vélo. Nous les avons rassemblées en 5 groupes/pièces distincts :

- le groupe/pièces   1   tube de métal (fourche et châssis)
- le groupe/pièces   2   2 roues/2 pneus
- le groupe/pièces   3   dérailleur/pédalier/2 freins
- le groupe/pièces   4   accessoires (selle, guidon et garde-boue)
- l'esthétique   5   peinture et design

3. L'USINE

Chaque entreprise devra, au départ, construire une première usine pour fabriquer un type de vélo. L'usine ne fabrique qu'un seul type de vélo à la fois. Il vous sera possible de construire jusqu'à trois usines au cours du déroulement de la simulation pour prendre de l'expansion et ainsi assurer la croissance de votre entreprise et de votre capital. Le rendement de production de l'usine est basé sur les éléments suivants :

- le nombre d'ouvriers embauchés. Il est limité à 50 maximum ;
- le nombre d'heures travaillées. Il est de 2 000 par période (40 heures par semaine pendant 50 semaines).

Au départ, la capacité de production de l'usine est de 1 vélo par ouvrier par heure et elle demeure constante pendant toute la durée de la simulation. Cependant, si vos ventes augmentent sensiblement et que votre usine ne peut plus suffire à la demande, il vous sera possible d'en améliorer la productivité en y réinvestissant de nouveaux capitaux pour l'amélioration de l'usine sans être obligé de construire une nouvelle usine. Ainsi en réinvestissant dans votre usine 5 000 000 $, sa capacité de production passera à 2 vélos par ouvrier par heure.

Lors du démarrage d'une nouvelle usine vous ne pouvez investir dans l'amélioration de l'usine. Ce n'est qu'à partir de la période suivante que vous pourrez le faire.

◾ Le déroulement de la simulation

Logivélo simule, comme nous l'avons mentionné antérieurement, les opérations d'entreprises de fabrication de vélos qui se font concurrence. La durée de la simulation est divisée en 20 périodes maximum qui représentent chacune une année ou un exercice financier comme dans la réalité. Ces périodes correspondent aux périodes de classe pendant lesquelles chaque équipe/entreprise prendra des décisions qui seront inscrites sur une formule et ensuite entrées dans l'ordinateur pour être traitées et produire les différents états financiers qui vous seront remis.

Au début de chaque période le professeur vous remettra les états financiers qui proviennent du traitement des décisions prises à la période précédente. À la fin de chaque période, après analyse de ces résultats et discussions au cours de la période avec les autres membres de votre équipe pour établir ou modifier la stratégie à adopter afin d'assurer la poursuite de la croissance de votre entreprise, vous devrez compléter votre formule de prise de décisions qui sera utilisée pour la saisie dans l'ordinateur. À la suite des décisions que vous aurez prises relativement aux prix de vente de vos vélos et des différents coûts relatifs à la fabrication et à la gestion en général de votre entreprise, vous verrez (ou non) vos ventes et vos bénéfices augmentés ainsi que votre avoir. L'augmentation de l'avoir constitue le principal objectif financier de la simulation.

Cette façon de procéder se répétera à chaque période pendant toute la durée de la simulation déterminée par le professeur.

Le rôle du professeur animateur

Tel que mentionné dans l'introduction, la classe est divisée en équipes qui gèrent chacune une entreprise. Une équipe ne doit pas compter plus de 4 étudiants. Le professeur décide de la méthode de formation des équipes/entreprises et il agit comme animateur de la simulation. Son rôle est de :

- faire compléter les formulaires de formation des équipes/entreprises ;
- déterminer à chaque période les paramètres de fonctionnement de la simulation ;
- distribuer au début de chaque période les états financiers aux équipes ;
- superviser le bon fonctionnement de la simulation ;
- assister, conseiller et stimuler les étudiants dans leur travail de gestion ;
- faire l'évaluation des équipes/entreprises à la fin de la simulation.

Les opérations de votre entreprise

Votre entreprise, comme toute entreprise manufacturière réelle, est une entreprise complexe. Ses opérations seront très près de la réalité. Elle opérera avec les quatre fonctions que vous avez vues précédemment aux chapitres 5 (la production), 6 (le marketing), 8 (la gestion financière) et 9 (la gestion des ressources humaines). Il n'y aura pas d'opération de distribution de produits comme telle (chapitre 7), la distribution étant une fonction intermédiaire non essentielle dans la présente simulation. On en a cependant tenu compte dans la détermination des prix de vente des vélos aux marchands détaillants. Toutes ces opérations seront simulées de façon à respecter certaines contraintes mineures causées par les limites du logiciel sans altérer pour autant la ressemblance avec la réalité.

1. LES OPÉRATIONS DE PRODUCTION

Les opérations de production ont trait aux prises de décisions suivantes. Pour fabriquer les vélos il vous faudra :

1) Déterminer à chaque période subséquente :
   - le nombre de vélos à fabriquer ;
   - le nombre d'ouvriers à embaucher ;

2) Acheter à chaque période, si nécessaire, les matières premières (les pièces composantes qui correspondent à la gamme que vous avez choisie). Il vous sera possible d'investir dans la recherche et développement (R&D) pour améliorer la qualité de vos produits et développer un avantage concurrentiel.

2. LES OPÉRATIONS DE MARKETING

Les opérations de marketing ont trait aux décisions suivantes. Il vous faudra :

- décider à la construction d'une usine, du type et de la gamme de vélo à fabriquer ;
- déterminer le prix de vente de votre vélo selon le niveau de gamme choisi ;
- décider du nombre de vendeurs à embaucher ;
- déterminer le montant à investir en publicité ;
- décider de la stratégie publicitaire à adopter ;
- décider des données de recherche commerciale à obtenir pour prendre des décisions éclairées.

3. LES OPÉRATIONS DE GESTION FINANCIÈRE

Les opérations de gestion financière portent sur l'analyse financière des résultats et sur les décisions concernant :

- le financement de la construction ou l'amélioration de l'usine qui pourra se faire soit par l'emprunt à long terme soit par l'émission d'actions ;
- les dépenses d'opérations courantes qui pourront se faire par l'emprunt à court terme (marge de crédit bancaire).

4. LES OPÉRATIONS DE GESTION DES RESSOURCES HUMAINES

Les opérations de gestion des ressources humaines ne portent que sur la décision du nombre d'ouvriers à embaucher et sur la détermination du salaire horaire que vous déciderez de payer à ces ouvriers.

■ La présentation des états financiers

Les états financiers de votre entreprise comprendront : l'état de fabrication, l'état des résultats et le bilan.

1. L'ÉTAT DE FABRICATION ET L'ÉTAT DES RÉSULTATS

En ce qui concerne l'état de fabrication et l'état des résultats, la simulation considère chacune des usines comme des unités indépendantes appartenant à une seule et unique entreprise, la vôtre. Ces usines auront chacune leur état respectif de fabrication et des résultats.

2. LE BILAN

En ce qui a trait au bilan, il n'y en aura qu'un seul étant donné qu'il n'y a qu'une seule entreprise et qu'un seul avoir des actionnaires.

Bibliographie

ALBERTINI, J.-M., *Capitalisme et socialisme*, Paris, Les éditions ouvrières, 1970, 304 p.

BECKMAN, D., KURTZ, D.-L., BOONE, L. E., *Le marketing*, Montréal, Études vivantes, 1990, 611 p.

BERGERON, J.-L., CÔTÉ-LÉGER, N., JACQUES, J., BÉLANGER, L., *Les aspects humains des organisations*, Chicoutimi, Gaëtan Morin éditeur, 1979, 337 p.

BERGERON, P.-G., *La gestion moderne : théorie et cas,* 2e édition, Boucherville, Gaëtan Morin éditeur, 1989, 565 p.

BLIN, G., *Comprendre et implanter ISO 9000,* Les publications de l'Association québécoise de la qualité, version 3.5, novembre 1994.

BOUCHARD, J., *Les 36 cordes sensibles des Québécois*, Montréal, Éditions Héritage, 1978, 308 p.

COUBET, André, *Le service à la clientèle : une nouvelle dimension au marketing,* Revue Gestion, novembre 1990.

COLIN, A., *Les économies socialistes*, Paris, Librairie Armand Colin, 1970, 510 p.

DOLAN, L.Sh., SABA, T., JACKSON, S.-L., SHULER, R., *La gestion des ressources humaines, tendances, enjeux et pratiques actuelles*, 3e édition, 2002, 713 p.

EMERY, V., *Faire des affaires sur Internet*, Repentigny, Les Éditions Reynald Goulet, 460 p.

FORTIN, P.-A., *Devenez entrepreneur*, Les presses de l'université Laval, 1986, 302 p.

GAGNON, J.-M., KHOURY, N., *Traité de gestion financière*, Chicoutimi, Gaëtan Morin éditeur, 1982, 566 p.

GOLDMAN, H.-L., *A practical introduction to business,* Irwin R. D. inc., 1975, 248 p.

HARRINGTON, J., *Objectif qualité totale,* Montréal, Publications Transcontinentales inc., 1992, 320 p.

HÉNEAULT, G.-M., *Le comportement du consommateur,* Édition du Jour, 1996

KOSIOR, D., *Comprendre le commerce électronique*, Paris, Microsoft press, 244 p.

LINTEAU, P.-A., DUROCHER, R., ROBERT, J.-C., *Histoire du Québec contemporain*, Boréal Express, Montréal, 2 volumes, 733 p.

MASLOW, A.-H., *Motivation and personnality*, New-York, Harper & Row, 1954.

MILLER, M.-T., TURGEON, B., *Supervision et gestion des ressources humaines*, McGraw-Hill éditeur, 1992, 586 p.

MONTREUIL, P., *Le droit, la personne et les affaires*, Boucherville, Gaëtan Morin éditeur, 1994, 747 p.

NOLLET, KÉLADA, DIORICO, *La gestion des opérations et de la production*, Boucherville, Gaëtan Morin éditeur, 1986, 896 p.

PAQUIN, B., TURGEON, N., *Les entreprises de services, une approche client gagnante*, Montréal, Les Éditions Transcontinentales, 1998, 427 p.

PERLICK, W.-W., *Introduction to business*, Hanwood Illinois, Irwin R. D., 1970, 126 p.

POPCORN, F., *Le rapport Popcorn*, Les éditions de l'homme, 1994, 268 p.

ROY, A., ARCHAMBEAULT, J.-P., *Initiation au droit des affaires*, Montréal, Études vivantes, 1993, 706 p.

STEVENSON, CW.J., BENEDETTI, C., *La gestion des opérations, produits et services*, Chenelière/McGraw-Hill, 2001, 785 p.

THOMASSIN, C., GAGNON, R., *Finance corporative*, St-Nicolas, Claude Thomassin éditeur, 1995, 292 p.

TURGEON, B., *La pratique du management*, McGraw-Hill inc, 2e édition, 1989, 500 p.

Index

T